DUMONT
REISE-TASCHENBÜCHER

Chicago &
die Großen Seen

◁ In der vorderen Ur

In der hinteren Un   Seen ▷

Chicago &
die Großen Seen

Manfred Braunger

DUMONT

Umschlagvorderseite: Blick auf Chicago vom Chicago River
Umschlaginnenklappe vorne: Die Mackinac-Brücke in Michigan
Umschlaginnenklappe hinten: Blick vom Hancock Center
Abbildung S. 2/3: Die Skyline von Chicago
Vignette: Hotelfront auf Mackinac Island
Umschlagrückseite oben: Leuchtturm von Sturgeon Bay, Wisconsin
Umschlagrückseite unten: Das Carbide and Carbon Building in Chicago

Über den Autor: Manfred Braunger, geboren 1945, studierte Politikwissen-
schaften und absolvierte eine Ausbildung als Redakteur. Heute lebt er als
freier Journalist und Autor in Freiburg. Bei DuMont erschienen von ihm
der Band »Richtig reisen: Südwesten – USA« sowie die Reise-Taschen-
bücher »Normandie« und »Elsaß«.

Fremde Kulturen kennenlernen und gastfreundlichen Menschen begegnen – wie
sehr genießen wir das auf Reisen. Zu Hause bei uns jedoch wird mancher Ausländer von einer kleinen Minderheit beschimpft, bedroht und sogar mißhandelt.
Alle, die in fremden Ländern Gastrecht genossen haben, tragen hier besondere
Verantwortung. Deshalb: Lassen Sie es nicht zu, daß Ausländer diffamiert und
angegriffen werden. Lassen Sie uns gemeinsam für die Würde des Menschen
einstehen.

Verlagsleitung und Mitarbeiter des DUMONT Buchverlages

© 1993 DuMont Buchverlag, Köln
2. Auflage 1995
Alle Rechte vorbehalten
Satz und Druck: Rasch, Bramsche
Buchbinderische Verarbeitung: Bramscher Buchbinder Betriebe

Printed in Germany   ISBN 3-7701-3193-2

Inhalt

Land und Leute

Natur, Umwelt, Wirtschaft

Geschichte und Gesellschaft, Kunst und Kultur

Orte und Reiserouten

Rund um den Lake Michigan

Detroit – Millionenstadt auf Rädern   198

Das Südufer des Lake Erie

Nützliche Tips und Adressen   241

Land
und Leute

Natur

Umwelt

Wirtschaft

Geschichte

Gesellschaft

Kunst und Kultur

Natur
Umwelt
Wirtschaft

Gehöft im Sleeping Bear Dunes National Park

Geographie

Man schreibt das Jahr 1634. Tage sind vergangen, seitdem die Männer mit ihrem Kanu über den Ottawa River in den Lake Huron gelangten. Hell und frisch liegt der Sommermorgen über der spiegelnden Wasserfläche. Kräftig stechen die sieben Indianer vom Stamm der Huronen die Paddel in die Wogen, um das Boot Richtung Westen voranzutreiben. Als sich aus dem milchigen Horizont endlich die Konturen eines Landstreifens herauszuheben beginnen, trifft Jean Nicolet, der einzige weiße Mann an Bord, seine Vorbereitungen. Aus dem Gepäck kramt er eine feuerrote, mit farbigen Blumen- und Tiermotiven geschmückte Robe aus Damast, um sich auf den bevorstehenden Empfang an Land durch die ehrenwerten Mandarine vorzubereiten. Endlich in China!

Als aber der Franzose schließlich an Land geht, sind es nicht chinesische Würdenträger, die ihn willkommen heißen, sondern Horden amerikanischer Indianer, die sich zu Hunderten zusammenrotten. Und der Landepunkt ist auch nicht, wie von dem französischen Entdecker vermutet, die chinesische Küste, sondern wahrscheinlich die Bucht des Fox River an der Ostküste von Wisconsin. Nicolet hatte nicht das Chinesische Meer, sondern den Lake Michigan überquert – und zwar als erster Weißer.

Ob sich die Entdeckung des Michigan-Sees tatsächlich so zutrug, wird von manchen bezweifelt, die behaupten, Nicolet habe sich erst vier Jahre später auf diese Reise begeben, und er sei nicht in Wisconsin, sondern irgendwo am westlichen Ufer des Lake Superior gelandet. Was die Überlieferung aber in jedem Fall vermittelt, ist eine Spur des Eindrucks, den Jean Nicolet von den Großen Seen hatte: Er hielt sie für ein ausgedehntes Meer aus Süßwasser.

Die Empfindungen Nicolets sind durchaus nachvollziehbar, wenn man sich die Größenordnungen der Great Lakes vergegenwärtigt. Unter dem Sammelbegriff Große Seen versteht man die fünf einzelnen Gewässer, die im nördlichen Mittelwesten der USA entlang der kanadischen Grenze ein miteinander verbundenes Wassersystem bilden, das vom Lake Superior im Westen über die Seen Michigan, Huron und Erie bis zum Lake Ontario im Osten reicht. Nirgends auf dem Planeten Erde ist mehr Süßwasser konzentriert als dort. Auf etwa 20 % der globalen Reserven wird der Vorrat geschätzt. Insgesamt ist eine Fläche von ungefähr 245 000 km^2 mit Wasser bedeckt, was etwa dem Territorium der Bundesrepublik Deutschland ohne die neuen Bundesländer entspricht. Die dort vorkommenden Wassermengen lassen sich zwar beziffern, aussagekräftiger als Zahlen aber ist vielleicht ein Bild: Das gesamte zusammenhängende Staatsgebiet der

Jean Nicolet 1634 beim Landgang in der Neuen Welt

USA könnte mit dem Wasser der Großen Seen 3,5 m hoch überschwemmt werden.

Diese gigantische Süßwassermenge prägt die Großregion, zu der auf amerikanischer Seite acht Bundesstaaten gehören. Im Zentrum des Seengebiets liegen Michigan und Wisconsin mit vergleichsweise großen Anteilen an den Seen. Der meerferne Binnenstaat Michigan verfügt, von Alaska abgesehen, unter allen US-Staaten über die längste Küste. Kleinere Uferabschnitte fallen den Bundesstaaten Minnesota (am Lake Superior), Illinois und Indiana (am Lake Michigan), Ohio und Pennsylvania (am Lake Erie) sowie dem Staat New York (am Lake Erie und Lake Ontario) zu.

Größter See im ›Fünferklub‹ ist der Lake Superior, der einen Weltrekord hält. Mit einer Fläche von mehr als 82 000 km², also knapp der Ausdehnung Österreichs, ist er der größte Süßwassersee der Erde. Verglichen mit seinen Nachbarn ist der Lake Superior mit maximal 397 m auch der tiefste und mit 184 m über Meereshöhe zugleich der höchstgelegene See. Zwischen den einzelnen Mitgliedern des ›Fünferklubs‹ bestehen Höhenunterschiede, die zum Teil künstlich durch Schleusen ausgeglichen werden wie zwischen dem Lake Superior und dem Lake Huron. Der größte Höhenunterschied existiert zwi-

Die Großen Seen im Vergleich

	Lake Superior	Lake Michigan	Lake Huron	Lake Erie	Lake Ontario
Fläche in km²	82 414	58 016	59 586	25 719	19 477
Einzugsgebiet in km²	207 200	175 760	188 100	84 150	90 130
Länge in km	563	494	332	388	311
Breite in km	258	190	295	92	85
Max. Tiefe in m	397	281	229	64	237
Abfluß in m³ pro Sek.	2 100	5 040	5 040	5 500	6 540
Höhe über NN	183	177	175	175	75
°C im August	12,2	18,3	18,9	22,2	19,5

Pictured Rocks National Seashore am Lake Superior

schen dem Lake Erie und dem Lake Ontario. Auf spektakuläre Weise wird diese Differenz an den weltbekannten Niagara-Fällen sichtbar.

Hinsichtlich der Wassertiefe spielt der Lake Erie eine Sonderrolle. Während die übrigen Seen maximal über 200 m messen, erreicht der Lake Erie nur eine Tiefe von 64 m, im westlichen Teil sogar von nur durchschnittlich etwa 5 m. Der kleinste unter den Großen Seen ist der Lake Ontario, der aber mit 19 521 km² immerhin noch mehr als 36mal so groß wie der Bodensee ist!

Die Großen Seen existieren zwar noch nicht sehr lange. Dennoch hat ihre Entstehungsgeschichte mit komplizierten Zusammenhängen zu tun, die weit in die Vergangenheit zurückreichen. Viele ihrer Attribute wie Lage, Tiefe oder Gestalt wurden indirekt durch Vorgänge beeinflußt, die schon im Präkambrium vor mehr als 800 Mio. Jahren begannen. Das gilt zum Beispiel für die Tiefengesteine des Kanadischen Schilds, die von Norden bis ins Seengebiet hineinreichen und schon vor rund 500 Mio. Jahren entstanden.

Zu Urzeiten war die heutige Region der Großen Seen vermutlich mehrmals von Meeren bedeckt, die sich im späten Paläozoikum vor etwa 250 Mio. Jahren für immer zurückzogen. Seit rund 200 Mio. Jahren liegt der nördliche Mittelwesten auf dem ›Trockenen‹ und ist normaler Erosion ausgesetzt. Flüsse wie die Vorgänger von Mis-

sissippi, Missouri, Wabash und Ohio begannen, sich ihre Läufe zu graben, aus denen über die Zeiten hinweg ganze Stromsysteme zur Entwässerung weiter Gebiete von Nordamerika entstanden.

In der Zeit des Pleistozän (vor etwa 600 000–12 000 Jahren) war das Gebiet der Großen Seen zum großen Teil von Inlandeis bedeckt, das in den vier *Kansan, Nebraskan, Illinoisan* und *Wisconsin* genannten Eiszeiten die Region schätzungsweise 1–2 Mio. Jahre prägte, ehe die Vereisung vor 12 000 Jahren zu Ende ging. Zwischen den einzelnen Vereisungsperioden lagen Zwischeneiszeiten mit wärmerem Klima, in denen der Eispanzer schrumpfte, nicht ohne dabei deutliche Spuren einer gigantischen Hobelarbeit zurückzulassen. Vermutlich entstanden während dieser länger andauernden Schmelzperioden kleinere Seen, die in südlicher Richtung zum Des Plaines River hin entwässerten. Nur die südlichsten Teile des Lake Michigan und des Lake Erie blieben im großen und ganzen eisfrei. Das Schmelzwasser konnte damals noch nicht Richtung Atlantik abfließen, sondern nahm seinen Weg über den heutigen Chicago River. Als die Vereisung durch klimatische Veränderungen vor etwa 8000 Jahren endete, begannen sich die Umrisse der fünf Seen sowie ihre Verbindungen untereinander herauszubilden. Die Entwässerung Richtung Mississippi wurde durch den Abfluß zum Atlantik ersetzt.

Grund dafür war, daß die Eis-schmelze einen großen Teil des Gewichtsdrucks von der Region nahm, die sich vor allem im Nor-den anzuheben begann, während der Süden des Große-Seen-Gebiets sich leicht senkte. Vom Lake Supe-rior floß das Wasser nun durch die Straits of Mackinac in den Lake Huron und von dort weiter durch die Seen Richtung Atlantik, weil es am Südende des Lake Michigan wegen der dort härteren Gesteins-schichten kein Durchkommen gab. Um 500 v. Chr. hatten die Großen Seen in etwa ihre heutige Gestalt angenommen.

Als Jean Nicolet vor rund 350 Jahren über das vermeintliche Chi-nesische Meer ruderte, das man später Lake Michigan taufte, war das gesamte Gebiet eine weitge-hend unverfälschte Naturland-schaft. Die dortigen Indianerstäm-me – Algonkin-, Sioux- und Iroke-sengruppen – konnten sich mit al-lem versorgen, was sie zum Leben brauchten, ohne die Seen zu schä-digen. Die weißen *voyageurs* inter-essierten sich vor allem für die Pelztierbestände, was sie immer weiter in den unbekannten Westen vorrücken ließ. Bereits damals be-gann sich ein tiefgreifender Wan-del abzuzeichnen, der das Verhält-nis zwischen Natur und Mensch nachhaltig und einseitig veränder-te: Das Gebiet der Großen Seen sollte zu einem ›Gebrauchsgegen-stand‹ werden, zu einer scheinbar unerschöpflichen Ressource für den menschlichen Fortschritt.

Um die Uferzonen entstand ein moderner Ballungsraum, der mit etwa 40 Mio. Menschen die Seen intensiv in Anspruch nimmt – als Wasserspeicher und Transportweg, Stromerzeuger, Ferien- und Freizeitgebiet oder Müll- und Abwasserdeponie. Etwa 24 Mio. Einwohner des Gebiets beziehen ihr Trinkwasser direkt aus den Seen. Für 1 Mio. Haushalte benötigt beispielsweise der Großraum Cleveland in Ohio täglich über 1 Mrd. l Wasser – hauptsächlich aus dem Lake Erie. Der Bedarf der Industrie ist dabei noch nicht berücksichtigt. Im Großraum um Cleveland schlägt er tagtäglich mit etwa 18 Mrd. l zu Buche. Wasser aus den Seen treibt vielerorts Turbinen an, die Stadt und Land mit elektrischer Energie versorgen – etwa an den Niagara-Fällen, wo sich eines der größten Wasserkraftwerke der westlichen Hemisphäre befindet. Wie wichtig dort die Stromproduktion ist, zeigte sich im Jahre 1965, als an der Sir Adam Beck Power Station in Niagara Falls ein Relais ausfiel und die amerikanische Ostküste in Dunkelheit versank.

Als Transportverbindungen dienen die Seen, seitdem es dort Menschen gibt. Schon lange vor Jean Nicolet bauten die Indianer Kanus aus Birkenrinde. Als aber der weiße Mann um die Great Lakes Bodenschätze und fruchtbares

Leuchtturm am Lake Superior

Ackerland entdeckte, wurden die Wasserwege für Mensch und Material zur naturgefertigten Erfolgsstraße. Heute verkehren auf den fünf Seen Ozeanriesen und Luxusliner, elegante Jachten und ölverschmierte Fischkutter, Patrouillenboote der Küstenwache und dickbauchige Autofähren. Ohne die Wasserstraßen wäre die Entwicklung mit Sicherheit nicht so und vor allem nicht so schnell verlaufen. Die seenahen Produktionsstätten für jährlich 60 Mio. t Rohstahl sind nur ein Beweis für die wirtschaftliche Bedeutung der Region.

Die Anrainerstaaten

Illinois

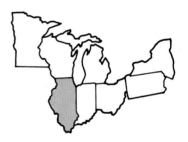

● **Name:** Der Name Illinois leitet sich vom Namen *Iliniwek* (überlegene Männer) ab, den sich die im Tal des Illinois River lebenden konföderierten Indianerstämme selbst gaben.

● **Beiname:** Lincolns Land – Der 16. Präsident der USA, Abraham Lincoln (1861–65), kam 1830 mit seiner Familie nach Springfield, Illinois (vgl. S. 130).

● **Fläche:** Mit 146 075 km^2 etwa doppelt so groß wie Bayern – unter den Bundesstaaten der USA flächenmäßig auf Rang 24.

● **Bevölkerung:** 11 Mio. Einwohner – rund 89 % Weiße, 10 % Schwarze und ein kleiner Teil anderer Rassen.

● **Städte:** Hauptstadt: Springfield, 100 000 Einwohner, größte Stadt des Bundesstaats ist Chicago mit 3 Mio. Einwohnern, gefolgt von Rockford, 139 000, und Peoria mit 124 000 Einwohnern.

● **Landesnatur:** Illinois gehört zum überwiegenden Teil zum zentralen Tiefland von Nordamerika. Im Westen und Süden begrenzt der Mississippi den Staat, im Nordosten der Michigan-See und im Südosten der Wabash und der Ohio River. Im überwiegend flachen Land ist der 378 m hohe Charles Mound an der Grenze zu Wisconsin die höchste Erhebung. Die sehr fruchtbaren Böden, hauptsächlich aus glazialen, in Flußniederungen auch aus Lößablagerungen entstanden, eignen sich hervorragend für landwirtschaftlichen Anbau. Nur noch etwa 10 % der Staatsfläche sind von Wald bedeckt. Das kontinentale Klima von Illinois ist durch extreme Temperaturen sowohl im Winter wie im Sommer gekennzeichnet, wobei es auch eine Rolle spielt, daß sich das langgezogene Staatsgebiet über sechs Breitengrade hinweg erstreckt. Die Niederschläge fallen das ganze Jahr über und sind mit rund 1200 mm im Süden höher als im Norden mit etwa 850 mm.

● **Wirtschaft:** Der Staat ist ein industrieller und landwirtschaftlicher Gigant. Rund 85 % des Bodens werden kultiviert, vor allem mit Weizen, Mais und Sojabohnen. Rinderhaltung und Milchwirtschaft spielen ebenfalls eine Rolle. Insgesamt beläuft sich der Wert der Agrarproduktion pro Jahr auf etwa 1,5 Mrd. US-Dollar. Illinois nimmt bei der Ausbeutung der Bodenschätze unter den US-Staaten einen der vorderen Plätze ein. Die wichtigsten Ressourcen sind Fettkohle, Erdöl, kalkhaltige Mineralien für die Kunstdüngerherstellung, Quarzsande für die Glasherstellung sowie Flußspat für die chemische, keramische und Stahlindustrie. Das rasche Wachstum der verarbeitenden Industrie verdankt der Staat in erster Linie seiner günstigen Verkehrslage, wobei die Eisenbahnlinien eine große Rolle spielen.

Indiana

● **Name:** Der Name Indiana entwickelte sich aus *indian* (Indianer) und bedeutet Land der Indianer.

● **Beiname:** Hoosier State – es gibt unterschiedliche Versionen darüber, weshalb die Einwohner des Staates Hoosiers genannt werden. Wahrscheinlich entstand die Bezeichnung um 1826 während der Arbeiten am Ohio Falls-Kanal, als

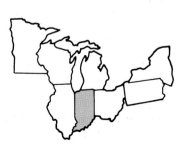

die aus Indiana stammenden Arbeiter des Unternehmers Samuel Hoosier so bezeichnet wurden.

● **Fläche:** Mit 94 000 km² etwas größer als Österreich – der Fläche nach auf Rang 38 unter den US-Staaten.

● **Bevölkerung:** 5 Mio. – Der Anteil der Weißen ist mit etwa 94 % besonders hoch.

● **Städte:** Indianapolis mit 775 000 Einwohnern, weitere größere Städte sind Gary mit 152 000, Fort Wayne mit 172 000 und Evansville mit 130 000 Einwohnern.

● **Landesnatur:** Indiana grenzt nur mit einem kleinen Abschnitt an das Südufer des Lake Michigan und gehört zum überwiegenden Teil zum östlichen zentralen Tiefland von Nordamerika. Höchste Erhebung des Staates ist ein 381 m hoch gelegener Punkt an der Ohio-Grenze. Überwiegend besteht das Territorium aus lehmigen, fruchtbaren Böden. Eine Ausnahme bildet ein schmaler Uferstreifen am Lake Michigan mit Sanddünen. Das gemäßigte Kontinentalklima zeigt, von gelegentlichen Kälteeinbrüchen abgesehen, keine extremen Temperaturschwankungen. Die Niederschläge betragen durchschnittlich zwischen 1000 und 1200 mm. Von den ursprünglich großen Waldbeständen blieben nach der unkontrollierten Abholzung nur noch Reste übrig.

● **Wirtschaft:** Die wichtigsten Wirtschaftszweige des Staats sind Industrie, Handel, Agrarwirtschaft sowie das Dienstleistungsgewerbe. Noch in den 60er Jahren galt Indiana überwiegend als Agrarstaat, doch hat sich seit jener Zeit die Schwerindustrie mit Stahl- und Walzwerken sowie die Elektroindustrie in den Vordergrund geschoben. An Bodenschätzen gibt es u. a. Kohle, Kalkstein, Erdöl und Erdgas.

Michigan

● **Name:** Der Name des US-Bundesstaats bzw. des Sees leitet sich aus dem Wort der Algonquin-Indianer für großer See ab.

● **Beiname:** Wolverine State (Vielfraß-Staat) – Vielfraß ist der Spitzname für Einwohner des Staates Michigan.

● **Fläche:** Mit 151 844 km² knapp so groß wie die Schweiz, Österreich und die Niederlande zusammen – der Fläche nach an 23. Stelle unter den US-Bundesstaaten.

● **Bevölkerung:** 9 Mio. Einwohner

● **Städte:** Hauptstadt: Lansing mit 130 400 Einwohnern, weitere größere Städte Detroit mit 1,2 Mio., Grand Rapids mit 182 000 und Flint mit 160 000 Einwohnern.

● **Landesnatur:** Der Bundesstaat, der an vier der insgesamt fünf Großen Seen grenzt, besteht aus zwei Halbinseln mit insgesamt etwa 5150 km Küstenlinie. Ferner zählt der Staat über 1000 Inlandseen und ungefähr 150 Wasserfälle, die meisten davon auf der Upper Peninsula. Rechnet man die Längen sämtlicher Flüsse und Bäche auf dem Staatsgebiet zusammen, kommt man auf etwa 58 000 km. Zu den sehenswertesten Gebieten gehören die vom National Park Service verwalteten Gebiete Isle Royale, Pictured Rocks National Lakeshore (Lake Superior) sowie Sleeping Bear Dunes National Lakeshore (Lake Michigan). Große Teile des Staatsgebiets wie etwa die Upper Peninsula sind wegen der unfruchtbaren Böden für die Landwirtschaft kaum geeignet. Während es hinsichtlich der Temperaturen zwischen dem nördlichen und dem südlichen Landesteil beträchtliche Unterschiede gibt, fallen in Michigan mit durchschnittlich 800 mm pro Jahr etwa gleichviel Niederschläge, die sich auf die Monate Mai bis Oktober konzentrieren.

● **Wirtschaft:** Früher war Michigan ein stark landwirtschaftlich geprägter Staat. Heute existieren drei Industriezentren: Um Detroit konzentriert sich

Der Hafen von Charlevoix am Lake Michigan

die Automobilindustrie, im Raum von Grand Rapids/Muskegon gibt es zahlreiche Maschinenbau- und Möbelfirmen, und um Kalamazoo/Battle Creek werden Nahrungsmittel verarbeitet sowie Papier und Pharmazeutika hergestellt. Weite Teile von Michigan fallen in den sogenannten *dairy belt* (eine vor allem auf die Herstellung von Molkereiprodukten spezialisierte Region) bzw. *corn belt* (ein Gebiet, in dem vornehmlich Getreide – vor allem Mais – kultiviert wird). Zudem gibt es holzverarbeitende Betriebe und Unternehmen, welche die Bodenschätze wie Eisenerze, Erdöl, Erdgas ausbeuten. Der Fremdenverkehr gewinnt an Bedeutung.

Minnesota

● **Name:** Der Name Minnesota ist von dem Wort *minisota* der Dakota-Indianer für himmelblaues Wasser abgeleitet.

● **Beiname:** Gopher State – nach einem dort vorkommenden kleinen Nagetier.

● **Fläche:** Mit 217 735 km² etwas kleiner als Großbritannien – der Fläche nach unter den US-Bundesstaaten auf dem 12. Platz.

● **Bevölkerung:** 4 Mio. – besonders zahlreich sind die Nachfahren deutscher und skandinavischer Einwanderer.

● **Städte:** Hauptstadt: St. Paul mit 270 200 Einwohnern, Metropolitan Area Minneapolis-St. Paul mit 2,2 Mio. Einwohnern, weitere größere Städte Minneapolis mit 372 000, Duluth mit 93 000, Bloomington mit 82 000 und Rochester mit 58 000 Einwohnern.

● **Landesnatur:** Minnesota besteht größtenteils aus hügeligen Regionen, die mehr als 15 000 Gewässer zum seenreichsten Bundesstaat der USA machen. Diese fischreichen Gewässer wurden durch die Hobelarbeit von Gletschern während der Eiszeit gebildet. Im nördlichen Landesteil sind sie meist tief, im Süden von Minnesota eher flach. Die höchste Erhebung mit 679 m liegt in den Misquah Hills im Nordosten. Im Nordosten grenzt das Staatsgebiet auf einer Länge von 280 km an den Lake Superior, im Norden an Kanada. Der bedeutendste Fluß des Landes ist der im Lake Itasca entspringende Mississippi. Große Teile im Norden von Minnesota liegen etwa 120 Tage im Jahr unter einer geschlossenen Schneedecke. Im Norden dominieren Nadel- und Mischwald, im Süden Prärielandschaften. Das Kontinentalklima ist ganzjährig durch Extreme gekennzeichnet.

● **Wirtschaft:** Minnesota lebte im 19. Jh. von der Holzindustrie, die von den ausgedehnten Wäldern des Staates bis in die 20er Jahre kaum mehr etwas übrigließ. In dem Maße wie der Holzeinschlag um die Jahrhundertwende zurückging, begann sich der Eisenerzabbau in der Mesabi Range zu entwickeln. Die dortigen Lagerstätten sollen Schätzungen zufolge noch etwa 200 Jahre halten. Neben Bergbau (etwa 60 % der US-Produktion) und Holzwirtschaft spielen die Agrarwirtschaft (Molkereiprodukte, Mais, Sojabohnen sowie Rinder- und Geflügelzucht), die Industrie (Nahrungsmittel- und Holzverarbeitung, Chemie- und Papierindustrie) sowie der Tourismus eine Rolle, der jährlich etwa 5 Mrd. US-Dollar einbringt.

New York

- **Name:** Der Bundesstaat ist nach der Stadt New York benannt, die 1664 mit dem Einzug der Briten ihren Namen Nieuw Amsterdam in New York änderte.

- **Beiname:** Empire State – der Beiname unterstreicht die wirtschaftliche Stärke des Staates.

- **Fläche:** Mit 128 401 km² etwa so groß wie die Schweiz und Österreich zusammen – der Fläche nach an 30. Stelle unter den US-Bundesstaaten.

- **Bevölkerung:** 18 Mio., davon knapp 14 Mio. Weiße, 4,5 Mio. Schwarze, 1,6 Mio. Latinos, 310 500 Asiaten, 39 000 Indianer und andere. Mitte der 80er Jahre zeichnete sich im Staat ein Bevölkerungsschwund ab. Die Bevölkerungsdichte zählt neben Kalifornien zu den höchsten in den USA.

- **Städte:** Hauptstadt Albany mit 115 000 Einwohnern, weitere große Städte New York mit 7,3 Mio., Buffalo mit 326 000, Rochester mit 236 000 und Syracuse mit 162 000 Einwohnern.

- **Landesnatur:** Der zwischen der Atlantikküste und den Seen Erie und Ontario gelegene Bundesstaat setzt sich aus mehreren natürlichen Landschaften zusammen. Südlich der beiden genannten Seen erstreckt sich ein Tiefland, das auf etwa 450 m Höhe ansteigt. Den Norden beherrschen die Adirondack Mountains, die zu den Ausläufern des Kanadischen Schilds zählen und zum Großteil aus sehr altem, widerstandsfähigem Gestein wie Gneisen, Quarziten und Graniten bestehen. Höchster Punkt des Staats ist der dort mit 1629 m emporragende Mount Marcy. Unter den vielen Seen sind vor allem die Finger Lakes als Feriengebiete bekannt, die schon vor mehr als 1 Mio. Jahren in Tälern angelegt, durch die Hobelarbeit der eiszeitlichen Gletscher vor allem jedoch während der vergangenen 100 000 Jahre ausgeformt wurden.

● **Wirtschaft:** Schon vor über 100 Jahren lag das industrielle Zentrum der damaligen USA im Staate New York, der dieser Reputation bis heute treugeblieben ist. Seine bedeutende wirtschaftliche Funktion hat New York in erster Linie den guten Verkehrsverbindungen zu Wasser und zu Land zu verdanken, aber auch der kostengünstigen hydroelektrischen Energiegewinnung (etwa an den Niagara-Fällen und am St. Lorenz-Strom) sowie dem großen staatlichen ›Binnenmarkt‹ – Kapital und Know-How. Wichtigste Industriegüter sind Produkte des Verlagswesens, Textilien, Pharmazeutika, Maschinen, elektronische Geräte sowie Spiel- und Sportgeräte. In landwirtschaftlichen Gebieten werden Obst, Gemüse und Wein angebaut, Molkereierzeugnisse produziert sowie Geflügel gezüchtet. Mit New York City und den Niagara-Fällen besitzt der Staat zudem zwei weltweit bekannte Reiseziele.

Ohio

● **Name:** Der Staat ist nach dem Ohio River benannt, der wahrscheinlich nach einem Synonym der Irokesensprache für schön oder schöner Fluß so bezeichnet wurde.

● **Beiname:** Buckeye State (Roßkastanien-Staat), abgeleitet von dem früher in Ohio weitverbreiteten Baum.

● **Fläche:** Mit 106 765 km² so groß wie Bayern und Baden-Württemberg zusammen – flächenmäßig auf Rang 35 unter den US-Bundesstaaten.

● **Bevölkerung:** 10 Mio. Einwohner, davon rund 9 Mio. Weiße, etwa 1 Mio. Schwarze und kleine Gruppen anderer Ethnien. Bevölkerungsdichte 100 Einwohner pro km².

● **Städte:** Hauptstadt: Columbus mit 565 000 Einwohnern, weitere große Städte: Cleveland mit 574 000 Einwohnern, Großraum knapp 3 Mio., Cincinatti mit 385 000, Toledo mit 354 000 und Akron mit 237 000 Einwohnern.

● **Landesnatur:** Ohio, im Norden an den Lake Erie grenzend, ist flankiert von den Staaten Pennsylvania und West Virginia im Osten und Indiana im Westen. Die Südgrenze wird durch den Ohio River markiert. Ohio besitzt für landwirtschaftliche Produktion geradezu ideale Voraussetzungen mit günstigem Klima, reichlichen Niederschlägen, flachem Land und fruchtbaren Böden.

● **Wirtschaft:** In Ohio spielt sowohl die Industrie als auch die Agrarwirtschaft eine bedeutende Rolle. Günstig wirkt sich dabei aus, daß große Industriegebiete wie etwa um Cleveland und Akron nahe gelegene Absatzmärkte für Fleisch- und Milchfarmen sowie Getreide-, Obst- und Gemüseproduzenten des Staates sind. An Bodenschätzen besitzt Ohio Kohle, Erdöl, Erdgas, Kalkstein, Sandstein, Tonschiefer, Ton und Salz. Die Eisen- und Stahlindustrie am Ufer des Erie-Sees profitiert von den gut ausgebauten Transportmöglichkeiten zu Wasser.

Pennsylvania

● **Name:** Der Name geht zurück auf den Quäker William Penn (1644–1718), der 1681 die Kolonie Pennsylvania (Penns bewaldetes Land) und zwei Jahre später die Stadt Philadelphia gründete.

● **Beiname:** Keystone State (frei übersetzt Grundpfeiler-Staat) – der schon zu Beginn des 19. Jh. gebräuchliche Beiname bezieht sich auf die Schlüsselrolle von Pennsylvania in der wirtschaftlichen, gesellschaftlichen und politischen Entwicklung der USA.

● **Fläche:** Mit 117 400 km^2 so groß wie die Benelux-Staaten und die Schweiz zusammen – damit steht der Staat in den USA an 33. Stelle.

● **Bevölkerung:** 11 Mio.

● **Städte:** Hauptstadt Harrisburg mit 54 000 Einwohnern, weitere größere Städte: Metropolitan Philadelphia mit 3,8 Mio., Pittsburgh mit 425 000, Erie mit 115 000 Einwohnern.

● **Landesnatur:** Nur der äußerste Nordwesten grenzt auf einer Länge von rund 70 km an den Lake Erie. Der größte Teil des Staates wird von dem Allegheny Plateau eingenommen. Weitgehend flache Landschaften herrschen vor. Die höchste Erhebung ist der zu den Allegheny Mountains zählende Mount Davis im Südwesten mit 979 m. Der früher fast das ganze Staatsterritorium bedeckende Laubwald wurde größtenteils gerodet. Klima und Bodenbeschaffenheit ermöglichen die landwirtschaftliche Nutzung weiter Landesteile.

● **Wirtschaft:** Pennsylvania ist zwar stark industrialisiert, dennoch spielen Ackerbau und Viehzucht eine große Rolle. Angebaut werden unterschiedliche Getreidesorten, Obst, Gemüse, Sojabohnen und Tabak. Fleischproduktion und Milchwirtschaft sind ebenfalls bedeutend. Zahlreiche Bodenschätze wie Kohle, Erdöl, Erdgas, Eisen- und Kobalterze, Kalkstein für Zement und Schiefer werden gefördert. Neben der führenden Eisen- und Stahlindustrie gibt es Erdölraffinerien und Betriebe der Textil- und Bekleidungs-, Chemie- und Nahrungsmittelindustrie.

Wisconsin

● **Name:** Der Staat hat seinen Namen von der Wisconsin-Eiszeit.

● **Beiname:** Badger State (Dachsstaat) – erinnert daran, daß die ersten Bergarbeiter des Staates ihre Behausungen in Bergstollen anlegten.

● **Flächen:** 145 400 km² – flächenmäßig an 26. Stelle unter den US-Bundesstaaten.

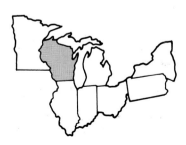

● **Bevölkerung:** Knapp 5 Mio. Einwohner. Unter den ersten europäischen Einwanderern bildeten Deutsche, Polen, Iren, Engländer und Norweger die größten Gruppen.

● **Städte:** Hauptstadt Madison mit 170 600 Einwohnern, Milwaukee mit 636 000 Einwohnern.

● **Landesnatur:** Wisconsin hat für Urlauber aus dem In- und Ausland ein beachtliches Potential. Fast 15 000 Seen und 30 000 km Flußläufe, die rund 39 % des Territoriums ausmachen, ziehen Erholungssuchende an. Im Norden herrscht Hügelland vor, das im Süden in eine gewellte Ebene übergeht. Die Staatsfläche entwässert in erster Linie über den Wisconsin River zum Mississippi hin, aber auch zum Lake Michigan, während nur sehr wenig Wasser zum Lake Superior nach Norden fließt.

● **Wirtschaft:** Die Einwohner von Wisconsin behaupten gerne, sie seien eine Minderheit in ihrem Staat, weil sie durch die Zahl der Milchkühe übertroffen würden. Das stimmt zwar nicht, weil es ›nur‹ knapp 2 Mio. Kühe, aber knapp 5 Mio. Einwohner gibt, aber es zeigt, daß die Milchwirtschaft von überragender Bedeutung ist. Alljährlich stellt Wisconsin Milch für 42, Butter für 68 und Käse für 86 Mio. Menschen her. Daneben werden Mais, Bohnen und Gemüse angebaut. Dennoch hat jeder vierte Arbeitnehmer einen Job in der Industrie. Unter den hergestellten Produkten machen Maschinen, Plastikwaren, Konserven sowie Holz- und Papierwaren den Hauptanteil aus.

Klima

Der größte Teil der Region ist durch kontinentales Klima geprägt, das sowohl im Sommer wie im Winter teilweise zu extremen Temperaturen führen kann, meist jedoch nur für kurze Zeiträume. Im Großraum Minneapolis-St. Paul etwa liegen die Jahresamplituden im Durchschnitt bei etwa 66° C. Die höchste jemals gemessene Temperatur im Staate betrug 45,6° C (1917 in Beardsley), während die bislang tiefsten Grade –50,6° C betrugen (1903 am Leech Lake). Große Temperaturunterschiede sind auch für das Klima anderer Staaten wie zum Beispiel Michigan, Ohio, Illinois und Wisconsin typisch.

In Chicago herrschen im Frühjahr und Herbst die ausgeglichensten Temperaturen, während im

Hochsommer die Quecksilbersäule nicht selten auf über 30° C ansteigt und die Luftfeuchtigkeit gleichzeitig für drückende Schwüle sorgt. Im Winter bewegen sich die Temperaturen häufig nur geringfügig unter dem Nullpunkt. Sie können allerdings auch erheblich tiefer liegen und mit gelegentlichen, dann aber heftigen Schneestürmen kurzfristig für fast ›arktische‹ Verhältnisse sorgen.

Die Niederschläge im Bereich der Großen Seen betragen durchschnittlich zwischen etwa 700 und 1200 mm im Jahr. Sie fallen meist in den frostfreien Monaten zwischen Mai und Oktober.

Graureiher auf der Upper Peninsula

Flora und Fauna

Das Gebiet der Großen Seen war ursprünglich zu einem überwiegenden Teil von Wald bedeckt, der, im 19. Jh. als wichtige Ressource entdeckt, durch Raubbau bis um die Jahrhundertwende großflächig abgeholzt wurde. Sowohl von staatlicher wie privatwirtschaftlicher Seite ergriff man vor allem in den Jahrzehnten nach dem Zweiten Weltkrieg Maßnahmen zur Wiederaufforstung. Heute bestehen die Wälder aus gelichteten Nadelwäldern (wie etwa im nördlichen Minnesota), aus Laubbäumen (Eiche, Esche, Ulme, Pappel, Walnuß, Ahorn und Hickory) wie zum Beispiel im südlichen Michigan und Wisconsin oder aus Mischwald. Offene Präriegrasflächen existieren nur noch vereinzelt im Nordwesten von Indiana und im Westen von Ohio, weil diese Landschaften andernorts im Zuge des intensiven landwirtschaftlichen Ausbaus häufig in agrarisch genutzte Flächen verwandelt wurden wie etwa im Süden des sogenannten ›Blaubeerenstaats‹ Minnesota und in Illinois.

Die Tierwelt erweist sich als sehr vielfältig, was vor allem die große Zahl an verschiedenen Pelztieren anbelangt, von Bären über Wildkatzen, Füchse und Bisamratten bis zu vielen kleinen Nagern. In den letzten Jahrzehnten unternahmen einige Einzelstaaten Anstrengungen, die Rotwildbestände wieder zu erhöhen. Die letzten natürlichen Populationen an Rentieren (Karibus) gab es Ende der 20er Jahre auf der zu Michigan gehörenden Isle Royale. Zu den vielen Vogelarten zählen Wachteln, Bläßhühner, Schnepfen und Fasanenarten. Die Vielzahl von Seen macht die Region zu einem wahren Anglerparadies, was für die fünf Großen Seen selbst allerdings nicht gilt, wo die Wasserqualität trotz Verbesserungsmaßnahmen der jüngsten Zeit den Verzehr von dort gefangenen Fischen stark einschränkt.

Umwelt

Das Twin Points Resort acht Meilen nördlich von Two Harbors am Ufer des Lake Superior ist eine bescheidene Motelanlage mit einfachen, aber preiswerten Unterkünften. Die Besitzerin, die über 80jährige Iona Lind, wanderte schon vor dem Zweiten Weltkrieg aus Finnland ein. Die streitbare alte Dame diskutiert gerne und ausgiebig mit ihren Gästen. Der Anlaß für diese Diskussionen befindet sich in einem Wasserglas, das Mrs. Lind griffbereit unter dem Tresen stehen hat: ein anthrazitfarbenes, staubfeines Pulver. »Davon haben sie 20 Jahre lang, Tag für Tag, rund 67 000 Tonnen in unseren wunderschönen See geworfen.«

›Sie‹ – das waren die Betreiber der Western Reserve Mining Company. Dieses bei Silver Bay ansässige Unternehmen verarbeitete zwischen 1955 und 1980 Eisenerz mit einem niedrigen Metallgehalt, das in der westlich gelegenen Mesabi Iron Range gefördert wurde. Bei dem Aufarbeitungsprozeß entstanden große Mengen jenes feinen Staubes, den Mrs. Lind im Wasserglas aufbewahrt. Untersuchungen ergaben, daß der Seeboden im westlichen Bereich des Lake Superior auf einer Fläche von 2500 km^2 mit Schlamm bedeckt ist, der aus der Erzfabrik stammt. Zudem stellte sich heraus, daß diese Ablagerungen krebserregende Asbestfasern enthalten und das aus dem See entnommene Trinkwasser der Stadt Duluth erst durch teure Filter gereinigt werden muß. Als sich der Lake Superior grün zu verfärben begann, stiegen die Anwohner auf die Barrikaden. In Mrs. Linds Motel gründeten sie die Umweltschutzorganisation Save Lake Superior Association, die sich auch heute noch tatkräftig für die Reinhaltung des Sees und der Umgebung einsetzt.

Derartige Probleme existieren an den Großen Seen zu Dutzenden, in manchen Gegenden stellen sie sich sogar weitaus dramatischer dar. Schon in den 50er Jahren machten sich Anzeichen bemerkbar, daß sich das Ökosystem der Großen

Ungetrübte Anglerfreuden

Seen bereits irreversibel verändert hatte. Ursachen dafür waren der hohe Grad der Verstädterung, die extreme Dichte der Industriestandorte, die intensive Nutzung der Agrarflächen sowie die Schaffung befahrbarer Wasserwege durch die Seen bis in den Atlantik. Im Jahre 1973 veröffentlichte das renommierte Magazin »National Geographic« einen vielbeachteten Artikel unter dem Titel »Ist es schon zu spät?« über den Zustand der Großen Seen, nachdem die schnell fortschreitende Agonie des Lake Erie bereits in den 60er Jahren diagnostiziert worden war. Damals konzentrierte sich die Umweltdiskussion nur auf das Nährstoffüberangebot im Lake Erie und Lake Ontario, dessen Ursache fast ausschließlich im phosphatgesättigten Abwasser der Städte geortet wurde. Abhilfe wollte man in erster Linie durch den Bau von Kläranlagen schaffen, die Phosphate ausfällen konnten. Der breiten Öffentlichkeit war die Dringlichkeit der Maßnahmen vor allem deshalb deutlich geworden, weil man öffentliche Strände gesperrt und Verbote zum Verzehr von Fisch aus den beiden Seen erlassen hatte.

Etwa seit Mitte der 70er Jahre hat sich die Umweltdiskussion bezüglich der Großen Seen neuen Denkansätzen zugewandt, die von komplexeren Zusammenhängen ausgehen. So steht heute nicht mehr nur die Verbesserung der Wasserqualität im Vordergrund. Vielmehr ist die Zielvorgabe einer internationalen Umweltpolitik die Erhaltung des gesamten ›Ökosystems Große Seen‹ mit all seinen Komponenten wie Wasser, Luft, Land und Lebewesen.

Am weitesten fortgeschritten sind bislang jene Maßnahmen, die darauf abzielten, die Phosphatzufuhr in die Seen zu reduzieren. In der Problemregion Detroit beispielsweise gelang es zwischen 1975 und 1982 mittels einer Kläranlage, den jährlichen Zustrom an Phosphaten von 4720 auf 515 t zu verringern. Wesentlich verbesserte Phosphatwerte weisen inzwischen der Lake Ontario und der Erie-See auf. Was Schwermetalle und giftige Chemikalien anbelangt, fehlen vor allem international bindende Vereinbarungen mit dem Nachbarn Kanada. Punktuell wurden zweifellos wirkungsvolle Maßnahmen getroffen wie etwa das Verbot der Herstellung des biologisch schwer abbaubaren Pflanzenschutzmittels PCB und der Verwendung bestimmter Insektizide. Untersuchungen von Eiern der Seemöwen, die sich von Fisch ernähren, und von Fischen aus den Seen ergaben, daß die Konzentration verbotener Substanzen erkennbar abgenommen hat.

Andere Probleme blieben bislang weitgehend ungelöst, etwa die Schadstoffbelastung der Atmosphäre, die sich wegen der riesigen Wasseroberflächen auf den Zustand der Seen nachhaltig auswirkt. Auch die Beseitigung von Altlasten läßt weiterhin auf sich warten. Die

Lagerung von Giftmüll wurde erst 1976 gesetzlich geregelt. Was die Bereinigung von ›ökologischen Zeitbomben‹ aus den vorhergehenden Jahrzehnten anbelangt, bleibt das meiste noch zu tun. Vor allem im Süden des Lake Michigan sowie im Großraum Minneapolis-St. Paul in Minnesota konzentrieren sich nach wie vor gefährliche Giftmülldeponien.

Wirtschaft

Die acht amerikanischen Anrainerstaaten der Großen Seen sind wirt-

Farm im Hinterland der Großen Seen

schaftlich durch einen Reichtum an fruchtbarem Ackerland sowie durch ein gewaltiges industrielles Potential gekennzeichnet. Die Produktion von Käse und Computertechnik, von Sojabohnen und Stahl liegt in dieser Region nahe beieinander und macht, mit gut ausgebauten Verkehrsverbindungen, das ökonomische Schwergewicht des Mittleren Westens aus.

Wenn in den USA vom *Manufacturing Belt* die Rede ist, wissen viele Amerikaner, daß damit das Dreieck zwischen New York, Chicago und St. Louis gemeint ist – ein industrieller Ballungsraum, in dem mehr als die Hälfte des in der Industrie investierten Kapitals angelegt ist und über 50 % aller amerikanischen Industriearbeiter in Lohn und Brot stehen. Vor allem in den Jahren nach dem Zweiten Welt-

Vom Kanu zum Ozeanriesen

Seit Jahrhunderten dienen die Großen Seen als Transportweg. Die Indianer, die um die Seeufer lebten, schätzten nicht nur den Fischreichtum der riesigen Gewässer, sie lernten die Seen und die umgebenden Flüsse auch als Wasserstraßen kennen. Die Chippewa beispielsweise fertigten aus Birkenrinde Kanus, die mit Kiefernharz wasserdicht gemacht wurden. Bis zu 6 m lang waren diese Boote, deren Zweckdienlichkeit auch die ersten weißen Entdecker und Missionare erkannten. Schon bald tauchten an den Seen Boote auf, die bis zu einem Dutzend Personen und mehrere Tonnen Fracht tragen konnten – für Pelzhändler im 17. und 18. Jh. unverzichtbare Transportmittel in einer noch weitgehend unbekannten Welt.

Im Mittleren Westen brach ein neues Zeitalter der Schiffahrt in der zweiten Hälfte des 18. Jh. an. Die Engländer setzten erstmals Segelschiffe ein. Wie diese frühen Typen aussahen, zeigt ein Nachbau der »Welcome«, die schon im Jahre 1779 zwischen Michilimackinac und dem Südufer des Lake Michigan verkehrte. Im Jahre 1781 sank das Segelschiff in einem Sturm. Der Nachbau liegt heute in Mackinaw City (Michigan) vor Anker.

Im August 1679 machte sich der Zweimaster »Griffon« vom Lake Erie auf den Seeweg nach Green Bay in Wisconsin und markierte mit dieser Jungfernfahrt den Beginn der Handelsschiffahrt. Danach dauerte es noch bis zum Jahre 1818, ehe an den Großen Seen mit dem ersten Dampfer namens »Walk-In-The-Water« die motorisierte Schiffahrt ihren Anfang nahm. Damit wurde die über Jahrhunderte hinweg von nur wenigen Weißen bereiste Wildnis um den Lake Michigan für die Besiedlung und die infrastrukturelle Erschließung geöffnet.

Zwischen 1817 und der Mitte des 19. Jh. wurde das Gebiet um die Großen Seen durch den Bau von Kanälen für den internationalen Transport erschlossen. Damals herrschte ein wahrer Kanal-Boom, dessen Zweck es war, die natürlichen Wasserwege durch künstliche sinnvoll zu ergänzen. Im Staat New York wurde zwischen 1817 und 1825

krieg entwickelte sich dieser Industriegürtel dynamisch und dehnte sich nach Westen aus. In den 80er Jahren stammten rund 75 % des US-amerikanischen Eisenerzes aus der Masabi Range in Minnesota, von wo die Ladungen per Schiff zur Weiterverarbeitung in die Industrie- und Stahlstandorte um Chicago/Gary sowie um Cleveland am

Herstellung eines Einbaumes bei den Creek-Indianern

der 544 km lange Erie-Kanal gebaut, der von Buffalo am Erie-See bis nach Albany am Hudson River reichte und damit eine schiffbare Verbindung zwischen New York und dem Hinterland um die Großen Seen herstellte.

Auch der Schiffbau profitierte von dieser Entwicklung. Ende der 30er Jahre des 19. Jh. verkehrte auf den Seen Erie, Michigan und Superior schon eine Flotte von 61 Dampfschiffen und 225 Segelschiffen. Chicago wurde um diese Zeit zu einem wichtigen Hafen für Personen, vor allem aber auch für Güter, die vornehmlich aus Buffalo, der Endstation des Erie-Kanals, kamen. Milwaukee in Wisconsin hatte an dieser Entwicklung ebenfalls teil. Im Jahre 1848 gingen im dortigen Hafen immerhin 1376 Schiffe vor Anker, mit denen rund 30 000 Zuwanderer ankamen.

Den bislang letzten Entwicklungsschub erfuhr die Schiffahrt auf den Großen Seen 1957. Damals wurde der St. Lorenz-Strom nach Ausbauarbeiten für Ozeanriesen geöffnet, die von nun an über die Großen Seen ihre Fracht bis in den hintersten Winkel nach Duluth am Lake Superior bringen konnten.

Erie-See befördert wurden. Die Region der Großen Seen war zu dieser Zeit auch Standort von rund einem Viertel sämtlicher Chemieunternehmen der USA.

Seit einigen Jahren ist dort eine Stagnation erkennbar, weil sich die industrielle Produktion weiter nach Süden verlagerte, so daß der einstige *Manufacturing Belt* heute häufig auch *Rust Belt* (Rostgürtel) genannt wird. In dieses Bild paßt die seit Mitte der 80er Jahre rückläufige Automobilproduktion, von der vor allem die drei größten Hersteller, General Motors, Ford und Chrysler, betroffen sind. Dennoch ist bis heute der Großraum Detroit/Flint das Zentrum des amerikanischen Automobilbaus geblieben.

Im Westen zählt das Gebiet der Großen Seen zum *Dairy Belt,* in dem die Milchwirtschaft und der Viehfutteranbau dominieren. Wisconsin ist national unbestritten der führende Milch- und Käseproduzent. In dieser Region kommen Obst- und Gemüsekulturen hinzu, die in den großen Ballungsräumen vor allem an der Ostküste günstige Märkte vorfinden. Die weiter südlich gelegenen Staaten wie Ohio, Indiana und Illinois fallen eher dem *Corn Belt* zu, wo vor allem Futtermais zur Rinder- und Schweinemast angebaut wird.

Voraussetzung für die wirtschaftliche Entwicklung im Gebiet der Großen Seen war auch die hochentwickelte Verkehrsinfrastruktur. Produktionsanlagen, Rohstofflagerstätten, Warenumschlagplätze und Märkte wurden bereits im 19. Jh. durch den Bau von Straßen, Eisenbahnen und Kanälen miteinander verbunden. Nachdem 1957 der St. Lorenz-Strom ausgebaut wurde, verkehren Ozeanriesen auf den fünf Großen Seen bis zum entfernten Duluth am Lake Superior. In der zweiten Hälfte der 80er Jahre passierten fast 60 Mio. t Fracht die Schleusenanlagen von Sault Ste. Marie zwischen dem Lake Huron und dem Lake Superior. Und daß der O'Hare International Airport von Chicago gemessen an seinem Passagieraufkommen heute als größter Flughafen der Welt gilt, unterstreicht die zentrale Verkehrsfunktion der Große-Seen-Region zusätzlich.

Im O'Hare International Airport ▷

Geschichte und Gesellschaft, Kunst und Kultur

Daten zur Geschichte

Bevölkerung

Staat und Verwaltung

Architektur

Literatur

›Kunst am Bau‹ in Chicago

Daten zur Geschichte

7000–5000 v. Chr.	Im Gebiet um die Großen Seen tauchen die ersten Menschen auf.
3500 v. Chr.	Klimawechsel verursachen Veränderungen in Flora und Fauna und führen zu einer Zunahme der Indianerbevölkerung.
5000–1500 v. Chr.	*Old Copper Culture*-Indianer verarbeiten vermutlich als erste Amerikaner Metall.
1000 v. Chr. –Zeitenwende	Beginn der Woodland-Indianerkultur. Die Kultivierung des Bodens und der Gebrauch von Töpferware gewinnt ebenso an Bedeutung wie die Anlage von Bestattungshügeln und die Herstellung neuer Waffen und Geräte.
100 v. Chr. – 700	Blütezeit der Hopewell-Kultur, die durch die Herausbildung komplexer sozialer Strukturen ebenso gekennzeichnet ist wie durch verfeinerte handwerkliche Techniken.
800–1600	Späte Woodland-Kultur. Der Bau befestigter Dörfer gewinnt wie auch Landwirtschaft und Handel an Bedeutung. Sogenannte *effigy mounds* – Begräbnisplätze in unterschiedlichen Tierformen – werden angelegt.
1575	Vermutliches Datum der Gründung der Irokesen-Liga, eines Zusammenschlusses von zeitweise bis zu sechs Stämmen, die später auf seiten der Briten gegen die Amerikaner kämpften. Die Liga existiert heute noch.
1603	Erforschung des St. Lorenz-Stroms durch den französischen Geographen Samuel de Champlain.
1608	Samuel de Champlain gründet Quebec als Ausgangspunkt der französischen Kolonisationsbestrebungen im Nordosten Amerikas.
1615	Samuel de Champlain entdeckt den Lake Huron.
1628/29	Ein englisches Expeditionscorps nimmt Quebec ein. Engländer kontrollieren daraufhin einige Jahre lang den Pelzhandel im ehemals französischen Gebiet am St. Lorenz-Strom.
1634	Vermutlich in diesem Jahr kommt Jean Nicolet als erster Weißer an den Lake Michigan (als Entdeckungsjahr wird auch das Jahr 1638 angegeben).
1640	Jesuiten entdecken den Niagara River und den Lake Erie.
1643	Beginn des fast 20jährigen Kriegs der Irokesen gegen die Huronen und die mit ihnen verbündeten Franzosen.
1659	Franzosen erreichen als erste Weiße das Westende des Lake Superior.

Louis Jolliet und Pater Jacques Marquette erforschen den Lake Michigan

1671	Frankreich beansprucht das Gebiet um die Großen Seen.
1673	Louis Jolliet erforscht den südlichen Lake Michigan und landet mit Pater Jacques Marquette an der Mündung des Chicago River.
1678	René Robert Cavalier, Sieur de La Salle, erhält die königliche Erlaubnis, den westlichen Teil von Neu-Frankreich zu erforschen und dort Befestigungsanlagen zu bauen.
1679/80	La Salle fährt vom Lake Michigan den Illinois River abwärts.
1680	Der Franziskanermönch Louis Hennepin stößt zum Oberlauf des Mississippi vor.
1682–1701	Wiederaufflammen der Irokesen-Kriege.
1701	Der französische Entdecker Antoine de Mothe Cadillac landet im heutigen Detroit und baut einen Pelzhandelsposten auf.
1702–1713	Queen Anne's War zwischen England und Frankreich/Spanien, wobei es in Nordamerika um territoriale Rechte sowie den Pelzhandel geht.
1728 und 1733	Französische Expeditionen gegen die Fox-Indianer. Im Jahre 1737 enden die fast 40jährigen blutigen Auseinandersetzungen.
1760	Die Briten besetzen Detroit.
1779	Als erster permanenter Einwohner des späteren Chicago läßt sich Jean Baptiste Point du Sable an der Mündung des Chicago River nieder.

1787	Pennsylvania wird amerikanischer Bundesstaat.
1805	Ein Brand vernichtet den größten Teil von Detroit.
1812	Die Briten und ihre indianischen Verbündeten nehmen, ohne einen Schuß abzufeuern, das Fort Mackinac ein.
1816	Indiana wird als Staat in die Amerikanische Union aufgenommen.
1818	Illinois wird 21. amerikanischer Bundesstaat.
1825	Der 544 km lange Erie-Kanal im Bundesstaat New York ist fertiggestellt. Er verbindet den Erie-See (bei Buffalo) mit Albany am Hudson und mit New York.
1827	Eröffnung des Ohio-Erie-Kanals zwischen Cleveland am Lake Erie und dem Ohio River.
1829	Der Detroiter William Austin Burt erfindet die Schreibmaschine.
1832	Ausbruch des Black Hawk-Kriegs zwischen Sauk-Indianern und US-Truppen im nördlichen Illinois. Die Indianer wehren sich gegen die Vertreibung aus ihrer Heimat.
1837	Michigan wird als Staat in die Amerikanische Union aufgenommen.
1848	Der Illinois-Michigan-Kanal wird nach zwölf Jahren Bauzeit für den Verkehr freigegeben.
1860	Die Einwohnerzahl von Chicago erreicht die Ein-Millionen-Grenze.
1860–65	Amerikanischer Bürgerkrieg zwischen den industrialisierten Nordstaaten und den agrarischen Südstaaten, deren Wirtschaftskraft zum großen Teil auf der Sklavenarbeit basiert.
1864	George M. Pullman konstruiert den ersten komfortablen Schlafwagen. Drei Jahre später gründet er in Chicago seine eigene Firma.
1865	In Cleveland (Ohio) gründen John D. Rockefeller und Samuel Andrews eine Ölraffinerie-Gesellschaft, aus der fünf Jahre später die Standard Oil Company of Ohio wird. – Am 18. 12. wird das 13. Amendment (Verfassungszusatz) über das Verbot der Sklaverei in allen Bundesstaaten der USA erlassen, aber erst 1995 von Mississippi ratifiziert.
1867	Der *Civil Rights Act* gewährt außer den Indianern allen in den USA geborenen Personen die Bürgerrechte.
1868	Erstmals wird in einem von William Davis aus Detroit erfundenen Kühlwaggon Frischfleisch von den Chicagoer Schlachthöfen nach Boston transportiert.
1871	Ein Feuer vernichtet einen großen Teil von Chicago.

1873	In Chicago wird mit Montgomery Ward & Co. das erste Versandhaus der Welt gegründet. Der ›Warenkatalog‹ besteht allerdings nur aus einem einzigen Blatt.
1877	Zwischen Chicago und Milwaukee wird die erste Telefonverbindung eingerichtet.
1881	Ein riesiges Buschfeuer vernichtet in Michigan mehr als 400 000 ha Wald und kostet über 100 Menschen das Leben.
1883	In Chicago findet der Nationale Kongreß der Anarchisten statt.
1884	Mit dem Home Insurance Building errichtet der Architekt William Le Baron Jenney in Chicago den ersten, zehn Stockwerke hohen ›Wolkenkratzer‹.
1886	Auf dem Höhepunkt der Streikbewegung des 19. Jh. explodiert auf dem Haymarket Square in Chicago eine Bombe, die elf Menschen tötet und 70 Polizisten verwundet. Vier prominente Anarchisten werden trotz fehlender Beweise im folgenden Jahr hingerichtet.
1893	Anläßlich der 400-Jahr-Feier der ›Entdeckungs‹-Reise von Christoph Kolumbus findet in Chicago eine Weltausstellung statt.

Der deutsche
Pavillon bei der
Weltausstellung
in Chicago 1893

1894	Ein Ausstand bei der Pullman Palace Car Company in Chicago weitet sich zu einem großen Eisenbahnerstreik aus, dem sich auch Bergarbeiter anschließen. Der Streik, der schließlich von Bundestruppen gebrochen wird, verursacht die erste große soziale Krise der USA. – Der Detroiter Juwelier George Schuler erfindet die Kaffeemaschine.
1896	Henry Ford baut in Detroit das erste Auto.
1901	Der 25. US-Präsident William McKinley fällt am 29. 1. in Buffalo einem Mordanschlag zum Opfer. Sein Nachfolger wird Theodore Roosevelt.
1906	Von Upton Sinclair erscheint der Roman »Der Dschungel«, der die Zustände in den Chicagoer Schlachthäusern anprangert.
1908	Das erste Exemplar des Ford-Modells T geht vom Band. Im selben Jahr entsteht aus der Fusion der Firmen Buick, Cadillac und Oldsmobile das neue Unternehmen General Motors.
1910	Chicago hat ungefähr 2 Mio. Einwohner.
1919	Die Arbeiter der U.S. Steel Corporation in Gary (Indiana) streiken wegen Nichtanerkennung der Gewerkschaften vier Monate lang ohne Erfolg.
1920–33	Die Ära der Prohibition gibt der organisierten Kriminalität Aufschwung.

1924	Indianer erhalten die amerikanischen Bürgerrechte.
1930	Mit dem Detroit/Windsor-Tunnel zwischen den USA und Kanada wird der erste internationale Unterwassertunnel dem Verkehr übergeben.
1931	Chicagos Gangster-›König‹ Al Capone wird wegen Steuerhinterziehung zu elf Jahren Gefängnis verurteilt.
1943	Bei Rassenunruhen in Detroit werden 34 Menschen getötet.
1947	Der ehemalige Gangsterboß Al Capone stirbt in Miami.
1951	Detroit feiert sein 250jähriges Bestehen.
1953	In Chicago erscheint die Null-Nummer des Männermagazins »Playboy«.
1954	In Minneapolis und Detroit werden die ersten Einkaufs-Malls gebaut.
1964	Rassenunruhen u. a. in Chicago, nachdem in New York ein schwarzer Junge bei Krawallen von der Polizei erschossen wurde.
1967	Aufstände in den schwarzen Wohnvierteln von Cleveland wegen sozialer Mißstände. Bei Unruhen in Detroit sterben 40 Menschen. In Cleveland und Gary (Ohio) werden erstmals Schwarze als Bürgermeister gewählt. – In Chicago wird auf der Daley Plaza die namenlose Skulptur von Picasso aufgestellt.
1968	Die *Democratic Convention* – der Parteitag der Demokraten – in Chicago wird von schweren Ausschreitungen begleitet. Hintergrund ist die Vietnam-Politik der USA.
1974	Coleman A. Young wird zum ersten schwarzen Bürgermeister von Detroit gewählt. – Fertigstellung des 443 m hohen Sears Tower in Chicago, in dem etwa 17 000 Menschen arbeiten.
1992	Die Innenstadt von Chicago wird bei einer Überschwemmung stark in Mitleidenschaft gezogen. Am 17. Juni wird in Chicago die Fußballweltmeisterschaft eröffnet.

◁ Wenig Begeisterung bei einem demonstrativen Akt: Milchtrinkende Politiker versuchen sich als leuchtende Vorbilder während der Prohibition

Bevölkerung

In den acht amerikanischen Bundesstaaten, die an die Großen Seen grenzen, lebten Anfang der 90er Jahre etwa 76 Mio. Menschen, rund ein Drittel aller US-Bürger. Daß sich diese Region – vor allem Illinois, Indiana, Michigan, Ohio und Wisconsin – als amerikanisches Kernland versteht, hängt mit dieser Bevölkerungsballung zusammen, hat seine Gründe aber auch in der zentralen Verkehrslage und der industriellen Stärke des Mittleren Westens.

Die ersten Menschen tauchten dort wahrscheinlich schon rund 5000 Jahre vor Beginn der christlichen Zeitrechnung auf. Deutlicher identifizierbar werden die ersten Indianerkulturen zwischen etwa 3000 und 1000 v. Chr. Als die ersten Weißen im frühen 17. Jh. in den amerikanischen Nordwesten vordrangen, war die Bevölkerungsdichte mit etwa einem Einwohner pro 2,5 km² sehr gering. Um so heftiger waren die Auswirkungen auf die Indianerzivilisationen in der Folgezeit (vgl. S. 47f.). Die rund 200 Jahre andauernde Ära des Pelzhandels war nicht nur durch Rivalitäten zwischen Franzosen, Briten und Amerikanern gekennzeichnet, sondern auch durch die Verdrängung der Indianer aus ihren angestammten Gebieten sowie deren gezielte Dezimierung.

Auf französische und britische Kolonisten und Pelzhändler folgten zu Beginn des 19. Jh. amerikanische Soldaten und Siedler, die Teil der großen Westwärtsbewegung Richtung Pazifikküste waren. Seit etwa den 40er Jahren des 19. Jh. wurde die Region von einer wahren Einwandererwelle aus Zentraleuropa überschwemmt. In Chicago, Milwaukee, Minneapolis und anderen Ballungszentren bildeten sich ethnische Stadtteile, die eine unverwechselbare ›nationale‹ Prägung besaßen. Im Laufe der Jahrzehnte veränderten sich diese Viertel während der Aufbauphase mancher Städte schnell, als alteingesessene Einwanderer wegzogen und neue Immigranten zuwanderten. Dennoch haben viele Einwanderergruppen – das gilt insbesondere für die Deutschen, die Iren und die Polen – ihre Eigenheiten, Traditionen und Bräuche über die Jahre hinweg behalten und der Mentalität der Bewohner des Mittleren Westen einen ganz besonderen Charakter verliehen. Selbst heute sind diese Einflüsse noch spürbar: So leben in Chicago die meisten Polen außerhalb von Warschau, und nirgendwo auf der Welt, von Athen abgesehen, haben so viele Griechen eine neue Heimat gefunden wie in der Metropole des Bundesstaates Illinois.

In den Jahrzehnten seit Ende des Zweiten Weltkrieges hat sich die Zuwanderung hinsichtlich der Herkunftsländer der Immigranten stark verändert. So erhöhte sich vor allem der Zustrom von Japanern, Koreanern und Vietnamesen, deren

Die Indianer der Großen Seen

Die Ursprünge der indianischen Besiedlung der Große-Seen-Region geht wahrscheinlich 5000, vielleicht sogar 7000 Jahre in die vorchristliche Vergangenheit zurück. Während über die damaligen Bewohner wenig bekannt ist, beginnt sich der Schleier der Unkenntnis spätestens im ersten Jahrtausend vor der Zeitenwende mit der sogenannten Woodland-Kultur zu lichten, die um etwa 200 v. Chr. ihre Blütezeit erreichte. Diese Kultur unterschied sich von ihren Vorgängern vor allem durch die zunehmende Bedeutung des Ackerbaus, die Verwendung neuer Gerätschaften, die Herstellung von Töpferwaren und die Anlage von Grabhügeln.

In den nachfolgenden Jahrhunderten breitete sich die Hopewell-Kultur (etwa 100 v. Chr. – 800 n. Chr.), deren zeremonielles Zentrum sich dort befand, wo heute die Stadt Grand Rapids steht, auch in Michigan aus. Die Indianer dieser Kultur taten sich vor allem als geschickte Kunsthandwerker hervor und stellten unter anderem Musikinstrumente, Webarbeiten und schöne Töpfereien her. Mit der späten Woodland-Kultur (etwa 800–1600) nahm nicht nur die Indianerbevölkerung im Gebiet der Großen Seen zu, auch die materielle Kultur und Lebensweise veränderte sich nachhaltig, wie etwa am Bau von befestigten Dörfern sichtbar wurde.

Um die Zeit der Ankunft der ersten Weißen im Gebiet der Großen Seen im 17. Jh. war das Waldland im amerikanischen Nordwesten – mit zwei Ausnahmen – vornehmlich von Algonkin-sprechenden Stämmen wie den Sauk, Fox, Menominee, Chippewa und Kickapoo besiedelt. In der östlichen Große-Seen-Region (südlich des Ontario-Sees) lebten Angehörige der irokesischen Sprachfamilie wie Mohawk, Oneida, Onondaga, Cayuga und Seneca. In den heutigen Bundesstaaten Minnesota und Wisconsin hingegen hatte die Sioux-sprechende Gruppe der Winnebago ihr Stammesgebiet. Diese Indianer lebten unter anderem von wildem Reis, der an den Ufern der Gewässer wuchs, doch kultivierten sie in den Flußauen, die nicht gerodet werden mußten, auch den Boden mit den drei ›klassischen‹ indianischen Feldfrüchten Mais, Bohnen und Kürbis.

Im Zuge des wachsenden Pelzhandels kamen die Indianer in Kontakt mit weißen Händlern, die Eisenwaren, Perlen, Alkoholika und Waffen gegen Felle tauschten, die in Europa sowie in China für teures Geld verkauft wurden. Über diese Kontakte gelangten bislang un-

Hütte der Ojibwa-Indianer im Mission Park von St. Ignace

bekannte Krankheiten zu den Indianern, gegen die sie keine Abwehr-kräfte besaßen. Zudem schürte das einträgliche Pelzgeschäft Rivali-täten unter der Urbevölkerung, die wiederum von den Weißen ausge-nutzt wurden. So verbündeten sich etwa die Franzosen mit Huronen und Algonkin gegen die mit den Briten liierten Irokesen.

Unter diesen Einflüssen veränderte sich die Indianerbevölkerung um die Großen Seen dramatisch. Das gilt vor allem für die Zeit seit Be-ginn der Siedlungspolitik, die auf Landbesitz abzielte – eine für India-ner nicht nachvollziehbare Vorstellung, weil sie Privateigentum an Grund und Boden nicht kannten. So brachen schwere Konflikte auf, in deren Folge die traditionellen indianischen Strukturen zerstört und Stammeseinheiten fragmentiert oder in Reservate abgeschoben wur-den.

Heute gibt es in der Region knapp zwei Dutzend Reservate, die in der Regel nur von sich hören machen, wenn traditionelle Pow Wows (Indianerfeste) veranstaltet werden. In den letzten Jahrzehnten aber wuchsen die Bestrebungen, der indianischen Geschichte und Kultur größere Geltung zu verschaffen, wovon Ausstellungen in zahlreichen Museen zeugen. In diesem Zusammenhang haben die Indianer zwar mehr Anerkennung gefunden und bekennen sich heute eher zu ihrer Identität, bilden aber immer noch eine Minderheit mit geringer politi-scher Lobby am Rande der amerikanischen Gesellschaft.

kultureller Einfluß bereits ebenfalls spürbar ist.

Staat und Verwaltung

Die Bundesstaaten der USA sind, von wenigen Ausnahmen abgesehen, ähnlich staatlich organisiert und verwaltet. Das gilt auch für die acht Staaten der Großen-Seen-Region. Zwar weisen einige Regierungssysteme kleine Eigenheiten auf, doch basieren sie allesamt auf dem bundesweit geltenden Grundsatz der Gewaltenteilung.

Mit Ausnahme von Nebraska setzt sich die Legislative in allen Einzelstaaten aus zwei Kammern (Kongreß) zusammen. Der Senat besteht aus einer Versammlung von auf vier Jahre gewählten Senatoren, die jeweils einen Wahlbezirk *(district)* repräsentieren. Das Repräsentantenhaus wird durch Abgeordnete gebildet, die auf zwei Jahre gewählt sind. Gesetzesentwürfe können Mitglieder beider Häuser einbringen.

An der Spitze der jeweiligen Exekutive steht neben Gouverneur sowie Vize-Gouverneur ein Kabinett, das aus einem Innenminister, einem Generalstaatsanwalt, einem Finanzminister sowie drei weiteren Beauftragten für die Ressorts Steuern/Staatshaushalt, Landwirtschaft sowie Bildung besteht. Die Befugnisse des Gouverneurs stellen in etwa diejenigen des amerikanischen Präsidenten dar: Er sorgt als Leiter der staatlichen Verwaltung für den Vollzug der Gesetze, übt die oberste Kommandogewalt über die Nationalgarde aus, ernennt Staatsbeamte und kann Begnadigungen aussprechen. Zudem verfügt er über das wichtige suspensive Vetorecht gegen Gesetze, die der Kongreß durchsetzen will. Insgesamt betrachtet vertritt er die Interessen seines Staates gegenüber anderen US-Bundesstaaten.

Die Gerichtsbarkeit gliedert sich in vier Ebenen. Der höchste Bereich ist der Oberste Gerichtshof, der aus sieben Mitgliedern besteht, von denen jedes vom Gouverneur und dem Kabinett ernannt werden. Die Amtszeit der Obersten Richter beläuft sich auf sechs Jahre. Darunter liegen fünf Appelationsgerichte *(District Court of Appeal)*, dann folgen die Bezirks- und schließlich auf unterster Ebene die Amtsgerichte, die all jene Fälle regeln, in denen der Streitwert unter 2500 Dollar liegt.

Die Staaten der Region sind in *Counties* (Landkreise) aufgeteilt, die sich nach Einwohnerzahl und Fläche stark voneinander unterscheiden können. An der Spitze der dortigen Verwaltung steht ein Kreisrat. Zu den leitenden Beamten zählen der für die öffentliche Ordnung zuständige *Sheriff*, der Kreiskämmerer als Finanzbeamter und der Kreisanwalt als öffentlicher Ankläger sowie weitere Beamte, welche die einzelnen Kreisressorts verwalten.

Moonshining und bootlegging

In den USA darf man mit 18 Jahren zwar wählen, heiraten, in der Armee Waffen tragen und ein Auto steuern – in der Öffentlichkeit einen Schoppen Wein oder ein Glas Bier trinken darf man jedoch in vielen Bundesstaaten erst mit 21 Jahren. Muten solche Staatsgesetze Besucher aus Europa auch ziemlich vorsintflutlich an: Sie werden im Land der unbegrenzten Möglichkeiten ohne Wenn und Aber durchgesetzt. Manche Städte und Landkreise sind bis heute völlig ›trocken‹, andere Gegenden lassen es damit gut sein, daß sie sonntags keinen Alkoholverkauf erlauben oder den Verkauf auf Spezialgeschäfte beschränken. Wer beispielsweise von Chicago zu einer Stippvisite nach Detroit fährt und im Auto eine Flasche Wein oder ein *Six Pack* Bier dabei hat, verstößt gegen das Alkoholgesetz des Staates Michigan, das Reisenden die Einfuhr von Alkoholika aus anderen Bundesstaaten verbietet.

Derartige Bestimmungen sind nicht nur Manifestationen einer in den USA immer noch weitverbreiteten puritanischen Mentalität, sondern auch Relikte der Ära der Prohibition. Die ›Trockenlegung‹ begann am 28. 10. 1919 mit der Verabschiedung des sogenannten Volstead-Gesetzes, das gegen das Veto von US-Präsident Woodrow Wilson Herstellung, Verkauf, Transport und Import alkoholischer Getränke unter Strafe stellte. Das Gesetz löste in den folgenden Jahren genau das Gegenteil dessen aus, was eigentlich bezweckt werden sollte. Schwarzbrennereien schossen im ganzen Land wie Pilze aus dem Boden. Besonders profitabel erwies sich das Geschäft aber für die großen Gangstersyndikate, die ein landesweites Netz des *bootlegging* (Schmuggel) aufbauten, eigene Spritfabriken und Vertriebssysteme errichteten und das jeweilige Gebräu in speziellen Lokalen auch unter die durstige Bevölkerung brachten, wo der ›Stoff‹ zwecks Tarnung teils in Kaffeetassen serviert wurde. Zu den größten Produktionsstätten zählte Al Capones Chicagoer Schnapsfabrik (1775 W. Diversey Parkway), wo ›Scarface‹ (s. S. 91ff.) täglich etwa 80 000 l schwarzgebrannten Whisky produzieren ließ – von der Polizei völlig unbehelligt.

In jenen Tagen wurde die Stadt von hoffnungslos korrupten Beamten verwaltet, die bis auf wenige Ausnahmen auf den Lohnlisten der organisierten Verbrechersyndikate standen – allen voran Bürgermeister ›Big Bill‹ Thompson, für dessen gehobene Lebenshaltungskosten Al Capone persönlich zuständig war. Ein Überbleibsel aus der damaligen Zeit

Während der Prohibition 1926: Beschlagnahmter Schnaps wird vernichtet

war der lange geübte Brauch, daß Chicagos Autofahrer bei Polizeikontrollen automatisch eine größere Dollarnote an ihren Führerschein hefteten.

Im Jahre 1924 kam es zwischen dem italienischen und dem irischen Gangstersyndikat zu einem offenen Schnapskrieg, nachdem die Polizei eine Schwarzbrennerei und Brauerei ›hochgenommen‹ hatte, welche die Italiener eine Woche zuvor den Iren für 500 000 US-Dollar abgekauft hatten. Das roch nach abgekartetem Spiel, und diesen Verdacht bezahlte der Irenchef ›Deanie‹ O'Bannion, der sich als biederer Blumenhändler tarnte, an jenem Tag mit dem Leben, als drei italienisch-sprechende Kunden mit ausgebeulten Manteltaschen bei ihm auftauchten und sich für ein Grabgesteck interessierten…

Am 5. 12. 1933 endete die Ära der Prohibition mit der Aufhebung des Alkoholgesetzes von 1919 durch die Ratifizierung des 21. *Amendment* (Verfassungszusatz). Das 13jährige Alkoholverbot hatte ein Zeitalter der Gesetzlosigkeit geprägt mit überfüllten Gefängnissen, explodierenden Kriminalitätsraten und einem ungeahnten Wachstum des organisierten Verbrechens, das vor allem in Chicago mit Politik, Wirtschaft und Verwaltung verfilzt war.

Die Landkreise sind in eine Vielzahl von *Towns* und *Townships* (Gemeinden) unterteilt, wobei unter *Town* nicht notwendigerweise ein einzelner Ort verstanden wird, es kann sich auch um einen Landbezirk handeln. An deren Spitze steht ein gewählter Gemeinderat, der von einem Bürgermeister geleitet wird.

Architektur

Als die ersten französischen *voyageurs* im 17. Jh. das Waldland durchstreiften, lebten die Chippewa-Indianer (Sioux) noch in igluförmigen Holzhütten, über die Birkenrindenstücke oder Matten gelegt wurden. Die ersten Forts, welche die Weißen erbauten, waren Blockhauskonstruktionen, um die man Palisadenzäune aus oben zugespitzten Pfählen anlegte. Aus Stein wurden im 19. Jh. neoromanische und neogotische Gebäude errichtet, ehe sich die Architekten nicht mehr von der Vergangenheit inspirieren ließen, sondern ihre Blicke in die Zukunft zu richten begannen.

Bahnbrechend auf diesem Sektor war in erster Linie Chicago mit der dort seit der letzten Dekade des 19. Jh. arbeitenden Chicago School, einer Gruppe von Fachleuten, die nicht nur das Gesicht dieser Stadt, sondern ganz Amerikas, vielleicht sogar der Welt, nachdrücklich

prägten. Architekten, Designer, Ingenieure und Städtebauer wie Daniel Burnham, Louis Sullivan, Dankmar Adler und Frank Lloyd Wright zählten zu diesem erlauchten Kreis, der Chicago in ein Laboratorium der modernen Architektur verwandelte und mit neuen Ideen Maßstäbe setzte, nachdem der Großbrand von 1871 die Bauten im Stadtzentrum in Schutt und Asche gelegt hatte. Als Grundprinzip galt der von Sullivan geprägte Satz: »Form follows function« – die Gestalt eines Gebäudes wird durch dessen Funktion bestimmt. William Le Baron Jenney setzte die zuvor schon in England erprobte vertikale Bauweise erstmals städtebaulich in die Tat um und ließ von einem stählernen Skelett gestützte Wolkenkratzer in den Himmel wachsen, weil der Baugrund im Loop, der Innenstadt von Chicago (s. S. 76ff.), nicht nur knapp, sondern auch teuer war.

In den 20er und 30er Jahren hielt in den großen Städten um die Seen mit dem Art déco-Stil eine dekorative Bauweise Einzug, die durch funktionale, geometrische Bauten mit vielfältigen Ornamenten gekennzeichnet war. In Stuckverzierungen tauchten an den Fassaden Tier- und Pflanzenmotive auf, die Türen und Fenster umrankten. Neben neuen Dekorationen verwendeten die damaligen Baumeister

Chicago 1932: das Wrigley-Gebäude und der Chicago Tribune Tower auch neue Materialien wie Aluminium, Chrom oder Plastik.

Wiederum eine neue Ära brach Ende der 30er Jahre an, als der Einfluß von Ludwig Mies van der Rohe auf die Architektur in Chicago spürbar wurde. Er bündelte seine Philosophie im Prinzip »Weniger ist mehr« und stattete die Weltstadt mit Bauten aus, die durch klare Linien gekennzeichnet waren. Der nächste, der Chicago seinen Stempel aufdrückte, war der ebenfalls deutschstämmige Helmut Jahn mit seiner ›demokratischen‹ Architektur, die Zugänglichkeit und Transparenz demonstrieren wollte, wie das Beispiel des 1985 erbauten State of Illinois Center zeigt.

Nach dem Zweiten Weltkrieg zeigte sich der Städtebau in den großen Zentren des Mittleren Westen alles andere als dynamisch. Es dauerte bis in die 70er Jahre, ehe Metropolen wie Detroit und Minneapolis innerstädtische Aufbauprogramme einleiteten und einem neuen Konsumbewußtsein auch architektonisch durch die Erfindung der Shopping Mall, des überdachten Einkaufszentrums, sowie der wind- und wettergeschützten Fußgängerpassagen, der Skywalks, zum Durchbruch verhalfen.

Literatur

Das verheerende Großfeuer des Jahres 1871 war für Chicago nicht das Ende, sondern ein Neuanfang. Nach dem Bürgerkrieg hatte sich die Stadt in rasender Geschwindigkeit zu einer Weltmetropole entwickelt, einem führenden Hersteller von Textilien, Stahl, Eisen und Whiskey, und am Weihnachtstag des Jahres 1865 öffneten die riesigen Union Stock Yards, die größten Schlachthöfe und Fleischverpackungsanlagen der Welt. Mit Sieben-Meilen-Stiefeln hastete dieser urbane Ballungsraum mit 1 Mio. Einwohnern dem 20. Jh. entgegen, das Riesenwogen von Einwandern in seine Straßenschluchten spülte.

Dieser facettenreiche, monströse Großstadtdschungel mußte die Aufmerksamkeit amerikanischer Literaten aufsichziehen, weil das für den Mittleren Westen neue Phänomen der Urbanisierung und des technischen Fortschritts, der Massenverelendung sowie der ungebremsten Gewinnsucht politisches, gesellschaftliches und ästhetisches Interesse fesselte wie kaum eine andere Entwicklung. Geradezu symptomatisch ist, daß Chicagos Literatur des 20. Jh. mit dem 1906 erschienenen sozialkritischen Roman »Der Dschungel« von Upton Sinclair (1878–1968), der die Zustände und Arbeitsbedingungen in den Schlachthöfen schonungslos anklagt, seine Premiere erlebte. Bert Brecht (1898–1956) gab dieser Roman den Anstoß für »Die heilige Johanna der Schlachthöfe«, ein 1930 erschienenes Drama mit sozialrevolutionärem Inhalt.

Chicagos tolle Zwanziger

Vier Straßenzüge nördlich der futuristischen Marina City findet man im Stadtteil North River ein Geschäft, das Eingeweihte als **die** Institution in Sachen Jazz kennen: Jazz Record Mart (11 West Grand Ave., ✆ 312-222-1467), der größte Verkaufsladen der Welt für Blues und Jazz. Dort liegt Jazz-Geschichte auf Halde – in schwarze Rillen gepreßt, auf Kassetten aufgenommen oder auf CDs überspielt, Jazz-Geschichte, in der das Chicago der 20er Jahre ein wichtiges Kapitel mitgestaltet hat.

Bekanntlich stand die Wiege des Jazz im ausgehenden 19. Jh. in New Orleans, wo die Kulturen schwarzer Sklaven, kreolischer Einwanderer und weißer Amerikaner musikalisch aufeinandertrafen und der Ragtime sich mit dem Blues zum ersten eigentlichen Jazz-Stil verschmolz. Für schwarze Bürger war das soziale Klima dort wie in den übrigen Südstaaten zu Beginn des Jahrhunderts alles andere als günstig, so daß sich viele in den ersten Dekaden des 20. Jh. in den liberaleren Nordstaaten niederließen. Chicago mit seiner aufstrebenden Industrie bot ihnen Brot und Arbeit, vor allem nachdem der Strom aus Europa einwandernder Arbeiter während des Ersten Weltkriegs weitgehend versiegt war. Die South Side von Chicago entwickelte sich in diesen Jahren zu einem vornehmlich von Schwarzen bewohnten Stadtteil, in dem sich viele Musiker New Orleans niederließen, nachdem die Musik- und Vergnügungslokale dort wegen ›Gefährdung der Moral‹ der in der Südstaatenmetropole stationierten Truppen geschlossen worden waren.

Zu den Großen des Jazz, die in den 20er Jahren an den Michigan-See strömten, zählte neben King Oliver mit seiner Creole Jazz Band, Jelly Roll Morton und Johnny Dodds auch die damals berühmteste Blues-Sängerin Bessie Smith, vor allem aber der legendäre Louis Armstrong, der mit seinen Hot Five und Hot Seven auf der Bühne stand und Idol einer ganzen Generation von jungen Weißen war. Die versuchten natürlich, Armstrongs Dixieland-Sound nachzuahmen, was ihnen zwar nicht glückte, aber zur Herausbildung einer neuen Jazz-Richtung führte, die unter dem Namen Chicago-Stil bekannt wurde.

Der Chicago-Stil kennzeichnete den Übergang vom traditionellen Dixieland-Stil, wie er in New Orleans gepflegt wurde, zum Swing der 30er Jahre. Charakteristische Merkmale waren die vorrangige Bedeutung der Solo- vor der Kollektivimprovisation einerseits und eine veränderte instrumentale Besetzung andererseits, wobei das Banjo von

Eine Wandmalerei erinnert an die großen Tage des Jazz

der Gitarre, die Tuba vom Kontrabaß und die Posaune vom Saxophon abgelöst wurde. Prominentester Vertreter des Chicago-Stils wurde der deutschstämmige Bix Beiderbecke, der zwar an der Ausbildung zum Konzertpianisten ›gescheitert‹ war, weil er Schwierigkeiten beim Notenlesen hatte, es aber als Autodidakt zum bedeutendsten weißen Trompeter des prämodernen Jazz brachte.

Ende der 20er Jahre entwickelten sich in Chicago mit dem Boogie Woogie sowie dem von Benny Goodman vertretenen Swing wiederum zwei neue Stilrichtungen. Der Begriff Swing kam auf, nachdem Goodman im Herbst 1935 seine Musik bei einem eindrucksvollen Big Band-Konzert in Chicago publikumswirksam vorgestellt hatte. Zwar verlagerte sich das Blues- und Jazz-Mekka in den folgenden Jahren sowohl an die Ost- wie Westküste, doch blieb auch Chicagos Bevölkerung dieser Musik treu. In den 50er Jahren eröffneten allein in South Side mehr als 200 Show Lounges und Musikbars mit Blues-Sängern, die in die Fußstapfen von Big Bill Bronzy und Sonny Boy Williamson traten. Und auch in den 90er Jahren hat Chicagos Jazz-verrücktes Herz nicht aufgehört zu schlagen – wenngleich sich die einschlägigen *hot spots* inzwischen auch in die nördlichen Stadtteile, vor allem nach Lincoln Park und Lakeview, verlagert haben (vgl. S. 249).

Noch vor Sinclairs Roman, der am Anfang der modernen amerikanischen Literatur steht, veröffentlichte 1900 der deutschstämmige Theodore Dreiser (1871–1945) mit »Schwester Carrie« ein Werk, das ebenfalls die Urbanisierung, das Erfolgsstreben und die Dynamik der Gesellschaft mit Blick auf Chicago problematisierte. Zu den gesellschaftskritischen Autoren zählte auch der in Ohio geborene Sherwood Anderson (1876–1941), der in seinem Kurzgeschichtenzyklus »Winesburg, Ohio« (1919) das bürgerliche Kleinstadtleben in den Mittelpunkt rückte, wie er es selbst in seiner Jugend kennengelernt hatte. Zu den großen Literaten von Chicago gehörte auch der von schwedischen Einwanderern abstammende Carl Sandburg (1878 bis 1967), der, vor allem durch seine »Chicago Poems« (1916) bekannt, sich später mit einer dreibändigen Biographie Abraham Lincolns unter dem Titel »The Prairie Years« (1926, 1939) beschäftigte.

In der Tradition Dreisers steht James T. Farrell (1904–79), der zwar in Detroit zur Welt kam, aber im Arbeitermilieu von Chicago aufwuchs, was seine Werke nachdrücklich prägte. In der zwischen 1932 und 1935 erschienenen Trilogie »Studs Lonigan« beschreibt er das Leben irischer Arbeiter in der Großstadt am Michigan-See, die von Sherwood Anderson *roaring city* (stürmische Stadt) genannt wurde. Dutzende anderer Schriftsteller widmeten sich ähnlichen Milieuschilderungen und Arbeiterschicksalen.

Der aus Detroit stammende Nelson Algren etwa veröffentlichte 1943 einen Kurzgeschichtenband über das Leben in den Slums am Rande der Stadt unter dem Titel »The Neon Wilderness« sowie ein Jahr zuvor »Never Come Morning«, worin es um das kurze Leben eines polnischen Boxers in den Chicagoer Elendsvierteln geht. »Somebody in Boots« (1935) schildert das Leben in der Stadt während der Weltwirtschaftskrise, und »Der Mann mit dem goldenen Arm« (1949) ist das Portrait eines Drogenabhängigen. Das Leben eines jungen Mannes in Chicago thematisiert der Roman »Die Abenteuer des Augie March« (1953) des 1915 in Quebec geborenen Schriftstellers Saul Bellow, der 1976 mit dem Literaturnobelpreis ausgezeichnet wurde. In »Mann in der Schwebe« (1944) schildert Bellow das ziellose Leben eines jungen Mannes, der während des Zweiten Weltkriegs in der Großstadt Chicago seine Einberufung zur Armee abwartet.

Mit dem Leben in Chicago hat sich literarisch auch eine ganze Reihe von Frauen beschäftigt. Die wohl bekannteste schwarze Dichterin des 20. Jh., Gwendolyn Brooks, verarbeitete in »A Street in Bronzeville« (1950) Erfahrungen, die sie während ihrer Jugend in Chicago gemacht hatte. Grace Hall stellte eine in Chicago wohnende sizilianische Familie in den Mittelpunkt von »Honor Divided« (1935), während Willa S. Cather in »Lucy Gayheart« (1935) das Leben einer jungen Chicagoer Musikerin beschreibt. Virginia Brooks führte Kampagnen gegen kommerzialisierten Sex an und behandelte dieses Thema in ihrem 1914 erschienenen Buch »Little Lost Sister«, in dem es um junge Mädchen geht, die durch Hungerlöhne zur Prostitution gezwungen werden. Margaret Barnes zeichnete in »Within This Present« (1935) ein Bild bürgerlichen Familienlebens zwischen dem Ersten Weltkrieg und der Weltwirtschaftskrise in der Stadt am Ufer des Lake Michigan, während sich Beatrice Bisno im 1938 veröffentlichten Roman »Tomorrow's Bread« mit dem Leben jüdischer Textilarbeiter und einer gewerkschaftlichen Karriere beschäftigt. Im Roman »One Woman« (1930) von Tiffany Thayer rekonstruiert ein Chicagoer Reporter durch die Angaben im Adreßbuch einer toten Prostituierten deren Leben.

Natürlich hat sich Chicagos Ruf als Hochburg des organisierten Verbrechens auch literarisch niedergeschlagen. Mit diesem Thema haben sich u. a. William R. Burnett (»Little Caesar«, 1929, und »The Silver Eagle«, 1931), Loren Carrol (»Wild Onion«, 1930), Armitage Trail (»Scarface«, 1930) und MacKinlay Kantor (»Diversey«, 1928) beschäftigt. Zwei dieser Romane, »Little Caesar« und »Scarface«, dienten als Vorlagen für gleichnamige Filme der Regisseure Mervyn LeRoy und Howard Hawks 1930 bzw. 1932.

Ein anderes Thema war die literarische, journalistische und politische Szene in Chicago vor dem Zweiten Weltkrieg, womit sich u. a. Maxwell Bodenheim (»Duke Hering«, 1931), Elliott Flower (»The Spoilsmen«, 1903), Ben Hecht (»Gargoyles«, 1922), Henry J. Smith (»Josselyn«) und Meyer Levin (»Reporter«, 1929) beschäftigten. Levin stellte darüber hinaus den Tod einiger Stahlarbeiter in den Mittelpunkt seines Romans »Citizens« (1940), die am Memorial Day 1937 während eines Streiks vor den Republic Steel Works in Chicago von der Polizei erschossen wurden.

Unter den schwarzen Schriftstellern, die Chicago in ihren Werken verarbeiteten, war Richard Wright (1908–1961) der bekannteste. Sein Roman »Native Son« (1940) beschreibt das Schicksal des schwarzen Bigger Thomas im Farbigen-Ghetto von Chicago, den die dortigen Lebensumstände zum Mörder machen. Weniger bekannt ist die Geschichte einer schwarzen Familie im Chicago der 20er Jahre unter dem Titel »Behold a Cry« (1947) von Alden Bland.

Orte und Reiserouten

Chicago

Abendlicht über Chicago

Durch die Wolkenkratzerlandschaft der Windy City, zu den Skulpturen von Picasso, Miró, Chagall und Calder, auf den Spuren von Al Capone, an die Ufer des Lake Michigan, in Jazz-Lokale, Museen und Galerien

Sonntag morgen, Grant Park, Chicago. Weit hinter den grünen Kronen der Bäume am Rand des Grant Park steigen die blitzenden Stahl- und Glasfassaden der City-Skyline auf, als habe über Nacht jemand ein riesiges Werbeplakat für Wolkenkratzerlandschaften an den blauen Himmel geklebt. In der warmen Herbstsonne bauen die ersten Teilnehmer des ›Rib-Festes‹, das alljährlich von der »Chicago Tribune« ausgerichtet wird, ihre Holzkohlengrills auf. Bis um die Mittagszeit hat sich die grüne Lunge von Chicago in eine riesige Open-Air-Grillstube verwandelt, über der eine fettige Duftwolke schwebt wie kolorierter Herbstnebel.

Die Großstadt feiert gern. Während im Grant Park die Schweinerippen über Hickory-Spänen brutzeln, schwingen in anderen Stadtvierteln Mitglieder von Folkloregruppen das Tanzbein, treffen sich Nachbarn bei Festen ganzer Straßenblocks in bunt dekorierten Hinterhöfen bei Sauerkraut oder Pizza. Lernt man die Weltstadt bei solchen Gelegenheiten kennen, fällt angesichts der fast dörflich anmutenden Atmosphäre die Vorstellung schwer, daß Chicago unter den bevölkerungsreichsten Metropolen der USA hinter New York und Los Angeles den dritten Platz einnimmt.

Vor drei Jahrzehnten lag Chicago sogar noch vor Los Angeles auf Rang 2. Seit damals haben Politiker wie Einwohner keine Mühen gescheut, den ›Abstieg‹ durch eine Aufwertung der Stadt zu einem Wirtschaftsgiganten und einem kulturellen Mekka wettzumachen. So nehmen die Einheimischen den Spruch »Wer in Chicago keinen Job bekommt, kriegt nirgends auf der Welt Arbeit« auch für bare Münze. Nicht ganz zu Unrecht. Denn über Jahrzehnte hinweg wurde eine diversifizierte industrielle Basis geschaffen, als deren zentraler Bestandteil die Stahlherstellung gilt, die im Großraum Chicago-Gary eine Art ›amerikanisches Ruhrgebiet‹ bildet. Davon abgesehen gibt sich die Stadt gern als Arbeiter- und Mittelklassehochburg, auch weil sie als Wiege der amerikanischen Gewerkschaftsbewegung betrachtet werden kann. Im Jahre 1894 traten dort im sogenannten Pullman Strike erstmals schwarze und weiße Arbeiter

Bunt, bewegt, umstritten...

Das Stadtzentrum von Chicago, der sogenannte Loop, wurde in den vergangenen Jahrzehnten durch zahlreiche, auf öffentlichen Straßen und Plätzen aufgestellte Skulpturen in eine Open-Air-Galerie verwandelt. Die Weltstadt dokumentierte dadurch nicht allein ihre Kulturbeflissenheit, sondern auch ihr Kunstverständnis – nämlich Kunst nicht als elitäre, sondern als jedermanns Angelegenheit zu betrachten.

Das erste ›öffentliche‹ Kunstwerk war im Jahre 1930 die rund 10 m hohe Aluminiumskulptur der **Ceres** (1), der römischen Göttin des Acker- und Getreidebaus sowie der Fruchtbarkeit, welche die pyramidenförmige Spitze des Chicago Board of Trade heute noch schmückt. Schöpfer dieses Kunstwerks war ein Sohn der Stadt, John Storrs (1885–1956), der unter anderem in Berlin und Paris bei Auguste Rodin studiert hatte, aber regelmäßig in seine Heimat am Lake Michigan zurückkehrte.

Nach einer langen Pause von mehr als 40 Jahren entschlossen sich die Stadtväter von Chicago, die mit Storrs aufgenommene Idee fortzusetzen. Im Jahre 1974 schuf der amerikanische Bildhauer Alexander Calder (1898–1979), der durch seine Mobiles bekannt wurde, seinen riesigen **Flamingo** (2), eine kirschrote Skulptur aus Stahlblech, die trotz des schweren Materials federleicht wirkt. Die 1980 entstandene **Untitled Light Sculpture** (3) von Chryssa Varda in der Lobby des Gebäudes 33 W. Monroe Street besteht aus sechs lichtdurchlässigen Plastikkörpern, die computergesteuert beleuchtet werden. Der 1915 in Milwaukee geborene Richard Lippold stattete 1958 die Eingangshalle des Inland Steel Building mit einer Metallkonstruktion namens **Radiant I** (4) aus Gold, rostfreiem Stahl und Kupfer aus, die sich in einem Wasserbecken spiegelt.

Zu den bekanntesten Kunstwerken im Chicagoer ›Freilichtmuseum‹ zählen seit 1974 **Die vier Jahreszeiten** (5) des russisch-französischen Malers Marc Chagall (1887–1985), ein farbenfrohes Mosaik auf einem schweren, rechteckigen Steinblock. Schon 1967 vollendet, aber erst 14 Jahre später aufgestellt, wurde die Riesenplastik **Miró's Chicago** (6) auf der Brunswick Building Plaza des spanischen Bildhauers Joan Miró (1893–1983). Das Kunstwerk wirkt wie ein gegenständlich gewordener Lichtblick zwischen den anonymen Fassaden der umliegenden Wolkenkratzer. Ebenfalls im Jahre 1967 teilte Mirós Landsmann Pablo Picasso (1881–1973) die Öffentlichkeit der Stadt mit seiner 19 m ho-

Jean Dubuffets »Monument to a Standing Beast« vor dem State of Illinois Center

hen und 162 t schweren namenlosen Riesenplastik auf der Richard J. Daley Plaza in zwei Lager. Eine Minderheit war entzückt, die Mehrheit war entrüstet, wenn nicht sogar entsetzt. Inzwischen haben sich die Wogen längst geglättet, und das im Volksmund **Chicago Picasso** (7) genannte Kunstwerk gehört zum Loop wie der Sears Tower.

Being Born (8) heißt die Skulptur aus rostfreiem Stahl von Virginio Ferrari vor dem Kaufhaus Marshall Field's, die in einem Wasserbecken aus Marmor steht. Vor dem State of Illinois Center hat seit 1985 das **Monument to a Standing Beast** (9) des französischen Malers und Graphikers Jean Dubuffet (1901–1985) seinen Platz, eine in Schwarz und Weiß gehaltene Großplastik aus Glasfaser. Das Kunstwerk **Dawn Shadows** (10) der um 1900 geborenen Russin Louise Nevelson schmückt

Schulter an Schulter in den Ausstand, ehe elf Jahre später die Organisation der Industrial Workers of the World gegründet wurde.

Der Grundstein für den kulturellen Stellenwert der Stadt, die ihren Namen vom Begriff *che-cau-gou* der Illini-Indianer für wilde Zwiebel bzw. groß und stark ableitet, wurde im ausgehenden 19. Jh. von der Chicago School gelegt. Eine Gruppe renommierter Architekten

1 Ceres (John Storrs)
2 Flamingo (Alexander Calder)
3 Unitled Light Sculpture (Chryssa Vard)
4 Radiant I (Richard Lippold)
5 Four Seasons (Marc Chagall)
6 Miró's Chicago (Joan Miró)
7 Chicago Picasso (Pablo Picasso)
8 Being Born (Virginio Ferrari)
9 Monument to a Standing Beast (Jean Dubuffet)
10 Dawn Shadows (Louise Nevelson)
11 Batcolumn (Claes Oldenburg)
12 Universe (Alexander Calder)

Skulpturen im Loop

seit 1983 die Madison Plaza, während **Batcolumn** (11) des gebürtigen Schweden Claes Oldenburg auf der Social Security Administration Plaza schon seit 1977 wie eine aus Gittergeflecht bestehende Säule in den Himmel ragt. **Universe** (12), eine weitere Arbeit von Alexander Calder, wurde nach Fertigstellung des Sears Tower in dessen Lobby installiert – ein motorgetriebenes Riesenmobile, dessen Bewegungen lange nicht so schnell und hektisch sind wie diejenigen der Weltstadt Chicago draußen vor der Tür.

verlieh dem Stadtzentrum nach dem verheerenden Großbrand des Jahres 1871 ein neues Gesicht und verwirklichte dabei bahnbrechende Ideen. Neben sehenswerten Residenzen sowie Verwaltungsbauten entstanden renommierte Musentempel und Kultureinrichtungen, Theater, Orchester wie etwa das weltbekannte Chicago Symphony Orchestra und eine Vielzahl von Museen. Sie alle verliehen der

Stadt den Nimbus einer Kulturmetropole, die einen repräsentativen Rahmen für die alljährlich dort zu Dutzenden stattfindenden Kongresse abzugeben weiß.

Unter den *neighborhoods* spielt hinsichtlich der Einwohnerzahl das polnische Viertel die bedeutendste Rolle. Seit über 100 Jahren hat sich der Großteil der nach Chicago ausgewanderten Polen um die parallel zum John F. Kennedy Expressway verlaufende Milwaukee Avenue im Nordwesten der Innenstadt niedergelassen. Als Kern dieses Viertels wurde 1867 von den Polen die erste katholische Gemeinde gegründet. In den letzten Jahrzehnten hat dieser früher fast ausschließlich polnische Stadtteil seinen geschlossenen Charakter durch den Zuzug von Bürgern anderer Nationalitäten weitgehend verloren. Doch existieren noch viele erkennbar osteuropäische Spezialitätengeschäfte und Restaurants. Das Polish Museum of America (984 N. Milwaukee Ave., ☎ 312-384-3352, tägl. 12–17 Uhr) zeigt zu einem großen Teil Exponate, die auf der New Yorker Weltausstellung 1939 im polnischen Pavillon zu sehen waren, über 300 Gemälde, typische Trachten und eine 30 000 Bände umfassende Bibliothek.

Weiter stadteinwärts dehnt sich etwa zwischen der West Chicago und der West Grand Avenue sowie der Western und der Ashland Avenue das ukrainische Viertel aus. Im Ukrainian National Museum (2453 W. Chicago Ave., ☎ 312-276-6565, Di–Sa 11–16, So 12–16 Uhr) kann man kunsthandwerkliche Arbeiten, historische Photos und andere ukrainische Memorabilien besichtigen.

Little Italy, der italienisch geprägte Teil von Chicago, beschränkt sich im wesentlichen auf die Taylor Street südwestlich des Loop sowie auf die in dieser Gegend liegenden Abschnitte der 26th Street und Western Avenue. Wer griechische Restaurants bevorzugt, ist in Greektown im Stadtteil Near West Side entlang der Halstedt Street zwischen Van Buren und Monroe Street gut aufgehoben.

Die asiatischen Einwanderer haben sich in zwei Vierteln zusammengeschlossen. Das alte Chinatown wurde südlich des Loop um die Cermak Road sowie um die 22nd Street im letzten Viertel des 19. Jh. von chinesischen Einwanderern gegründet, die sich vor allem im Eisenbahnbau verdingten. Ein zweiter fernöstlich geprägter Stadtteil, den vornehmlich Vietnamesen bewohnen, liegt im Norden der Stadtmitte um die Argyl Street auf Höhe des Lincoln Park. Im Volksmund heißt diese Gegend Little Saigon, weil es dort viele vietnamesische, thailändische, koreanische und andere fernöstliche Geschäfte mit exotischen Auslagen von Trockenfisch bis zu Zitronengras gibt. Im Vietnam Museum (5002 N. Broadway/W. Argyl St., ☎ 312-728-6111, Sa, So 11–17 Uhr), das in den 70er Jahren eingerichtet wurde, erinnern die meisten

Parade der Mexikaner in Chicago

Exponate wie etwa Karten, Uniformen und Photos an den Vietnam-Krieg (1965–73), mit dessen psychologischer Bewältigung Amerika heute noch beschäftigt ist.

Westlich der alten Chinatown erstreckt sich um die 18th und 26th Street sowie um die Asland und Blue Island Avenue das Viertel Pilsen/Little Village, wo vornehmlich Chicagoer mexikanischer Abstammung leben. Im Jargon der Bewohner heißt die 26th Street Avenida Mexico, weil die dortige Plaza Garibaldi das ganze Jahr über Schauplatz von mexikanischen Festen und Veranstaltungen ist. Seit 1987 gibt es in diesem Viertel das Mexican-American Fine Arts Center

(1852 W. 19th St., ✆ 312-738-1503, Di–So 10–17 Uhr), wo Theateraufführungen und Ausstellungen stattfinden.

Die schwarze Bevölkerung von Chicago konzentriert sich auf eine Reihe von *neighborhoods* vor allem im Süden und Nordwesten der Stadt. Die South Side südlich der Madison Street war früher ein Wohngebiet wohlhabender Weißer. Heute sind Viertel wie Douglas und Kenwood überwiegend von Schwarzen bewohnt. Ein wahres Ghetto der am unteren Ende der sozialen Leiter Lebenden ist North Lawnday im Nordwesten der Innenstadt, wo rund 97 % der Bevölkerung dunkle Hautfarbe haben und mehr als die Hälfte davon ohne Arbeit ist. Auch das Viertel Grand Boulevard weit im Süden von Downtown, das früher eine vornehme, vor allem von jüdischen Einwanderern bewohnte Renommiergegend war, hat sich in den letzten Jahrzehnten immer mehr in einen Schwarzenbezirk verwandelt.

Stadtgeschichte

Im Jahre 1673 machten am westlichen Ufer des Lake Michigan, wo der Chicago River in den See mündete, der französische Entdecker Louis Jolliet und sein Begleiter, der Geistliche Jacques Marquette, ihre Boote fest, um die Gegend näher zu erkunden. In der Folgezeit kamen sie auf die Idee, daß ein Was-

Psychogramme
vom Gottesacker

Weltstädte haben eines gemein: Es gibt dort Lokalitäten, die sich vor allem deshalb so großen Zuspruches seitens der Besucher erfreuen, weil ihnen hier Prominente nicht entkommen können – Friedhöfe. Das gilt auch für Chicago und den Bundesstaat Illinois, wo Berühmtheiten wie Abraham Lincoln, Walt Disney, Ernest Hemingway, Benny Goodman, Carl Sandburg, Wild Bill Hickock, Ronald Reagan und Raquel Welch, um nur einige zu nennen, das Licht der Welt erblickten. Nicht alle dieser Größen, so sie denn schon verblichen sind, haben in ihrer Heimaterde die letzte Ruhe gefunden. Und niemand aus dieser Runde ist auf dem Graceland Cemetery in Chicago an der Clark Street und Irving Park Road bestattet, der trotzdem ein sehenswerter ›VIP-Gottesacker‹ mit Geschichte und Geschichten ist.

Das liegt nicht allein an den dort Bestatteten, sondern an deren Leben, an ihren Taten oder Untaten, und nicht zuletzt auch an der Art und Weise, wie sie ihre letzte Bleibe gestalten ließen. Auf dem Graceland Cemetery ist nachdrücklich dokumentiert, daß Wohlstand und Einfluß mancher ehemaliger Zeitgenossen trotz aller Unkenrufe ins Jenseits hinüberreichen. Das zeigen zum Beispiel die Grabanlagen von Phillip Armour, der eines der größten Schlachthäuser von Chicago gründete und es mit der amerikanischen Institution Hot Dog zum Multimillionär brachte, von Marshall Field, dem Kaufhauskönig oder von Cyrus McCormick, der den Mähbinder erfand.

serweg von dort bis zum Mississippi und weiter zum Golf von Mexiko möglich sein müsse, sofern ein Kanal eine Verbindung zwischen dem Lake Michigan und dem Illinois River herstellte. Der Plan blieb noch lange Zeit lediglich eine Idee.

Erster Siedler, der sich auf Dauer an der Mündung des Chicago River niederließ – eine Jesuitenmission hatte dort zwischen 1696 und 1700 nur kurze Zeit Bestand –, war vermutlich im Jahre 1779 ein gewisser Jean Baptiste Point du Sable, der aus Santo Domingo zugewandert war und von den Indianern Felle aufkaufte. Um die Wende zum 19. Jh. erkannte auch die US-Armee die strategisch günstige Lage der Flußmündung und ließ von Captain John Whistler 1803 das Fort Dearborn aufbauen, das schon

Architektonisch am auffallendsten ist aber das Grab der 1890 verstorbenen Carrie Eliza Getty, der Ehefrau des Holzbarons Henry Harrison. Kein Geringerer als Stararchitekt Louis Sullivan, der übrigens selbst nebst Kollegen wie Daniel Burnham, John W. Root und Ludwig Mies van der Rohe dort begraben liegt, entwarf auf dem Höhepunkt seiner Karriere die aufwendige Grabarchitektur aus grauem Kalkstein und filigranen Bronzearbeiten. Der Brauereibesitzer Peter Schoenhofen ließ seine letzte Ruhestätte im ägyptischen Stil errichten mit einer steinernen Sphinx und Kobras, die den Toten bewachen. Das Familiengrab des Unternehmers Potter hingegen gleicht mit seinen sechs weißgetünchten Säulen einem griechischen Tempelrelikt, während William Hulbert, der Mitbegründer der amerikanischen Baseball-Nationalliga, auf eine Grabplatte verzichtete und statt dessen einen aus Granit herausmodellierten Baseball wählte.

Am interessantesten aber ist das Grab von George Pullman, der durch die Erfindung des Schlafwagens in die Geschichte einging und im Jahre 1897 nach einem Herzanfall starb. Drei Jahre zuvor hatte der Unternehmer den ungeteilten Zorn seiner Beschäftigten auf sich gezogen, als er während eines Streiks rund 100 Arbeiter auf die Straße setzte. Daß ihm seine Belegschaft dies bis über den Tod hinaus übelnehmen würde, muß Pullman geahnt haben. Um zu verhindern, daß ihn selbst nach seinem Ableben die Rache der Entlassenen erreichte, ließ er seinen Sarg in einen Zementblock eingießen, im Grab mit Eisenbahnschwellen und nochmals mit einer Betonschicht abdecken, um seine sterblichen Überreste schließlich mit einer etwa 5 m hohen korinthischen Säule zu beschweren. Ob Pullman, solchermaßen verbarrikadiert, den wohl sehnlich erhofften Weg ins Jenseits fand, ist nicht bekannt.

neun Jahre später von Indianern, die mit den Briten verbündet waren, niedergebrannt wurde, ehe man 1816 an den Wiederaufbau ging. Zwei Jahre später wurde Illinois Bundesstaat der Amerikanischen Union, Chicago bestand aus nicht mehr als einer Handvoll grobgezimmerter Blockhäuser.

Eine neue Ära brach in den 30er Jahren des 19. Jh. an, als die alten französischen Kanalbaupläne durch die Köpfe der nachgewanderten Amerikaner gingen und schließlich im Jahre 1836 mit dem Beginn der Arbeiten am Illinois-Michigan-Kanal (s. S. 125) konkrete Gestalt annahmen. Vor allem Iren, die zuvor schon den Erie-Kanal gebaut hatten, wurden für dieses Projekt angeheuert, das nach zwölf Jahren 1848 fertiggestellt war. Chicago begann, sich in den folgenden Jahren schnell zu einem Markt- und Verarbeitungszentrum für landwirtschaftliche Produkte und gleichzeitig zu einem Umschlagplatz für Industriegüter zu entwickeln, die per Schiff über den Lake Michigan ans Westufer kamen und von dort aus ins Hinterland weitergeleitet wurden. Im Jahre 1860 hatte die Stadt bereits ungefähr 100 000 Einwohner, in den weiteren 30 Jahren wuchs sie auf etwa 1 Mio. an.

Zum Aufschwung trug neben dem Illinois & Michigan-Kanal auch die Eisenbahn bei, deren erste Strecke vor der Jahrhundertmitte eine Verbindung mit Galena im Westen unweit des Mississippi River herstellte. Im Jahre 1852 war auch die Schienenverbindung nach Detroit fertiggestellt, und vier Jahre später liefen in Chicago bereits vier wichtige Eisenbahnlinien zusammen. So entwickelte sich die Stadt zur wichtigsten Drehscheibe des Verkehrs im nördlichen Mittelwesten und war durch diese gut ausgebaute Verkehrsinfrastruktur nicht nur mit dem reichen Farmland im Westen und Süden von Illinois verbunden, sondern auch mit wichtigen Kohle- und Eisenerzabbauregionen in Pennsylvania.

Bis 1922 waren mit dem Chicago Sanitary and Ship Channel und dem Calumet Sag Channel zwei weitere Wasserstraßen fertiggestellt, welche die immer wichtiger werdende Verkehrsfunktion der Stadt zusätzlich unterstrichen. Ein anderer Wachstumsfaktor war das produzierende Gewerbe der Stadt. Seit Beginn der zweiten Hälfte des 19. Jh. wurden in Chicago vor allem Nahrungsmittel verarbeitet. Die Stadt besaß riesige Schlachthöfe, Fleischverpackungs- und -verarbeitungsanlagen sowie Leder- und Textilindustrie, was ihr einen wirtschaftlich zentralen Stellenwert im Mittelwesten einräumte.

Vor Ausbruch des Bürgerkriegs wurde die gesamte Stadt um einige Fuß über den Wasserspiegel des Lake Michigan angehoben, um Überschwemmungen vorzubeugen. Trotzdem stand das Zentrum von Chicago bei einer Überschwemmungskatastrophe im Jahre 1992 völlig unter Wasser.

Im Jahre 1871 wütete ein Großbrand in Chicago, der mehrere Quadratkilometer Stadtfläche mit Wohnhäusern und billigen Hotels, Warenlagern und Verwaltungsbüros, Freudenhäusern und Kneipen völlig vernichtete. Die meisten Bauten waren damals aus Holz errichtet, so daß sie ein schneller Raub der Flammen wurden. Bilanz des Großfeuers von 1871: 300 Tote, etwa 17 000 zerstörte Gebäude, 100 000 Menschen ohne ein Dach über dem Kopf und ein materieller Schaden von etwa 200 Mio. Dollar.

Nach dieser schwarzen Stunde, die tatsächlich von Sonntag abend bis Dienstag morgen dauerte, wurde Chicago neugeboren, erhob es sich aus seiner Asche wie ein Phönix. Rund 22 Jahre später fand eine

Blick über den Chicago River

Weltausstellung statt, mit der die Architekten und Ingenieure eine neue Ära des Städtebaus nicht nur in Chicago, sondern in den USA einleiteten. Bekannt unter dem Namen Chicago School of Architects, begann eine Gruppe um Daniel H. Burnham, Louis Sullivan, John W. Root, Henry H. Richardson, William Jenney und Frank Lloyd Wright die Stadt unter neuen Gesichtspunkten aufzubauen, wobei der Leitsatz »Die Funktion eines Gebäudes bestimmt die Form« im Mittelpunkt stand. Ein neuer Aspekt war auch die Erkenntnis, daß eine Stadt nach oben hin offen sei und sich damit die vertikale Bauweise anbiete. Daß von der Chicago School die himmelstrebende Wolkenkratzerarchitektur erfunden wurde, ist zwar eine häufig wiederholte Feststellung, was aber nichts daran ändert, daß es sich um eine Mär handelt. Denn schon rund 100 Jahre zuvor hatte der Engländer William Strutt mit einer Eisenrahmenkonstruktion einem Hochhaus ›Rückgrat‹ verliehen. Zutreffend ist aber, daß die Wolkenkratzerarchitektur im ausgehenden 19. Jh. nirgendwo anders so konsequent ausgeführt wurde wie in Chicago.

Das erste Chicagoer Hochhaus mit einem metallenen Skelett entstand 1883 auf dem Reißbrett von William Jenney. Das älteste derartige Gebäude aus dem Jahre 1891 steht heute an der südöstlichen Ecke der State und der Van Buren Street. Offensichtlich erholte sich die Metropole am Lake Michigan von dem Großbrand rasch und setzte ihren Aufschwung gegen Ende des 19. Jh. dynamischer fort als je zuvor. Bis zum Ersten Weltkrieg boomten Branchen wie Fleischverpackung, landwirtschaftliche Maschinen, Eisenbahnausrüstung, Möbel und Herrenbekleidung. Danach gewann die Herstellung von Stahl, elektrischen Geräten und Metallwaren immer größere Bedeutung und verschaffte der Riesenstadt eine tragfähige und ausbaubare industrielle Basis.

So wurde Chicago zu einem riesigen Arbeitsmarkt, der Menschen aus dem In- und Ausland anzog. Vor dem amerikanischen Bürgerkrieg stammten die meisten Zuwanderer aus Deutschland und aus Irland, so daß um 1860 bereits etwa die Hälfte aller Chicagoer Bürger im Ausland geboren waren. Seit etwa 1880 verstärkte sich die Zuwanderung aus den Ländern Süd- und Osteuropas. Allen voran gingen Polen, die in Chicago bald ihr eigenes Viertel gründeten. Immer weiter wucherte der Moloch vom Ufer des Lake Michigan in die Landschaft hinein, deren Boden blutgetränkt war. Denn Chicago war die gigantische Schlachtbank Nordamerikas, auf der täglich bis zu 20 000 Rinder, 80 000 Schweine und 25 000 Schafe verzehrgerecht zerlegt, verpackt und in die großen Bevölkerungszentren des Ostens transportiert wurden. Was von diesen *stock yards* die Zeiten überdauerte, sind Bücherseiten, die von Literaten wie Carl Sandburg (»Chicago Poems«), Rudyard Kipling (»Ihre Füße steckten in roten Lederschuhen«), Saul Bellow (»Die Abenteuer des Augie March«) und Bert Brecht (»Die heilige Johanna von den Schlachthöfen«) verfaßt wurden. Von diesem bedruckten Papier einmal abgesehen, erinnert nur noch das Eingangstor Union Stock Yard Gate etwa eine Autostunde außerhalb der Stadt an die ehemaligen Schlachthöfe.

Die Stadt muß Ende des 19. Jh. aus allen Fugen geraten sein, was die Lebensqualität der meisten Einwohner nicht eben verbesserte. Niedrige Löhne verursachten niedrigen Lebensstandard, Krankheit sowie Alkoholprobleme, Prostitution und Kriminalität – soziale Mißstände, die der unerbittliche Kritiker der damaligen amerikanischen Gesellschaftsordnung, Upton Sinclair (1878–1968), im 1904 erschienenen Roman »Der Dschungel« geißelte.

Die restriktive Einwanderungspolitik der USA nach dem Ersten Weltkrieg verringerte den Immigrantenstrom aus Europa. Doch der wirtschaftliche Niedergang in den Südstaaten der USA sorgte dafür, das nun von dort immer mehr Schwarze nach Chicago zogen, um sich in der Industrie zu verdingen. So erreichten Schwarze bis zum

Zoff hinter Stacheldraht

Die Szenerie war filmreif. Kein Wunder, daß sich Reporter der nationalen und internationalen Fernsehgesellschaften um die besten Plätze rissen. Die vornehmsten Stadthotels hatten sich in belagerte Festungen verwandelt. Wer hinein wollte, kurvte durch Stacheldrahtsperren und mußte an Checkpoints Papiere vorweisen oder gar Leibesvisitationen über sich ergehen lassen. Statt Nebel zogen in diesen Augustnächten Tränengaswolken durch die Straßenschluchten von Downtown Chicago, wo knapp 12 000 Polizisten, 7500 reguläre Truppen, 7500 Nationalgardisten sowie etwa 1000 FBI-Leute und Geheimagenten zum Schutz von Politikern der Demokratischen Partei aufgeboten waren, nein, nicht gegen die Angriffe eventueller Terroristen, sondern gegen die wütenden Demonstrationen amerikanischer Wähler.

Man schrieb das Jahr 1968, die mit Präsident Lyndon B. Johnson regierende Demokratische Partei hatte sich in der Metropole am Michigan-See zu ihrer *National Convention* versammelt, zu ihrem alle vier Jahre stattfindenden Bundesparteitag also, bei dem es in erster Linie darum gehen sollte, einen Kandidaten für das Amt des Präsidenten wie auch des Vizepräsidenten zu nominieren. Daß diese Veranstaltung unter massivem Polizeischutz stattfinden mußte, lag nicht an der mangelnden Erfahrung der Chicagoer Bevölkerung mit derlei Parteitagen. Immerhin hatten die Demokraten dort bis dahin zehn und die Republikaner 14 *National Conventions* abgehalten, und sogar der bis heute wohl gefeiertste Präsident der USA, Abraham Lincoln, war in Chicago als Kandidat gekürt worden.

Eigentlicher Grund für den Unmut, den Protest, ja sogar die offene Aggression vieler Demonstranten war die Vietnam-Politik der USA, die seit Mitte der 60er Jahre immer unpopulärer geworden war – durch die sinkende ›Kriegsmoral‹ im ganzen Land, durch die amerikanischen Gefallenen, deren Zahl zum Zeitpunkt des Parteitags auf über 25 000 angestiegen war, durch die ungeheure Materialschlacht in Fernost, während der bis Ende 1968 über Vietnam rund 50 % mehr Sprengstoff abgeworfen wurde als an sämtlichen Fronten des Zweiten Weltkriegs, durch das Bekanntwerden von Greueltaten amerikanischer Soldaten wie derjenigen von My Lai, wo US-Truppen fünf Monate vor dem Nationalkonvent rund 100 unbewaffnete Dorfbewohner massakriert hatten.

Aber nicht nur außerhalb der Tagungshalle des Demokratischen Parteitags, sondern auch drinnen ging es tumultartig zu. Flügelkämpfe brachen auf, und die Partei präsentierte sich dem Wählervolk zerstrittener denn je. Während draußen Kavalkaden knüppelschwingender Sicherheitskräfte gegen steinewerfende Protestierer vorgingen, schrien sich drinnen erboste Anhänger der Senatoren Eugene McCarthy aus Minnesota und George McGovern aus South Dakota ihre Wut gegen die von Vizepräsident Hubert Humphrey repräsentierte Regierungs- und Parteipolitik von der Seele. Der Streit zwischen den Delegierten ging soweit, daß sogar eine Vertagung des Konvents in Betracht gezogen wurde. Schließlich kam aber doch noch eine Kandidatenwahl zustande, die Humphrey gewann. Als Kandidaten für die Vizepräsidentschaft wählte er Senator Edmund Muskie aus Maine.

Das einzige Einheitsbild, das die Fernsehanstalten bei diesem denkwürdigen Parteitag den Zuschauern übermitteln konnten, brachte ein Toter zustande: Senator Robert Kennedy. Der Bruder des ermordeten US-Präsidenten fiel nach seinem Vorwahlsieg über den Senator Eugene McCarthy am 5. 6. 1968 ebenfalls einem Attentat zum Opfer. Zu seinem Gedenken erhoben sich die Abgeordneten in bemerkenswerter Eintracht und sangen gemeinsam »The Battle Hymn of the Republic«. Draußen saß indessen die Polizei von Chicago über der traurigen Parteitagsstatistik: 589 Verhaftungen, 119 Verletzte auf seiten der Ordnungskräfte und 100 auf seiten der Demonstranten.

Jahre 1980 einen Bevölkerungsanteil von etwa 40 %. Eine weitere Gruppe von Zuwanderern, die vor allem nach dem Zweiten Weltkrieg stark anstieg, waren Latinos (Mexikaner, Puertoricaner und Kubaner), die 1980 etwa 14 % der Stadtbevölkerung ausmachten.

Downtown – Mekka moderner Architektur

Die Einheimischen nennen das Stadtzentrum auch The Loop (die Schleife), weil die Hochgleise der Stadtbahn ein Rechteck um dieses Viertel bilden. Lange Zeit konzentrierte sich dort die Geschäftswelt der Millionenstadt, ehe die großen Einkaufs-Malls auf die Nordseite des Chicago River an der North Michigan Avenue zogen. Dennoch hat Downtown Chicago seinen wirtschaftlichen Stellenwert nicht verloren – weil dort nach wie vor Hunderte von Firmenzentralen, Anwaltskanzleien sowie Banken und Versicherungen in der Wolkenkratzerlandschaft residieren.

The Loop wird im Norden und Westen durch den Lauf des Chicago River begrenzt, im Süden durch den Congress Parkway und im Osten durch das Ufer des Lake Michigan. Nimmt man es ganz genau, so zieht die grenzdefinierende Hochbahn *El* (eine Abkürzung für *elevated train*) ihren Kreis um Downtown noch enger, indem sie entlang der Lake Street und der Wabash Street (im Norden und Osten) bzw. der Van Buren Street und der Wells Street (im Süden und Westen) verläuft. Chicagos erste Hochbahn, damals noch von einer Dampflok gezogen, absolvierte ihre Jungfernfahrt am 6. 6. 1892 auf der Alley L, einer Strecke zwischen Congress Parkway Richtung Süden

bis zur 39th Street. Schon ein Jahr später wurden die Schienen bis zur 63rd Street und Stony Island verlängert; 1898 stellte man von Dampf auf Elektrizität um.

Im Loop mit Seitenlängen von jeweils etwa 1,5 km ragt mit dem 442 m hohen Sears Tower das höchste Gebäude der USA empor. Aber nicht nur quantitativ, sondern auch qualitativ fällt die Architektur des Stadtzentrums ins Auge. Dort schufen zwischen 1886 und etwa 1930 die berühmtesten Architekten der Chicago School ihre Denkmäler aus Stahl, Glas und Stein, nachdem das gesamte Areal bei dem Großbrand des Jahres 1871 zerstört worden war. Der Stadtkern, den man zu Fuß erkunden kann, ist durch zahlreiche Plätze aufgelockert, auf denen Skulpturen von berühmten Künstlern wie etwa

Gleise der Hochbahn im Loop

Downtown Chicago – The Loop 1 Grant Park 2 Auditorium Building & Theatre 3 Fine Arts Building 4 Santa Fe Building 5 Orchestra Hall 6 Art Institute of Chicago 7 Carbide and Carbon Building 8 Chicago Cultural Center 9 Marshall Field's 10 Chicago Theater 11 R. J. Daley Center & Plaza 12 Chicago City Hall/Cook County Building 13 State of Illinois Center 14 Chicago Temple 15 First National Bank Plaza 16 Marquette Building 17 Federal Center & Plaza 18 The Rookery 19 Sears Tower 20 South Wacker Drive Building 21 Union Station 22 Chicago Board of Trade 23 Monadnock Building 24 Fisher Building 25 Harold Washington Library Center

Pablo Picasso und Marc Chagall zu sehen sind (vgl. S. 63 ff.).

Wer sich für die atemberaubende Architektur in Downtown interessiert, kann sich vorab im Archi-Center (Santa Fe Building, 224 S. Michigan Ave., ☎ 312-782-1776, geführte Touren Mai–Nov. tägl. ab

9, Dez.–April Fr–Mo jeweils 13 Uhr) informieren, wo es eine Galerie sowie eine ausgezeichnete Buchhandlung mit vielen Publikationen zur Architektur von Chicago gibt. Die dortige Chicago Architecture Foundation veranstaltet Führungen unter sachkundiger Leitung durch unterschiedliche Stadtteile.

Als Ausgangspunkt für eine Downtown-Tour kann man den **Grant Park** (1) wählen, auch weil man in dessen Umgebung wohl am ehesten einen Parkplatz findet. Die rund 80 ha große Grünanlage erstreckt sich über ein Areal, das dem Lake Michigan in den 20er Jahren durch Aufschüttung abgewonnen wurde. Daß man von dort einen schönen Blick auf die Skyline des Stadtzentrums hat, ist vor allem dem millionenschweren Unternehmer Aaron Montgomery Ward zu verdanken, der im ausgehenden 19. Jh. jahrelang vor Gericht dafür stritt, das Seeufer nicht durch Geschäftsfronten zu verbauen. Alljährlich finden in dieser grünen Oase zahlreiche Festivals und Veranstaltungen um den Buckingham Fountain statt, einen 1927 fertiggestellten Brunnen. Als Vorbild diente ein Brunnen im französischen Versailles, doch wurde der Buckingham Fountain mehr als doppelt so groß. Steht der computergesteuerte Wasserspeier ›unter Druck‹, schießt er eine Fontäne rund 60 m hoch in den Himmel und bietet, vor allem farbig angestrahlt, ein spektakuläres Schauspiel.

Der Buckingham Fountain im Grant Park

Als der Himmel zum Bauplatz wurde

Das Großfeuer im Jahre 1871, das vom alten Chicago kaum etwas übrigließ, hatte einen wichtigen Helfer in der Stadt: die Holzbauweise. Nach der Brandkatastrophe bemühte man sich stärker um feuersicheres und – angesichts des im Zentrum knapper werdenden Baugrunds – ›platzsparendes‹ Bauen in die Höhe. Als bahnbrechend für die Hochhausarchitektur erwies sich neben der Erfindung des Fahrstuhls das neuartige Prinzip des Skelettbaus mit einem feuergeschützten Stahlgerüst im Innern und nicht-tragenden Außenwänden.

Als erster beschäftigte sich in Chicago William Le Baron Jenney (1832–1907) mit dem Prototyp des Wolkenkratzers. Der aus Massachusetts stammende Architekt hatte in Paris studiert und 1868 in Chicago ein Architektur- und Ingenieurbüro eröffnet. Dort entstanden die Pläne für das 1879 vollendete Leiter Building, einen Vorgänger von Jenneys prominentestem ›Skelettbau‹, dem 1883 bis 1885 errichteten Home Insurance Building, das über einen von den Außenwänden unabhängigen internen Stahlrahmen verfügte. Diese Bauweise sollte richtungweisend für die Architektur von Verwaltungs- und Bürogebäuden in den folgenden Jahrzehnten werden. Ein weiterer Jenney-Bau ist das 1890 errichtete Manhattan Building, das vollständig durch ein Stahl- und Eisengerüst im Innern gestützt wird (431 S. Dearborn St.).

Jenneys Chicagoer Büro entwickelte sich in den letzten Dekaden des 19. Jh. nicht nur zu einer ›Brutstätte‹ neuer Architekturideen, sondern auch zu einer professionellen Kaderschmiede von hochqualifizierten Baumeistern, die dort ihr Handwerk lernten. Unter diesen ›Schülern‹ waren einige spätere Architektur-Stars, welche die berühmte ›Schule von Chicago‹ bildeten und das Gesicht der Metropole am Michigan-See um die Jahrhundertwende prägten. Das galt vor allem für Chicagos Architekturpapst Louis Sullivan (1856–1924). Der Sohn eines irischen Tanzlehrers und einer aus der Schweiz stammenden Pianistin wuchs an der neu-englischen Küste auf, studierte am berühmten Massachusetts Institute of Technology in Boston und arbeitete dann zunächst im Büro von Jenney, ehe er Dankmar Adler (1844–1900) kennenlernte und mit ihm zusammen 1881 eine eigene Firma gründete. Sechs Jahre später bauten die beiden im Loop das Auditorium Building (Ecke S. Michigan Ave./S. Wabash St.) im sogenannten *Romanesque Revival*-Stil,

das seine Architekten berühmt machte. Für die geniale Akustik des dortigen Auditorium Theatre war Adler verantwortlich, während sich Sullivan vor allem durch die ›byzantinische‹ Innendekoration hervortat. Sullivan war auch am Bau der Carson Pirie Scott & Company von 1899 bis 1904 (1 State St.) sowie am Cage Group Building von 1899 beteiligt, das von William Holabird und Martin Roche mitgestaltet wurde (18–30 S. Michigan Ave.).

Louis Sullivan wiederum übte großen Einfluß auf einen jüngeren Kollegen aus, der eine in Amerika beispiellose Architektenkarriere absolvierte: Frank Lloyd Wright (1867–1959). Der aus Wisconsin stammende Baumeister nahm Sullivans Grundsatz auf, Entwürfe von ›innen nach außen‹ zu gestalten. Ergebnis dieser Planung waren organisch gestaltete Bauten, die im Einklang mit der Natur standen. Diese Architekturphilosophie setzte Wright auch in dem Präriehaus (Highland Park, 1445 N. Sheridan Rd.) um, das sich heute in Privatbesitz befindet. Wrights sogenannte Präriehäuser waren in der Regel flache Bauten mit Veranden, die eine Verbindung zum Garten herstellen sollten, und auffallend weit überstehenden Dächern zur Milderung der klimatischen Extreme. Der Kamin nahm meist eine zentrale Position ein. Um ihn waren die Räume so angeordnet, daß der Eindruck entstand, sie rotierten um diesen zentralen Kern. Der ›Haus-Meister‹ Wright stellte einige Leitprinzipien für seine Wohnideen auf, von denen er die erste so formulierte: »Die Zahl der notwendigen Gebäudeteile … sollte auf ein Minimum beschränkt, alle Einzelteile sollten zu einem umschlossenen Raum vereinigt und so gegliedert werden, daß Licht, Luft und Ausblick ein Gefühl der Einheitlichkeit hervorriefen.« Seine Architektur sollte »organisch« sein, sich an die umgebende Natur anpassen und sich aus einheitlichen Materialien zusammensetzen, und selbst das Mobiliar sollte im Einklang mit dem jeweiligen Gebäude stehen.

Weitere Bauwerke des großen Architekten sind das Frank Lloyd Wright Home and Studio aus der Zeit zwischen 1889 und 1898 (951 Chicago Ave.) sowie die in der Umgebung liegenden Häuser Chicago Avenue Nr. 1019, 1027 und 1031, Superior Street Nr. 1030 sowie Forest Avenue Nr. 333, 318, 238 und 210.

Neben Sullivan und Adler verdiente sich in Jenneys Büro ein weiteres Architektenduo die ersten Meriten, nämlich der aus dem Staate New York stammende William Holabird (1854–1923) und Martin Roche (1855–1927) aus Cleveland in Ohio. Im Jahre 1883 gründeten die beiden Jenney-›Lehrlinge‹ ihr eigenes Büro und schufen danach einige bekannte Gebäude in der Stadt wie etwa das Marquette Building (140 S. Dearborn St.) aus dem Jahre 1895, das als Musterbeispiel funktioneller Planung gilt. Von diesem Architektenduo stammen auch das City Hall-County Building aus dem Jahre 1911 (zwischen N. Clark, La Salle, W. Randolph und W. Washington St.); der Chicago Temple von 1923 (77 W. Washington St.) sowie das Chicago Board of Trade Building aus dem Jahre 1930 (141 W. Jackson Blvd.).

Die Auflistung der crème de la crème der Chicagoer Architekten wäre unvollständig ohne die Namen von Daniel Burnham und John W. Root, die von 1873 bis zum Tode Roots im Jahre 1891 zusammenarbeiteten. Burnham war an den Aufnahmeprüfungen sowohl der Universität Harvard als auch Yale gescheitert und hatte sich eine Zeitlang als Kumpel in den Bergwerken von Nevada über Wasser gehalten, ehe ihm sein Vater zu einer Stelle in einem Chicagoer Architekturbüro verhalf. Zwei Jahrzehnte später hatte er es bereits zum Chefarchitekten der 1893 veranstalteten Weltausstellung gebracht. Root hatte die Universität absolviert, bevor er sich mit Burnham zusammentat und mit ihm 1888 u. a. The Rookery (209 S. La Salle St.) baute. Seit über einem Jahrhundert ist dieses Gebäude Teil eines Vermächtnisses aus Stahl, Stein und Glas, das in Chicago an die großen Zeiten erinnert, als Amerikas Architekten erstmals den Himmel als Bauplatz entdeckten.

Darüber hinaus planten die beiden 1891 die Nordhälfte des Monadnock Building (53 W. Jackson Blvd.). Burnhams Ideen schlugen sich in zahlreichen weiteren Gebäuden nieder wie dem Fisher Building von 1896 (343 S. Dearborn St.), dem zwischen 1893 und 1907 errichteten Kaufhaus Marshall Field's, der Orchestra Hall von 1904 (220 S. Michigan Ave.) sowie dem Santa Fe Building von 1904 (224 S. Michigan Ave.)

Verläßt man den Park westlich Richtung Congress Parkway, sieht man nach Überqueren des Columbus Drive die Lincoln-Statue. Zwei 1928 von Ivan Mestrovic geschaffene Reiterstandbilder mit Indianern im Sattel markieren den Ausgang aus dem Park. An der South Michigan Avenue/Ecke Congress Parkway kommt man zum **Auditorium Building** (2, 430 S. Michigan Ave.) mit wuchtigen Granitbögen, dessen Grundstein US-Präsident Grover Cleveland 1887 legte. Teil der Anlage ist das 4000 Sitzplätze bietende **Auditorium Theatre** (✆ 312-922-2110), das, von Dankmar Adler und Louis Sullivan entworfen, noch heute mit Mosaikböden, Buntglasfenstern, Lichtarkaden und vielen Ornamenten glänzt. Anfang der 60er Jahre war dieses Juwel vom Abriß bedroht, wurde dann jedoch auf prachtvolle Weise restauriert und dient heute wieder als Theater.

Auf der weiteren Tour folgt man der Michigan Avenue Richtung Norden und kann auf dieser Strecke, die auch *Splendid Mile* (großartige Meile) genannt wird, einige sehenswerte Gebäude entdecken. Das **Fine Arts Building** (3, 410 S. Michigan Ave.) aus dem Jahre 1885 beherbergt zahlreiche Studios für professionelle Musiker und Sänger, Theater-, Musik- und Ballettorganisationen sowie mehrere Kinos. Die Lobby des Gebäudes diente ursprünglich als Ausstellungshalle der späteren Autofirma Studebaker, die damals noch Kutschen herstellte. Im **Santa Fe Building** (4, 224 S. Michigan Ave.), ursprünglich das Verwaltungsgebäude der Eisenbahngesellschaft, hatte der berühmte Architekt Daniel Burnham, der den Bau im Jahre 1904 selbst entwarf, sein Büro. In der Nachbarschaft steht die **Orchestra Hall** (5, 220 S. Michigan Ave., ✆ 312-435-6666). Dort ist das renommierte Chicago Symphony Orchestra zuhause, das Daniel Barenboim dirigiert.

Gegenüber, auf der rechten Seite der Michigan Avenue, gelangt man durch den von zwei bronzenen Löwen flankierten Eingang zum **Art Institute of Chicago** (6, S. Michigan Ave. und Adams St., ✆ 312-443-3600, Mo–Fr 10.30–16.30, Sa 10–17 und So 12–17 Uhr, Di Gratiseintritt), dessen Hauptbau aus dem Jahre 1893 stammt, das aber in der Folgezeit mehrfach erweitert wurde. Das Museum präsentiert islamische, griechische, europäische und afrikanische Kunst sowie spezielle Sammlungen zu Bereichen wie Architektur und Medien. Im Jahre 1992 stockte das Institut seinen Bestand um neue Exponate chinesischer, koreanischer und japanischer Kunst im Wert von 5 Mio. Dollar auf. Insgesamt gibt es 20 000 asiatische Arbeiten aus den vergangenen etwa 5000 Jahren, die jedoch nicht alle gleichzeitig präsentiert sind, sondern in wechselnden Ausstellungen gezeigt werden.

Von der Ecke Michigan Avenue/West Washington Street kann man einen Abstecher weiter nörd-

Das Carbide and Carbon Building

lich auf der Michigan Avenue zum **Carbide and Carbon Building** (7, 230 N. Michigan Ave.) machen, das eine schöne Fassade aus dunklem, poliertem Granit mit dekorativen Elementen im Art déco-Stil besitzt. Zurück auf der Washington Street, betritt man das 1897 aus Granit und Kalkstein im Stil der italienischen Renaissance erbaute **Chicago Cultural Center** (8, ✆ 312-346-3278, Mo–Do 9–19, Fr 9–18, Sa 9–17 Uhr, So 12–17 Uhr, Gratiseintritt) und gelangt über eine Treppe aus weißem Carrara-Marmor mit Einlegearbeiten in Mosaiktechnik zur Preston Bradley Hall im zweiten Stock mit einem sehenswerten Baldachin aus Tif-

fany-Glas. Mittwochs finden dort um die Mittagszeit Gratiskonzerte statt. In vier Galerien des auch People`s Palace genannten Gebäudes befinden sich verschiedene Kunstausstellungen. 1992 eröffnete hier das Museum of Broadcast Communication (✆ 312-629-6000, Mo–Sa 10–16, So 12–17 Uhr) mit öffentlichen Radioarchiven und Bändern von über 6000 TV-Shows, 49 000 Radiosendungen und Tausenden von Werbespots.

Das Kulturzentrum ist nicht nur auf dem beschriebenen Weg, sondern auch über unterirdische Pfade erreichbar, die das sogenannte Pedway-System bilden. Darunter versteht man ein Untergrundwegenetz, das zwischen Madison und Lake Street sowie zwischen La Salle Street und North Michigan Avenue einige Bauwerke und öffentliche Einrichtungen wie die City Hall und das Daley Center miteinander verbindet. Vor allem im Winter und bei schlechtem Wetter erfreut sich diese unterirdische Fußgängerwelt großer Beliebtheit (Mo–Fr 6.30–18 Uhr).

Wer statt Betongemäuer lieber den Himmel über sich sieht, kann vom Chicago Public Library Cultural Center die Tour über die Washington Street in westlicher Richtung fortsetzen. Dort steht rechter Hand seit 1853 **Marshall Field's** (9, 111 N. State St.) ein riesiges Kaufhaus mit mehreren hundert Abteilungen. Geht man die Washington Street weiter bis zur State Street und biegt nach Norden ab, kann man dem **Chicago Theater** (10, 175 N. State St., ☎ 312-443-1130) einen Besuch abstatten. Das mit reichem Architekturschmuck dekorierte Gebäude aus dem Jahre 1928 wird durch eine riesige Leuchtreklame als Kino ausgewiesen. Jahrelang führte dieser Filmpalast ein Schattendasein am Rande des Verfalls, ehe wieder die ersten Broadway-Musicals und Shows gezeigt wurden.

Über die West Lake Street kommt man zur South Dearborn Street, der man in südlicher Richtung bis zum **Richard J. Daley Center and Plaza** (11, im Block zwischen Randolph und Washington Street) folgt, das 1965 fertiggestellt wurde. Das Zentrum ist nach dem Bürgermeister von Chicago benannt, der 1976 nach 21jähriger Amtszeit starb. Die Attraktion dieses Blocks geht weniger von der Büroburg des Zentrums aus als vielmehr von der kubistischen Skulptur, die Pablo Picasso schuf. Da das Kunstwerk von seinem Schöpfer keinen Namen bekam, tauften es die Stadtväter der Einfachheit halber Chicago Picasso. Nach der Enthüllung im Jahre 1967 stieß das rund 15 m hohe und 162 t schwere ›Stahl-Werk‹ zunächst auf wenig Gegenliebe bei der Bevölkerung, weil es aus oxidierendem Metall gefertigt war, das im Laufe der Zeit eine braune Farbe annahm. Inzwischen ist der rostige Picasso längst ein Wahrzeichen der Kulturlandschaft von Chicago geworden, vor dem an warmen Sommernachmittagen Büroangestellte und Banker flanieren.

Vom Daley Center kann man einen lohnenden Abstecher zu einem Fotopunkt machen. Folgt man der West Randolph Street nach Westen und biegt hinter der Brücke über den Chicago River auf der Canal Street nach Norden ab, kommt man zu einer Stelle, von der aus man über den Fluß auf die grüne Glasfront des 1983 erbauten Gebäudes 333 W. Wacker Drive blickt, das sich im Fluß spiegelt (s. Titelbild). Nur durch die Clark Street vom Daley Center getrennt ist die **Chicago City Hall**, die gleichzeitig als **Cook County Building** und damit als Verwaltungssitz sowohl der Stadt als auch des Landkreises dient (12). Der neoklassizistische Bau wurde 1911 nach Plänen der Architekten John Holabird und Martin Roche errichtet. Die im Durchschnitt einmal wöchentlich stattfindenden Sitzungen des City Council sind öffentlich (Information ☎ 312-744-3081) und versprechen im allgemeinen gute Unterhaltung. Eine akustische Überprüfung ergab, daß der Lärmpegel während der Debatten um einige Dezibel über dem in der Stadt erlaubten Limit lag!

Einen Abstecher ist das ein Block nördlich der City Hall liegende **State of Illinois Center** (13, 100 W. Randolph St.) wert, das der in Nürnberg geborene Architekt Helmut Jahn entwarf. Wenn der Eindruck nicht täuscht, gibt es kaum einen Bürger von Chicago, der die-

Im State of Illinois Center

ser 1985 fertiggestellten Riesenrotunde, die einer supermodernen Arena ähnelt, gleichgültig begegnet – die einen hassen sie, die anderen verehren ihre futuristische, ›demokratisch-transparente‹ Architektur, die ins 21. Jh. weisen soll. Politische Entscheidungsprozesse, so die Überlegung des Architekten, sollen nicht nur ›durchsichtig‹ sein, sondern auch in durchsichtigen Lokalitäten getroffen werden – deshalb ein knapp 100 m hoher Innenhof, um den die Beamten in gläsernen Fahrstühlen und Rolltreppen zu ihren Büros gelangen. In der Lobby kann man sich an einem Informationsstand Broschüren und Pläne über den Bundesstaat Illinois besorgen.

In der südlichen Nachbarschaft des Daley Center jenseits der Washington Street liegt der **Chicago Temple** (14, 77 W. Washington St.), eine 1923 errichtete Methodistenkirche mit einem neogotischen Turmaufsatz auf dem Verwaltungsgebäude, den man in seiner ganzen Größe nur aus einiger Entfernung sieht und der den Chicagoern mit 173 m als höchster Kirchturm der Welt imponiert. Auf der Brunswick Building Plaza neben dem Gotteshaus hat die knapp 12 m hohe Skulptur »Chicago« von Joan Miró seit 1981 ihren Platz.

Südwärts auf der Clark Street kommt man im Block zwischen den Straßen Madison und Monroe zur in mehreren Ebenen angelegten **First National Bank Plaza** (15), die durch Marc Chagalls aus dem Jahre 1975 stammendes, 23 m langes und fast 5 m hohes Mosaik

Das State of Illinois Center

»Die vier Jahreszeiten« (am Nordende des Platzes an der Dearborn
St.) zu einem beliebten Besucherziel geworden ist. Man setzt die
Tour auf der Dearborn Street in
südlicher Richtung fort und erreicht das **Marquette Building** (16,
140 S. Dearborn St.), das 1895 von
den Architekten John Holabird und
Martin Roche gebaut wurde und
dessen reich mit Szenen aus dem
Leben des französischen Missio-
nars Jacques Marquette (vgl. S. 41)
dekorierter Haupteingang allein
schon einen Besuch wert ist.

Sobald man die Adams Street
überquert hat, schließt sich das aus
zwei Gebäuden bestehende **Federal Center** samt **Plaza** an (17).
Die Entwürfe zu den beiden Fe-

deral Buildings stammen vom ehemaligen Direktor des Dessauer
Bauhauses, Ludwig Mies van der
Rohe, der die Gebäude fünf Jahre
vor seinem Tod im Jahre 1969 fer-
tigstellte. Sie gelten in ihrer
Schlichtheit und harmonischen
Klarheit als Prototypen der von
dem renommierten Architekten
kreierten, neuen Bauformen aus
Stahl und Glas. Die riesige rote
Skulptur »Flamingo« von Alexander Calder wurde 1974 auf der Plaza enthüllt.

Auf der Adams Street wendet
man sich nach Westen und stößt an
der Ecke La Salle Street auf die vier-
stöckige **Rookery** (18, 209 S. La
Salle St.). Der Bau, der um einen
im Jahre 1905 von Frank Lloyd
Wright neugestalteten Lichthof teils
hochgemauert wurde, teils aber
aus einer Stahl-Glas-Konstruktion
besteht, wurde zwischen 1885 und

Das Ende eines Klassikers

In US-amerikanischen Haushalten galt er als das wichtigste Druckerzeugnis nach der Bibel. Er wog zuletzt einige Pfunde und umfaßte 1566 Seiten mit rund 150 000 Artikeln von der Sense bis zum Stereoturm, vom Schlagbohrer bis zum Brautschleier. Nach seinem ersten Erscheinen 1893 bot der Riesenschmöker sogar lebendige Küken und Bausätze für Landhäuser an. Nach 100 Jahren Versandgeschäft stellte der Einzelhandelskonzern Sears, Roebock & Co., der seinen Hauptsitz in Chicago hat, den Universalkatalog Anfang 1993 ein und schloß 113 seiner landesweiten Filialen. Der Grund: 1992 hatte Sears im Versandgeschäft zwar einen Umsatz von 3,3 Mrd. Dollar erzielt, dabei aber rund 175 Mio. Dollar verloren.

Die Haushalte in den USA werden ohne den Sears-Katalog ärmer; denn vor allem für Bewohner strukturarmer, ländlicher Gebiete war er längst zu einer Institution geworden, hatte den weiten Weg in die Stadt erübrigt, weil die Ware direkt in die Wohnstube geliefert wurde. Als geradezu revolutionär hatte sich im ausgehenden 19. Jh. die Idee der ›Geldrückzahlungsgarantie bei Nichtgefallen‹ ausgewirkt. Sears & Roebock trafen mit ihrem ersten Katalog unter dem Titel »Konsumentenführer – Der billigste Lieferant der Welt« offensichtlich den Nerv einer sich verändernden Zeit in der Ära der Massenproduktion. Das mobile Kaufhaus wurde mit seiner Verkaufsphilosophie zum größten Einzelhandelsunternehmen der USA und zum größten Versandhaus der Welt, gleichzeitig zum Prototyp einer weltweit kopierten Idee.

Sogar Wissenschaftler fingen an, sich mit dem Kataloggeschäft zu befassen. Historiker schätzten die erste Auflage, deren Titelseite von einem Globus geschmückt wurde, als eines der bedeutendsten Dokumente der amerikanischen Geschichte ein. Der Wirtschaftsautor John E. Jeuck schlug in eine ähnliche Kerbe. »Der Sears-Katalog« schrieb er, »veränderte die Güterverteilung in Amerika – er stellte ein Massenverteilungssystem dar, das der sich entwickelnden Massenproduktion entsprach… Er wurde zu einem der wichtigsten Transmissionsriemen der Kultur und des Geschmacks der Mittelschichten.«

Längst haben sich in den USA andere Versandunternehmen etabliert, die flexibler sind als der zuletzt schwerfällig gewordene Riese Sears. Die Vorstandsetagen zogen daraus 1993 Konsequenzen und kündigten neben dem Abbau von 50 000 Arbeitsplätzen den ›Tod‹ eines Klassikers an, die Einstellung des Sears-Katalogs.

1888 von den Architekten Daniel Burnham und John Root gebaut.

Zwei Querstraßen weiter beginnt jener Häuserblock, der für sich in Anspruch nehmen kann, Standort eines der höchsten Gebäude der Welt zu sein. Der **Sears Tower** (19, 233 S. Wacker Dr., 9–23 Uhr, reckt sich 110 Stockwerke und 443 m hoch wie ein kantiges Teleskop aus schwarzem Aluminium und bronzeglänzendem Glas in den Himmel und dient der Kaufhauskette Sears, Roebuck & Co. als Konzernzentrale. Im 103. Stockwerk, das man mit dem Aufzug in nur 45 Sekunden erreicht, befindet sich ein Aussichtsdeck, von dem man an klaren Tagen ein großartiges Panorama genießen kann. Im dortigen Besucherzentrum wird eine Multi-Media-Show über Chicago gezeigt. In der Lobby des Gebäudes, in dem 17 000 Menschen ihren Arbeitsplatz haben, steht mit dem Riesenmobile »Universe« eine weitere Skulptur von Alexander Calder.

Vom Sears Tower kann man entweder über oder unter der Erde einen Abstecher in die jüngere und ältere Vergangenheit machen. Das 1990 errichtete Gebäude **South Wacker Drive** (20, 311 S. Wacker Dr.) soll durch zwei weitere Türme ergänzt werden. Lohnend ist ein Gang zum schönen Wintergarten. Jenseits des Chicago River erreicht man mit der **Union Station** (21, W. Adams und South Canal Sts.) den sehenswertesten Bahnhof von Chicago aus dem Jahre 1924. Der imposante, von einer Kuppel überwölbte Wartesaal ist mit korinthischen Säulen und Statuen geschmückt (Fahrplaninformationen unter ☎ 312-558-1075 und ☎ 800-USA-RAIL).

Auf dem Jackson Boulevard geht es Richtung Lake Michigan bis zum **Chicago Board of Trade** (22, 141 W. Jackson Blvd.). Der 1930 vollendete Bau ist ein Beispiel der Art déco-Architektur. Wer die Geschäfte an dieser Warenbörse (Getreide, Rinder, Schweinefleisch usw.) mitverfolgen will, kann sich auf einer der beiden Besuchergalerien im fünften Stock einen Platz suchen. Dort gibt es auch ein Museum, das sich mit der Börse und deren Geschäften befaßt (etwa halbstündige Gratisführungen Mo bis Fr 9.30, 11 und 12.30 Uhr, ☎ 312-435-3590). Der gläserne Anbau geht auf das Jahr 1980 und den Nürnberger Helmut Jahn zurück, der diesen Gebäudeteil mit einem Lichthof ausstattete.

Einige Querstraßen weiter steht rechts das **Monadnock Building** (23, 53 W. Jackson St.), das ursprünglich aus vier einzelnen Bauten bestehen sollte. Das Gebäude wurde in mehreren Phasen von zwei Architekten-Teams gebaut. Für den nördlichen, 1891 errichteten Teil waren Daniel Burnham und John Root verantwortlich; der südliche Teil entstand zwei Jahre später nach den Entwürfen von John Holabird und Martin Roche.

In der südlichen Nachbarschaft steht das **Fisher Building** (24, 343

Der Wacker Drive

S. Dearborn St.), für dessen neo-gotische Erscheinungsform mit reichem Terrakotta-Dekor der Stararchitekt Daniel Burnham verantwortlich war. Überquert man von dort die Van Buren Street, kommt man schließlich zum **Harold Washington Library Center** (25, im Block zwischen den Straßen Jackson, State, Van Buren und Dearborn). Der Entwurf dieses Baus wurde bei einem Architekturwettbewerb mit dem ersten Preis prämiert. Die Bibliothek fällt vor allem wegen ihres aus Granit und Ziegeln sowie aus Terrakotta bestehenden Designs auf. Von dort geht man über die Van Buren Street zum Grant Park zurück, wo die Loop-Tour endet.

Eine beachtliche Sehenswürdigkeit liegt abseits der beschriebenen Rundtour. Das von 1899 bis 1904 erbaute Kaufhaus der Carson Pirie Scott & Company (1 S. State St./E. Madison St.) zählt zu den herausragenden Entwürfen von Louis Sullivan. Die Fenster im Erdgeschoß sind von gußeisernen Dekorationen umfaßt, die Pflanzenmotive und geometrische Formen aufweisen. Besonders schön ist der abgerundete, überaus reich verzierte Eingang an der Südostecke des Gebäudes (Madison und State St.).

Im Süden von Downtown

Nimmt man Congress Parkway/Eisenhower Expressway als Südgrenze von Downtown, so schließt sich jenseits dieser zentralen Verkehrsverbindung eine Stadtregion an, deren Gesicht sich in den vergangenen 120 Jahren grundlegend veränderte. Nach dem großen Feuer 1871 wurden in diesem Teil von Chicago entlang der Prairie Avenue nicht nur zahlreiche luxuriöse Residenzen und Herrenhäuser errichtet, in denen Industriekapitäne und schwerreiche Unternehmer ihren gehobenen Lebensstandard genossen. Dort entstand über die Jahrzehnte hinweg auch das Zentrum des lokalen Druckereigewerbes, ehe die wachsenden Grundstückspreise die Schwarze Kunst weiter an den Stadtrand drängten und das Viertel allmählich verkam. Erst in den 70er Jahren wurde Chicagos Süden von Investoren, Geschäftsleuten und Privatpersonen wiederentdeckt, die dem Stadtteil innerhalb von weniger als zwei Dekaden zu neuem Ansehen verhalfen.

Nördlicher Kernpunkt des Wiederaufbaus war die **Printer's Row** (1), die aus den beiden Straßenzügen Dearborn Street und Plymouth Court südlich des Congress Parkway bis zur West Polk Street besteht. Den Namen erhielt das Viertel von der ehemals dort ansässigen Druckindustrie, die einen Gastronomen dazu bewegte, das erste dort neu eröffnete Restaurant Printer's Row (550 S. Dearborn St., ✆ 312-461-0780) zu nennen, wovon die Bezeichnung auf die umliegenden Straßenzüge ›abfärbte‹. Alljährlich im Juni erwacht Printer's Row zu neuer Aktivität, wenn an einem Wochenende die dortige Buchmesse stattfindet und neben vielen anderen Shows und Demonstrationen auch gezeigt wird, wie man Papier oder Drucke herstellt.

Nachdem die Satzmaschinen Computern weichen mußten, standen die Druckereien leer und die Häuser verfielen. Architekturbegeisterte, Jazzfans, Gourmets, Kauflustige, Kunstbesessene oder Leseratten kommen jedoch heutzutage gleichermaßen auf ihre Kosten. In zahlreichen renovierten Gebäuden aus dem 19. Jh. sind inzwischen Buchläden, Jazz oder Blues Clubs sowie Galerien und Restaurants untergebracht, die dem Stadtteil wieder Farbe und Leben geben.

Andere sehenswerte Gebäude in diesem historischen Bezirk sind das 14geschossige **Pontiac Building** (2, 542 S. Dearborn St.), 1891 von den Architekten John Holabird und Martin Roche erbaut und 1985 renoviert, das **Franklin Building** (3, 720–736 S. Dearborn St.), im Jahre 1912 aus Ziegeln errichtet und mit Motiven aus der Druckereizunft dekoriert, sowie Chicagos ältester Zugbahnhof aus dem Jahre 1885, die **Dearborn Station** (4, 47 W. Polk St.) im neo-romanischen Stil. Das rote Sandsteingebäude ›gipfelt‹ in einem dekorativen Uhrenturm mit Satteldach. Mitte der 80er Jahre wurde der Bau in ein Einkaufszentrum umgewandelt.

Die am Bahnhof vorbeiführende West Polk Street erreicht weiter westlich an der Ecke South Wells Street eine Wohn- und Geschäftsgegend namens **River City** (5), die zwischen 1984 und 1988 Teil der

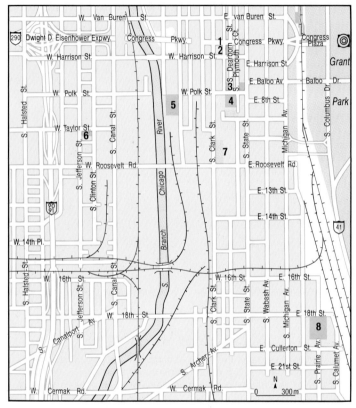

Der Süden von Downtown Chicago 1 Printer's Row 2 Pontiac Building
3 Franklin Building 4 Dearborn Station 5 River City 6 Chicago Fire Department 7 Dearborn Park 8 Prairie Avenue Historic District

umfassenden Wiederaufbaumaßnahmen im südlichen Chicago war. River City bildet eine kleine, wenn auch moderne Stadt für sich mit geschwungenen Fassaden am Ufer des Südarms des Chicago Ri-

ver, wo sich auch eine Marina befindet.

Von River City Richtung Süden kommt man jenseits der Kreuzung South Wells Street und West Taylor Street an die Stelle an der DeKoven

Stippvisite in der Unterwelt

Dutzende von Immigranten aus der Alten Welt sind im klassischen Einwanderungsland Amerika durch teils spektakuläre Karrieren berühmt geworden – vom deutschstämmigen ›Hotelkönig‹ Johann Jakob Astor angefangen bis zum ›Raumfahrtvater‹ Wernher von Braun. Zu jenen, die sich eher auf der Dunkelseite hervortaten, zählt der Italiener Alphonse Capone, der am 17. 1. 1899 in Neapel geboren wurde, seine Jugend jedoch vornehmlich in den Slums des New Yorker Stadtteils Brooklyn verbrachte. Dort schulten ihn soziale Not und kriminelle Umgebung in jener Brutalität, die ihn in den 20er Jahren zum ungekrönten König des organisierten Verbrechens in Chicago aufsteigen ließen.

Al Capone kam 1919 ans Ufer des Lake Michigan und schloß sich dem italienischen Gangsterboß Johnny Torrio an, der den Süden der Stadt in der Zeit der Prohibition mit schwarzgebranntem Whiskey und Gin, mit illegalen Spielklubs und leichten Mädchen versorgte und ansonsten sicherstellte, daß sich die konkurrierenden Iren, die im nördlichen Stadtteil das Sagen hatten, aus seinen Geschäften heraushielten. Die Zentrale des Italiener-Clans, der seine Herrschaft durch Einschüchterung, kompromißlose Gewalttätigkeit und Korruption aufrechterhielt, lag zunächst im Vorort Cicero, wurde dann aber ins Lexington Hotel im Stadtzentrum (Michigan Ave./Ecke Cermak Rd.) verlegt, wo der leerstehende Bau heute unter dem Namen New Michigan Hotel firmiert.

Mitte der 20er Jahre litt Chicago unter einer sehr stark bleihaltigen Luft, was jedoch mit Umweltverschmutzung nichts zu tun hatte. Damals war der Gangsterkrieg zwischen rivalisierenden Banden voll entbrannt, als bei einem irischen Rachefeldzug Torrio schwer verletzt wurde und sich danach in den Ruhestand begab. Nunmehr stand Al Capone an seiner Stelle und wartete auf eine günstige Gelegenheit, um den Iren das Attentat auf Torrio heimzuzahlen. Am Valentinstag 1929 war es so weit. Sieben Iren wurden in ihrem Hauptquartier an der North Clark Street Nr. 2122 von fünf Männern, die Polizeiuniformen trugen, an die Wand einer Garage gestellt und mit Salven aus Maschinengewehren kaltblütig erschossen.

Die Täter wurden nie gefaßt, doch bestand wenig Zweifel, daß ›Scarface‹ Capone (er hatte sich bei einer Messerstecherei im jugendlichen Alter eine Gesichtswunde zugezogen) hinter der blutigen Akti-

Al Capone

on steckte. Zwar konnte ihm der Auftrag für die Morde nicht nachgewiesen werden. Dafür wanderte er Ende 1931 wegen Steuerhinterziehung für elf Jahre ins Kittchen. Von der Syphilis schwer gezeichnet, wurde er acht Jahre später auf freien Fuß gesetzt und starb im Jahre 1947 in Miami im Bundesstaat Florida. Die letzte Ruhe fand er an seinem ›Wirkungsort‹ Chicago auf dem Mount Carmel Cemetery in Hillside, wo auf seinem Grabmal lediglich die Worte stehen: ›Alphonse Capone, 1899–1947, My Jesus Mercy‹.

Street, an der im Jahre 1871 der Großbrand ausbrach, der das Stadtzentrum vernichtete. Damals lag dort die Scheune der Mrs. O'Leary, in der – so wird behauptet – eine Kuh eine Kerosinlaterne umstieß und damit die Katastrophe auslöste. Heute steht am ehemaligen Brandherd die **Chicago Fire Department Academy** (6, 558 De Koven St.), an der die Feuerwehrleute der Stadt ausgebildet werden. Weiter westlich, zwischen South State und South Clark Streets, liegt das neue Wohnviertel **Dearborn**

Park (7), das in den 70er Jahren auf einem früheren Eisenbahngelände entstand und den Bewohnern gehobene Wohnqualität bietet.

Hat man auf dem Weg weiter nach Süden die 18th Street erreicht und hält sich, ihr folgend, Richtung Osten, gelangt man in den **Prairie Avenue Historic District**, der sich bis zur Cermak Road erstreckt (8). Dort lebten in den letzten drei Dekaden des 19. Jh. vornehmlich reiche Geschäftsleute und Industrielle in eleganten Villen und luxuriösen Residenzen. Eines der schönsten

Damals machte er aber nicht das letzte Mal von sich reden. Im Jahre 1986 brach ein wahrer Medienrummel aus, als Capones Tresorraum gefunden und aufgesprengt wurde. Doch von geheimen Schätzen keine Rede. Das einzige, was man in diesem ›Heiligtum‹ fand, war eine Pulle Schnaps. Die Publizität des Gangsterbosses verhallte danach nicht ungehört. Geschäftstüchtige Unternehmer organisieren heute – nicht eben zur Freude der städtischen Tourismusindustrie – Bustouren, die den Teilnehmern ein Stück der dunklen Vergangenheit von Chicago möglichst authentisch nahebringen sollen (Untouchable Tours, P.O. Box 43185, Chicago, ✆ 312-881-1195). So liegen auf der Gangster-Route Ziele wie das Biograph Theater (2433 N. Lincoln Ave.), vor dem der Bankräuber John H. Dillinger am 22. 7. 1934 von der Polizei mit einem Kugelhagel niedergestreckt wurde und verblutete.

Der in Indianapolis geborene Schwerkriminelle hatte seine ›Karriere‹ 1924 mit einem mißlungenen Überfall auf einen Laden begonnen, wofür er eine langjährige Gefängnisstrafe bekam. Kaum entlassen, erbeutete er mit seiner Bande innerhalb von nur vier Monaten rund 41 000 Dollar bei Überfällen. Im Jahre 1933 wurde er wiederum gefaßt, aber schon am Tag danach von ausgebrochenen ›Kollegen‹ aus dem Gefängnis befreit. Der entscheidende Tip ans FBI, der Dillinger vor dem Biograph Cinema das Leben kostete, kam ganz aus seiner Nähe – von seiner Freundin, die wegen ihrer Vorliebe für rote Kleidung in Insider-Kreisen auch als ›Lady in Red‹ bekannt war.

Häuser, das Glessner House (1800 S. Prairie Ave., ✆ 312-326-1393, Führungen von April bis Okt. jeweils Mi–Fr sowie an Wochenenden und Nov.–März Mi und Fr–So) gehörte John J. Glessner, dem Hersteller von landwirtschaftlichen Geräten und wurde von dem renommierten Architekten Henry H. Richardson im Jahre 1886 errichtet, dessen andere in Chicago entstandenen Gebäude heute nicht mehr existieren.

Die Architekturgeschichte reicht in diesem Areal aber noch weiter in die Vergangenheit zurück. Das Henry B. Clark House (1855 Indiana Ave., ✆ 312-326-1393, gleiche Öffnungszeiten wie das Glessner House) ist das älteste erhaltene Gebäude in Chicago aus dem Jahre 1836. Vom Großfeuer verschont, steht das mit einem Säulenvorbau und einem Dachtürmchen geschmückte Haus zwar nicht mehr an seiner ursprünglichen Stelle (es wurde erst 1977 an Ort und Stelle versetzt), sieht aber im Innern im großen und ganzen noch so aus wie vor eineinhalb Jahrhunderten.

Im Umfeld der Prairie Avenue und der 18th Street, wo seit 1803 das amerikanische Fort Dearborn stand, fand 1812 ein als Fort Dearborn Massacre in die Geschichte eingegangenes Ereignis statt. Damals herrschte Krieg zwischen Amerikanern und Briten, die sich der Unterstützung einiger Indianerstämme versichert hatten. Die amerikanischen Truppen wurden 1812 in ihrem Frontposten von Indianern überfallen, wobei ein Großteil der militärischen Besatzung wie auch der dort lebenden Zivilisten das Leben ließ.

Zwei weitere sehenswerte Bauten im historischen Distrikt sind das 1890 errichtete Kimball House (1801 S. Prairie Ave.), dem ein französisches Schloß als Vorbild diente, sowie Keith House (1900 S. Prairie Ave.) aus dem Jahre 1871. In diesem historischen Distrikt werden Führungen veranstaltet, auf denen man auch die architektonischen Schmuckstücke des Stadtteils besichtigen kann (Veranstalter ist die Chicago Architecture Foundation, die im Glessner House, s. o., das Prairie Avenue Tour Center unterhält).

Lake Front – Mitte und Süden

Chicagos Einwohner preisen die Lake Front, die Promenade am Lake Michigan, gern als die Glanzseite ihrer Stadt. Das hat zweierlei Gründe. Einmal handelt es sich bei diesem 124 Blocks langen Uferabschnitt um eine schöne Park- und Erholungslandschaft mit zahlreichen Attraktionen. Zum anderen hat es den Chicagoern viel Energie, Bürgersinn und Geld abverlangt, um die Lake Front gegenüber wirtschaftlichen und politischen Interessen zu verteidigen und zumindest auf weiten Abschnitten unverbaut zu erhalten.

Einer der Pioniere solcher Anstrengungen war Aaron Montgomery Ward, der Erfinder des Versandhandels mit Katalogen. Er führte zwischen 1890 und 1911 insgesamt vier Prozesse gegen die Stadtverwaltung, nachdem die sich angeschickt hatte, am Ufer in Höhe des heutigen Grant Park ein Rathaus, eine Polizeistation und ein Postamt zu bauen. Ward argumen-

Mitte und Süden der Lake Front 1 Navy Pier 2 Navy Pier Park 3 Olive Park 4 John G. Shedd Aquarium 5 Field Museum of Natural History 6 Adler Planetarium 7 Burnham Harbor 8 Meigs Field Airport 9 Soldier Field 10 McCormick Place-on-the-Lake 11 Stadtteil Kenwood 12 Stadtteil Hyde Park 13 Washington-Park 14 University of Chicago 15 Jackson Park 16 Palace of Fine Arts/Museum of Science and Industry 17 Midway Plaisance Corridor 18 Fountain of Time 19 Masaryk Monument 20 Rockefeller Memorial Chapel 21 Oriental Institute 22 Frederick C. Robie House 23 David & Alfred Smart Museum of Art 24 DuSable Museum of African-American History

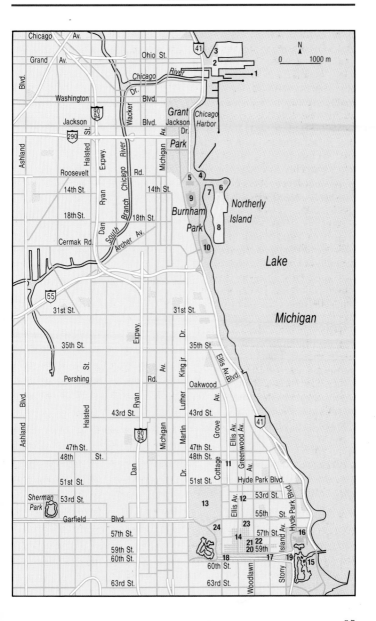

tierte, der Uferbereich müsse zwischen Randolph und Madison Streets offen und frei bleiben. Doch ganz so uneigennützig war sein Eintreten für die Sache nicht. Der Kaufhauskönig besaß Immobilien an der Michigan Avenue und wollte den Seeblick von dort nicht durch Hochbauten verstellen lassen. Als Ward 1903 schließlich einen seiner Prozesse gewonnen hatte, mußten ganze Häuserblocks um den nördlichen Grant Park abgerissen werden.

Im Jahre 1909 legte Chicagos ›Hausarchitekt‹ Daniel H. Burnham, der für die Planung der Weltausstellung von 1893 verantwortlich gewesen war, einen Generalentwurf für die zukünftige Stadtplanung (Burnham-Plan) vor, der die weitere Entwicklung jahrzehntelang beeinflußte. Diesem Konzept, das auch die Schaffung von Stränden, Lagunen, Inseln und Jachthäfen vorsah, verdankt Chicago heute die Lake Front, die sich vom nördlichen Ende des Lincoln Park im Norden des City-Zentrums bis an die südliche Grenze des Jackson Park im Süden der Stadt erstreckt.

Im Zentrum dieser Wasserfront, an welcher der Lake Shore Drive entlangführt, liegt der **Navy Pier** (1) etwa auf Höhe der Einmündung des Chicago River in den See. Im Jahre 1916 als Anlegestelle für Passagier- und Handelsschiffe gebaut, verlor dieser rund 1000 m lange Hafendamm seit den 30er Jahren an Bedeutung. Mit dem Bau des großen Kongreß-Centers, einem

Riesenrad, IMAX-Theater, den Crystal Gardens mit tropischem Park, dem beliebten Children`s Museum sowie zahlreichen Läden und Restaurants ist er inzwischen zu neuem Leben erwacht. Nördlich des Pier liegen Chicagos Kläranlagen, die von der Stadt durch die beiden Parks **Navy Pier Park** (2) und **Olive Park** (3) getrennt sind. Im Olive Park finden häufig Wochenendfestivals statt. Dort gibt es auch einen kleinen Strand.

Der südliche Teil der Lake Front liegt im Süden der Mündung des Chicago River in den Lake Michigan. Am Grant Park entlang ver-

Das Adler Planetarium

läuft der South Lake Shore Drive Richtung **John G. Shedd Aquarium** (4, 1200 S. Lake Shore Dr., ☎ 312-939-2438, tägl. 9–17 Uhr, Do Gratiseintritt). Der achteckige Bau beherbergt mehr als 8000 Meerestiere aus allen Ozeanen der Welt. Sehenswert ist vor allem auch das 350 000 l Salzwasser fassende Becken mit einem karibischen Korallenriff. Eine spezielle Abteilung ist den in und um die Großen Seen lebenden Tieren gewidmet.

Nächste Attraktion auf dem Weg nach Süden ist das **Field Museum of Natural History** (5, Roosevelt Road am S. Lake Shore Dr., ☎ 312-922-9410, tägl. 9–17 Uhr, Do Gratiseintritt), eines der größten

naturgeschichtlichen Museen der USA mit 19 Mio. Exponaten. Jüngste Errungenschaft ist die Abteilung ›Ägypten der Antike‹ mit der originalgetreuen Kopie des Grabs eines Pharaonensohns. Darüber hinaus kann man eine nachgebildete Erdbehausung der Pawnee-Indianer besichtigen oder einen Papyrus-Sumpf.

Auf der Höhe des Museums führt der Solidarity Drive nach Osten auf eine vorgelagerte Halbinsel mit dem **Adler Planetarium** (6, ☎ 312-322-0300 und 312-322-0304, Mo–Do 9.30–16.30, Fr 9.30–21, Sa, So und feiertags 9.30–17 Uhr). Dort finden unterschiedliche Veranstaltungen auch für Kinder statt. Auf dem Platz vor dem Eingang steht eine von Henry Moore gestaltete Sonnenuhr. Von den Treppen, die beim Aquarium zum Seeufer hinunterführen, hat man einen grandiosen Blick auf die imposante Lake Front von Chicago. Die Halbinsel umschließt den **Burnham Harbor** (7), in dem man ganze Wälder von Segelmasten im Wasser tanzen sieht, hinter denen die Wolkenkratzer der Innenstadt eine eindrucksvolle Kulisse abgeben. An der Südspitze der Halbinsel liegt **Meigs Field** (8), ein 1947 gebauter Flugplatz für kleinere Sportmaschinen und Zubringerlinien.

Südlich des Field Museum schließt sich mit **Soldier Field** (9, 425 E. McFetridge Dr., ☎ 312-663-5408) eines der großen Stadien der Stadt an. Hinter ›griechischen‹ Säulen ist eine Anlage versteckt, in der neben Football-Spielen auch Rock-Konzerte veranstaltet werden. Durch den Burnham Park fährt man weiter und sieht linker Hand am Seeufer das größte Tagungs- und Konferenzzentrum der nördlichen Hemisphäre: **McCormick Place-on-the-Lake** (10, E. 23rd St., ✆ 312-791-7000).

Südlich der 47th Street schließen sich die beiden Stadtteile **Kenwood** (11, 47th St. bis Hyde Park Boulevard) und **Hyde Park** (12, Hyde Park Blvd. bis Midway Pleasance) an, wobei die westliche Grenze etwa durch die South Cottage Grove Avenue markiert wird, die am **Washington Park** (13) entlangläuft. Diese südliche Stadtregion, erst seit etwa Mitte des 19. Jh. besiedelt, blieb durch das große Feuer des Jahres 1871 verschont. Einen Aufschwung brachten die 1893 anläßlich des 400. Jubiläums der ›Entdeckung‹ Amerikas durch Kolumbus veranstaltete Weltausstellung im Jackson Park und die ein Jahr zuvor von John D. Rockefeller gegründete **University of Chicago** (14), die den Aufbau einer liberalen intellektuellen, auf ethnische Integration bedachten Gemeinde nach sich zog. Nach dem Zweiten Weltkrieg erlebten die beiden Stadtteile einen Niedergang, der durch städtische Aufbaumaßnahmen gestoppt wurde.

Einer der Schwerpunkte der Besichtigungstour des südlichen Stadtrands ist der **Jackson Park** (15), der während der Weltausstellung 1893 von rund 27 Mio. Besu-

Das Museum of Science and Industry

chern frequentiert wurde. Neben Daniel Burnham und Louis Sullivan waren auch andere berühmte Architekten an der Planung beteiligt. Von der Ausstellung blieben einige heute allerdings veränderte Strukturen übrig. Das gilt etwa für den japanischen Garten und einzelne kleine Seen, von denen einer damals einem Nachbau von Kolumbus' »Santa Maria« als künstlicher Ankerplatz diente, während dort nun Jollen und Jachten im Wasser dümpeln.

Als temporäres Kunstmuseum diente seinerzeit der von Daniel Burnham entworfene **Palace of Fine Arts**, in dem heute das **Museum of Science and Industry** untergebracht ist (16, E. 57th St./S. Lake

Shore Dr., ✆ 312-684-1414, Mai–Sept. tägl. 9.30–17.30 Uhr, restliches Jahr Mo–Fr 9.30–16, Sa, So und feiertags 9.30–17.30 Uhr). In 75 Ausstellungsräumen erklären die Exponate auf anschauliche Weise Naturgesetze und technischen Fortschritt sowie die jeweiligen industriellen Anwendungen. Man sieht dort eine Apollo-Weltraumkapsel, ein deutsches U-Boot, eine Kohlenmine, ein Telefonsystem sowie historische Flugmaschinen. Im Omnimax Theater werden Filme gezeigt, die mit unterschiedlichen Wissensgebieten wie etwa Astronomie zu tun haben.

Südwestlich des Museums bildet ein etwa 1,5 km langer Streifen, **Midway Plaisance** (17) genannt, eine korridorartige Fortsetzung des Jackson Park. Dort standen bei der Weltausstellung die unterschiedlichen Nationenbeiträge wie ein chinesisches Teehaus, ein irischer Marktplatz und ein hawaiianischer Vulkan. Heute bietet die Anlage Erholungssuchenden eine grüne Oase. Im Westen ist dieser Korridor von einem Denkmal der Vergänglichkeit, der **Fountain of Time** (18) von Lorado Taft (1922) begrenzt, im Osten vom **Monument of Thomas Masaryk** (1850–1937), das an den langjährigen tschechoslowakischen Staatspräsidenten erinnert (19).

Midway Pleasance bildet auch eine Querverbindung durch den Campus der 1892 gegründeten University of Chicago, die den überwiegenden Teil der Fläche im Südwesten des Stadtteils Hyde Park einnimmt. Im ersten Jahr ihres Bestehens waren an dieser Privatuniversität knapp 600 Studenten eingeschrieben, jetzt sind es mehr als 10 000. Bis heute hat diese national und international renommierte Lehranstalt knapp 50 Nobelpreisträger hervorgebracht, mehr als jede andere amerikanische Hochschule. Aber der Campus hat sich nicht nur als wissenschaftliche Hochburg einen Namen gemacht, sondern ist auch architektonisch interessant.

Die Bauten der Gründerjahre wurden zwar vor allem im Tudor-Gotik-Stil angelegt, für die der Architekt Henry Ives Cobb verantwortlich zeichnete. Das gilt für den University of Chicago Main Quadrangle, den universitären Kern mit etwa drei Dutzend Gebäuden, den man am einfachsten über das Cobb

Alle Räder stehen still...

Chicago zeitigte nach Anfang der 30er Jahre des 19. Jh. kein Einwohnerwachstum, sondern eine demographische und wirtschaftliche Explosion. Innerhalb von nur 50 Jahren entwickelte sich der Ort am Ufer des Michigan-Sees von einem windschiefen Provinzflecken zu einer vor Aktivitäten strotzenden Millionenstadt. Dominierten bis etwa zum amerikanischen Bürgerkrieg noch Handel und Kommerz, so schob sich danach mit Macht die industrielle Produktion in den Vordergrund. Es versteht sich fast von selbst, daß Chicago deshalb im ausgehenden 19. Jh. mit seiner großen Industriearbeiterschaft zum Schauplatz bedeutender, zum Teil auch gewalttätiger Arbeitskämpfe wurde, bei denen es vorrangig um die Schaffung solidarischer Gewerkschaften sowie um die Legitimität kollektiver Interessenvertretung seitens der Arbeitnehmer ging.

Zwei Ereignisse, die sogenannte Haymarket Affaire von 1886 und der Pullman-Streik von 1894, sorgten für Schlagzeilen im ganzen Land. Die ›Begleitumstände‹ der Haymarket-Affäre wurden durch die schon in den 70er Jahren des 19. Jh. erhobenen Forderungen der Arbeitervertreter nach einem Acht-Stunden-Tag gebildet. In Metallfabriken und Verpackungshallen, Handwerkerstuben und Bäckereien waren damals im ganzen Land noch zehn Stunden Arbeit täglich üblich, gegen die verschiedene Arbeiterorganisationen mit einem am 1. 5. 1886 ausgerufenen Streik zu Felde ziehen wollten. Im ›Epizentrum‹ der Streikbewegung befand sich Chicago, wo etwa 40 000 Lohnempfänger in den Ausstand traten und wo gleichzeitig die radikalsten Agitatoren den Proletarieraufstand gegen das Kapital aufpeitschten.

Schon am 3. 5., einem Montag, führten Demonstrationen zu Gewalttätigkeiten, bei denen die Polizei zwei Arbeiter erschoß. Daraufhin ließ der deutschstämmige Arbeitervertreter August Spies ein Flugblatt verteilen, indem er Vergeltungsmaßnahmen forderte und die Arbeiter zu den Waffen rief. Am folgenden Tag kam es bei einer Versammlung auf dem Chicagoer Haymarket Square zur Katastrophe. Gegen 19.30 Uhr hatten sich auf dem Platz etwa 3000 Demonstranten versammelt, die den Reden ihrer Wortführer friedlich zuhörten und sich auf den Nachhauseweg machten, als es um 22 Uhr zu regnen anfing. Nachdem plötzlich etwa 180 bewaffnete Polizisten aufmarschiert waren, warf ein Unbekannter eine Bombe in ihre Reihen, die explodierte, einen Beamten sofort tötete und viele verwundete. Wie schon

Historische Darstellung des Pullman-Streiks im Jahre 1894

am Tag zuvor eröffneten die Uniformierten daraufhin das Feuer und schossen wahllos in die Menge der demonstrierenden Arbeiter, von denen vier tödlich getroffen wurden. Presse und Volksmeinung schufen in den Wochen danach ein Klima, das zuließ, daß sieben Arbeitervertreter nach dem Eklat ohne jegliche Beweise und obwohl einige von ihnen bei der Demonstration gar nicht anwesend waren, zum Tode verurteilt wurden. Vier starben durch den Strang, drei bekamen lebenslänglich, wurden aber 1893 vom Gouverneur John Altgeld begnadigt.

Das letzte Jahrzehnt des 19. Jh. war nicht minder bewegt, wie der sogenannte Pullman-Streik von 1894 zeigte. Die Bediensteten des Bahnwaggonherstellers George M. Pullman, der im Süden von Chicago eine eigene Arbeiterstadt aufgebaut hatte, gingen für höhere Löhne und bessere Arbeitsbedingungen in den Ausstand, der von der American Railway Union durch einen Sympathieboykott unterstützt wurde. Daraus entwickelte sich ein nationaler Boykott aller Züge mit Pullman-Waggons, der erstmals in der amerikanischen Geschichte schwarze und weiße Eisenbahner vereinte. Gegen den Willen des Gouverneurs John Altgeld von Illinois setzte US-Präsident Cleveland unter dem Vorwand, den Postdienst zu gewährleisten, Bundestruppen ein, um den Boykott zu brechen und die Züge wieder landesweit verkehren zu lassen. Bemerkenswert war im Falle dieses Streiks, daß der Bund aufgrund gerichtlicher Verfügungen erfolgreich gegen den Ausstand hatte vorgehen können und sich die Justiz damit als Handlanger der Unternehmer mißbrauchen ließ.

Gate an der 57th Street erreicht. Auf dem Campus stehen aber auch Gebäude jüngeren Datums, wie die siebenstöckige Joseph Regenstein Library (1100 E. 57th St., ☎ 312-702-8731), die zentrale Bibliothek, die 1970 nach einem Entwurf des Architekten-Teams Skidmore, Owings & Merrill entstand.

Zu den weiteren Sehenswürdigkeiten auf dem Universitätsgelände zählt das Jones Laboratory (5747 S. Ellis Ave.), wo im Jahre 1942 erstmals das radioaktive metallische Element Plutonium isoliert und gewogen wurde. Auf dem Gelände zwischen 56th und 57th Streets bzw. Ellis Avenue arbeitete ein Forschungsteam unter Führung von Enrico Fermi an der Atombombe. Eine von Henry Moore geschaffene Bronzeskulptur mit der Bezeichnung »Nuklearenergie« erinnert an die denkwürdigen wissenschaftlichen Versuche.

Im nördlich von Midway Pleasance gelegenen Block zwischen South University Avenue und Woodlawn Avenue steht die 1928 errichtete **Rockefeller Memorial Chapel** (20). Die ›Kapelle‹, ein etwa 80 × 60 m großes Kirchengebäude im neogotischen Stil, ließ der Mitstifter der Universität, John D. Rockefeller, zu Ehren seiner Mutter errichten. Weiter nördlich liegt das **Oriental Institute** (21, 1155 E. 58th St., ☎ 312-702-9520, Di–Sa 10–16, So 12–16 Uhr, Gratiseintritt), dessen Exponate auf archäologische Ausgrabungen zurückgehen, die seit etwa 1919 im

Nahen und Mittleren Osten unternommen wurden. In der Nachbarschaft steht mit dem **Frederick C. Robie House** (22, 5757 S. Woodlawn Ave., ☎ 312-702-8374, tägl. Führungen) ein typisches Beispiel des sogenannten Prairie-Stils (vgl. S. 79). Stararchitekt Frank Lloyd Wright entwarf das Haus im Jahre 1909 für einen Unternehmer, der Fahrräder und Autoteile herstellte.

Im Norden bzw. Westen des Campus liegen zwei ebenfalls sehenswerte Ziele. Das **David and Alfred Smart Museum of Art** (23, 5550 S. Greenwood Ave., ☎ 312-702-0200, Di–Fr 10–16, Sa, So 12–18 Uhr, Gratiseintritt) zeigt unterschiedliche Ausstellungen mit Kunstgegenständen aus der Antike bis zu Möbeln, die von Designern der Chicago School entworfen wurden. Das **DuSable Museum of African-American History** (24, 57th St./Cottage Grove Ave., ☎ 312-947-0600, Mi–Fr 9–17, Sa, So 12–17 Uhr) leitet den Besucher durch rund 300 Jahre Geschichte der schwarzen Bevölkerung in den USA, wobei historische Schwerpunkte wie die Zeit der Sklaverei oder die Bürgerrechtsbewegung herausgehoben werden.

Lake Front – Der Norden

Fährt man auf dem North Lake Shore Drive am 70 Stockwerke hohen **Lake Point Tower** (1) vorbei und an der Skyline von Chicago entlang nach Norden, kommt man an den sandigen **Oak Street Beach** (2), den populärsten Strand der Stadt, von dem man einen wunderschönen Blick auf die Wolkenkratzerlandschaft hat. Um an diesen Strand zu gelangen, gibt es zwei Passagen, die unter dem Lake Shore Drive hindurchführen, die eine beim Drake Hotel auf Höhe der Oak Street, die andere auf Höhe des North Boulevard im Lincoln Park.

An der Oak Street beginnt die sogenannte **Gold Coast** (3) – *nomen est omen* – das heutige Nobelviertel, in dem Reiche, Superreiche und Einflußreiche in der Regel unter sich sind, angefangen vom katholischen Erzbischof, der an der Astor Street residiert, bis zu den Jet-Settern aus dem Show-Business. Die Gegend ist von ihrer Bausubstanz her interessant, weil ehrwürdige, aus Stein errichtete Residenzen in nächster Nähe von modernen Hochbauten stehen. Vor allem **Astor Street** (4, der Abschnitt zwischen Division St. und North Ave.) lohnt einen Spaziergang, wenngleich man die meisten der historischen Bauten nur von außen betrachten kann. Charnley House (Nr. 1365/Ecke Schiller St.) wurde 1892 von den berühmten Baumeistern Louis Sullivan und Dankmar Adler errichtet; Joseph T. Ryerson House (Nr. 1406) aus dem Jahre 1922 ist ebenfalls ein schönes Beispiel im Stil der französischen Bauweise während der Zeit des Zweiten Kaiserreiches; das neo-romanische Mai House (Nr. 1443) feierte 1991 sein 100jähriges Bestehen, während das ehemalige Fortune House (Nr. 1451) erst 1912 entstand.

Ehe die Gold Coast nach dem Großbrand 1871 zum Renommierviertel wurde, war dort die Wohngegend der Deutschen, die hier eine Handwerkerkolonie gegründet hatten und in kleinen Häusern lebten. Daran erinnern heute noch Straßennamen wie etwa Goethe oder Schiller Street. Im Lincoln Park steht seit 1913 ein Bronzedenkmal, das Johann Wolfgang von Goethe ehrt.

Wer sich weniger für Architektur als vielmehr für das Nachtleben interessiert, sollte sich eher in die Rush Street bzw. Division Street begeben. Dort liegen die *hot spots* des Chicagoer Nachtlebens mit eleganten Restaurants und vornehmen Klubs, über die vor allem freitags und samstags die Woge derjenigen hereinbricht, die vom *Saturday night fever* geschüttelt werden.

Auf dem Weg nach Norden kann man dem **International Museum of Surgical Sciences** (6, 1524 N. Lake Shore Dr., ✆ 312-642-3555 und 312-642-6502, Di–Sa 10–16 Uhr) einen Besuch abstatten. In 32 Räumen geben die Exponate einen Überblick über die Geschichte der Chirurgie vom Zeitalter der Knochenbrecher und Aderlasser bis in die Ära der Lasertechnik.

Auf Höhe der North Avenue beginnen dann die Park- und Freizeitanlagen des **Lincoln Park** (5), der

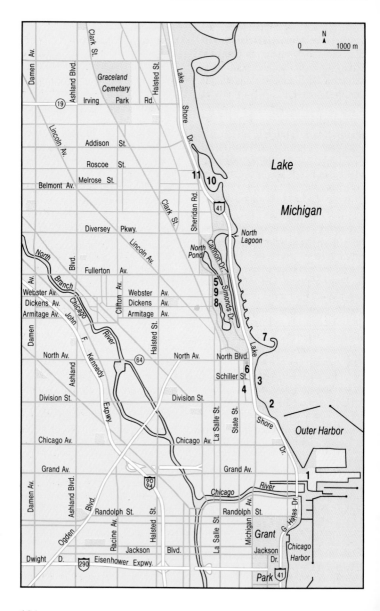

sich am Seeufer entlang bis zur Hollywood Avenue erstreckt. Auf dem etwa 400 ha großen Gelände mit Teichen, Lagunen, Rad- und Wanderwegen sowie Minigolfanlagen verbringt die Bevölkerung von Chicago gern ihre Wochenenden. An einigen Stellen ist das Ufer durch Betonplatten gegen die fortschreitende Erosion geschützt, die das Baden dort gefährlich machen. Ein echter Familienstrand ist hingegen der etwa 1,5 km lange **North Avenue Beach** (7) zwischen North Avenue und Fullerton Avenue.

Um von Süden her in den Park zu fahren, verläßt man den Lake Shore Drive beim Exit La Salle Drive und erreicht so das etwa 400 ha große Gelände. Über den North Stockton Drive gelangt man zum Café Brauer, einem in der Nähe des South Pond-Weihers liegenden Gebäude aus dem Jahre 1908, das eines der besten Beispiele Chicagos für den sogenannten Prairie-Stil aus glasierten Ziegeln ist (ein weiteres Gebäude in diesem Stil ist das 1909 von Frank Lloyd Wright erbaute Robie House auf dem Universitätsgelände). Weiter nördlich liegt der 1868 gegründete **Lincoln**

Park Zoo mit dem Great Ape House, das von rund zwei Dutzend Gorillas bewohnt ist (8, 2200 N. Cannon Dr., ✆ 312-294-4660, tägl. 9–17 Uhr). In der Nachbarschaft befindet sich das **Lincoln Park Conservatory** (9, 2400 N. Stockton Dr., ✆ 312-294-4770, tägl. 9–17 Uhr), ein botanischer Garten mit Palmen, Kakteen und Hunderten von exotischen Pflanzen. Ganzjährig werden Blumen- und Blüten-Shows geboten, angefangen von Azaleenausstellungen im Februar/März bis zu speziellen Attraktionen am Jahresende.

Diversey Harbor auf Höhe des Diversey Drive ist vor allem bei Photographen sehr beliebt, weil sich dort die Skyline des Stadtzentrums von ihrer schönsten Seite zeigt. Ein gleichermaßen empfehlenswerter Standort ist der äußerste Landzipfel bei **Belmont Harbor** weiter nördlich (10). Am North Lake Shore Drive West, etwa auf Höhe der Roscoe Street, steht der **Totem Pole** (11), die Kopie eines von Kwakiutl-Indianern aus dem kanadischen British Columbia geschnitzten Totempfahls, der jahrzehntelang dort seinen Platz hatte, dann aber von den Indianern zurückgefordert wurde. Am nördlichen Ende des Lincoln Park haben die Windsurfer ihr Paradies.

Nördlich des Chicago River

Überquert man den Chicago River auf der 1920 erbauten **Michigan**

Avenue Bridge (1), von der man einen schönen Blick über die westlich liegenden Stadtgebiete und den Flußlauf hat, steht man am Ende der Brücke bereits auf der **Magnificent Mile** (2), wie die exklusive Michigan Avenue nördlich des Flußufers angesichts ihrer ›Einkaufsparadiese‹ auch genannt wird. Wer den Fluß von der Brücke genauer beobachtet, wird bemerken, daß er nicht zum See, sondern in umgekehrter Richtung fließt. Schon in der letzten Dekade des

19. Jh. wurde er durch den Bau eines Kanalsystems ›umgedreht‹, weil er mehr und mehr mit Abwässern befrachtet war und drohte, den Lake Michigan als zentralen Trinkwasserspeicher der Stadt in eine Kloake zu verwandeln. Seit 1890 fließt der Chicago River aus dem See und ist über Kanäle mit dem Mississippi River verbunden.

Bevor man sich auf der Magnificent Mile in die Welt der großen Angebote und der deftigen Preise stürzt, kann man einen Abstecher nach Westen in die beiden Stadtteile River North und Near North bis zum nördlichen Arm des Chicago River machen. Auf diesem Weg kommt man nur wenige Schritte von der Michigan Avenue Bridge entfernt an der **Zentrale der Chicago Sun-Times** (3, 435 N. Wabash Ave.) vorbei, einer der großen Zeitungen der Stadt. Wer sich für den Redaktions- und Herstellungsbetrieb interessiert, kann an einer Führung teilnehmen (✆ 312-321-2032). Architektonisch interessanter als dieser 1957 errichtete Bau ist die zehn Jahre jüngere, 168 m hohe **Marina City** (4, 300 N. State St.), die erste ›Stadt in der Stadt‹ Chicagos. Die Anlage mit den beiden maiskolbenähnlichen Türmen verfügt über alles, was der Mensch

Nördlich des Chicago River 1 Michigan Avenue Bridge 2 Magnificent Mile 3 Chicago Sun-Times 4 Marina City 5 Stadtteil River North 6 Künstlerkolonie Suhu 7 Stadtteil West River 8 Wrigley Building 9 Tribune Tower 10 Museum of Contemporary Art 11 May Weber Museum of Cultural Arts 12 Terra Museum of American Art 13 Old Chicago Water Tower 14 Water Tower Place 15 John Hancock Center 16 Fourth Presbyterian Church

zum Leben braucht – Wohnungen, Geschäfte und Freizeiteinrichtungen wie Kinos, Bowlingbahnen usw. Die aus Stahlbeton errichteten Gebäude wurden vom Architekten Bertrand Goldberg entworfen, der unter dieser Bauweise eine ›organische Architektur‹ verstand.

Geht man von Marina City nördlich bis zur Grand Avenue und biegt dort nach Westen ab, gelangt man in den Stadtteil **River North** (5), der sich durch Wolkenkratzerschluchten und Service-Straßen ans Ufer des Chicago River tastet. Dort haben sich die Verhältnisse über die Jahrzehnte hinweg ebenso verändert wie in zahlreichen anderen Vierteln. Wo früher in Warenhäusern und Lagerhallen hektische Betriebsamkeit herrschte, war es seit den 50er Jahren stiller geworden. In den 70er Jahren dann begannen Maler und Photographen, Töpfer und Bildhauer in die leeren Gebäude einzuziehen, Galerien eröffneten, und neue Restaurants zogen Gäste an, so daß dem Viertel wieder Lebenskraft gegeben wurde. Der Künstlerbetrieb konzentriert sich heute vor allem in **Suhu** (6), wie die Gegend um die Superior und Huron Streets genannt wird. Dort hat mit dem Hard Rock Café (63 W. Ontario St., ✆ 312-943-2252) eine Hochburg der Jugend- und Musikkultur ihren Platz. Gleich gegenüber liegt eine Filiale der Hamburger-Kette McDonald's, in die viele Andenken an die große Zeit des Rock'n'Roll und dessen ungekrönten König, Elvis Presley,

Marina City

erinnern. Im Stadtteil **West River** (7) auf der Westseite des Chicago River gibt es zahlreiche Kunstgalerien, die sich im Straßenwinkel südlich der West Chicago Avenue und der North Milwaukee Avenue konzentrieren.

Wer sich den Abstecher am Chicago River entlang und in die westlichen Stadtteile ersparen will, gelangt von der Michigan Avenue Bridge auf der Magnificent Mile zunächst zum 1922 errichteten **Wrigley Building** (8, 400 N. Michigan Ave.), der Zentrale des Kaugummikonzerns mit verspieltem Uhrenturm. Etwas weiter nördlich folgt auf der gegenüberliegenden

Straßenseite der **Tribune Tower** (9, 435 N. Michigan Ave.) mit üppigen neogotischen Dekorationen. Das 1925 nach Plänen des Architektenduos Raymond Hood und John M. Howells errichtete Gebäude war aus einem Wettbewerb als preisgekrönter Entwurf hervorgegangen, weil er die von den Zeitungseigentümern damals erwünschte nostalgisch-romantische Stimmung exakt traf. Für den äußeren Schmuck dieser Zentrale der »Chicago Tribune« haben – so die übliche Version – die Auslandskorrespondenten des Blatts gesorgt, die von bekannten Bauwerken oder Örtlichkeiten wie den ägyptischen Pyramiden, der Londoner Westminster Abbey, der Pariser Kathedrale Notre-Dame und dem Parthenon Steine oder Ziegel ›abzweigten‹, um sie an der Fassade der Heimatredaktion zum Ruhme der »Tribune« einbauen zu lassen. Jüngste Errungenschaft ist ein Stück der Berliner Mauer, das 1989 eingesetzt wurde.

Vom Gebäude der »Chicago Tribune« führt die Magnificent Mile etwa 1,5 km weit durch das unumstrittene Shopping-Paradies der Metropole mit hochaufragenden Wolkenkratzerfassaden, wo sich die exklusivsten Malls und elegantesten Boutiquen des Mittleren Westens aneinanderreihen. Daß der Straßenabschnitt zwischen Chicago River im Süden und Oak Street im Norden den Namen ›Prachtmeile‹ erhielt, hat nicht nur mit dem ›prächtigen‹ Warenangebot, sondern auch mit den Preisen zu tun, über die man sich teils nur wundern kann. Mitte der 70er Jahre war die Magnificent Mile noch ein von Bäumen bestandener, geruhsamer Boulevard, weil sich die großen Geschäfte damals noch an der State Street weiter südlich befanden. Dann erlebte die North Michigan Avenue tatsächlich ihr Wunder, als mit dem Water Tower Place das erste Shopping Center gebaut wurde und eine glanzvolle Entwicklung begann.

Auf der Ontario Street kann man einen kleinen Abstecher Richtung Michigan-See in den Stadtteil Streeterville machen, der nach einem Zirkusbesitzer und Dampferkapitän benannt wurde. Auf dem Weg liegen drei Museen. Das 1967 gegründete **Museum of Contemporary Art** (10, 237 E. Ontario St., ☎ 312-280-2660, Di–Sa 10–17, So 12–17 Uhr) konzentriert sich auf avantgardistische Kunst, die bis dato keine eigene ›Bühne‹ besaß. Einige Blocks weiter liegt das **May Weber Museum of Cultural Arts** (11, 299 E. Ontario St., ☎ 312-787-4477, Mi–So 12–17 Uhr). Dort sind ethnische Kunst und Kulturgegenstände aus vielen ›exotischen‹ Teilen der Welt ausgestellt. Das **Terra Museum of American Art** (12, 664 N. Michigan Ave., ☎ 312-664-3939, Di 12–20, Mi–Sa 10–17, So

Der Chicago Tribune Tower

Chicagos frivolster Häschenstall

Er war Redakteur, Verleger, Layouter, Lektor und Buchhalter in einem. Sein Büro nahm eine Ecke in seiner bescheidenen Wohnung im Chicagoer Stadtteil Hyde Park ein, wo er aus einem Stapel Photographien und auf der Schreibmaschine getippter Artikel sein erstes, im Dezember 1953 erschienenes Produkt zusammenbastelte: die Null-Nummer des Männermagazins »Playboy«. Obwohl der Magazingründer Hugh Marston Hefner den Sex Appeal seines ›Playmate‹ Marilyn Monroe auf dem aufklappbaren Mittelblatt richtig einschätzte, vermochte er sich doch nicht einmal in seinen kühnsten Träumen vorzustellen, daß er die erste Ausgabe seiner Zeitschrift gleich 70 000mal verkaufen würde. In kluger Voraussicht verzichtete er jedenfalls auf ein Erscheinungsdatum, um Marilyns Blößen notfalls auch noch in den nachfolgenden Monaten an Amerikas schaulustige Männerwelt verhökern zu können.

In den seither vergangenen vier Jahrzehnten hat der »Playboy« eine typisch amerikanische Karriere absolviert. Längst ist Hefners Druckerzeugnis zu einer in der ganzen Welt bekannten und häufig kopierten ›Institution‹ in Sachen Po und Busen herangewachsen. Und längst liegt die journalistische und technische Herstellung des auf Hochglanzpapier gedruckten Appetitanregers in den Händen eines Stabs hochqualifizierter Fachleute, die wissen, wovon das maskuline Amerika träumt.

Hefner hatte seinen durchschlagenden Geschäftserfolg nicht allein der prüden puritanischen amerikanischen Gesellschaft der 50er Jahre zu verdanken, in der bare Busen Marktlücken und Bedürfnisnischen füllten. Der Amateurjournalist war clever genug, den nackten Tatsachen seines Blatts einen gehörigen Schuß Kulturbeflissenheit, Life Style, Literatur und Tips zur Individualitätspflege beizumixen, um seine Publikation nicht nur gesellschaftsfähig, sondern sogar zum Markenzeichen männlicher Eitelkeit zu machen. Berühmtheiten wie der

12–17 Uhr) präsentiert eine früher in Privatbesitz befindliche Sammlung amerikanischer Kunst aus den vergangenen drei Jahrhunderten. Darüber hinaus werden wechselnde Ausstellungen gezeigt.

Eines der Wahrzeichen der Magnificent Mile ist der 36 m hohe, aus der Zeit vor dem großen Feuer stammende **Old Chicago Water Tower** (13, 800 N. Michigan Ave.), der schon mit einer riesigen neogo-

Schriftsteller Henry Miller, der Regisseur Roman Polanski, der Modeschöpfer Pierre Cardin und der Rennfahrer Jackie Stewart, um nur einige zu nennen, haben sich im »Playboy« zu Wort gemeldet.

Bereits im Jahre 1954 zog Hefner mit seinen ersten Mitarbeitern in ein Vier-Zimmer-Büro an der East Superior Street, und in den nachfolgenden Jahren war der Höhenflug des Magazins, das zunächst »Herrenabend« heißen sollte, nicht mehr aufzuhalten. Seit Ende der 80er Jahre residiert der »Playboy« in seiner neuen Chicagoer Zentrale Lake Shore Place (680 N. Lake Shore Dr.), von wo aus das unter dem Häschen-Signet firmierende facettenreiche Unternehmen geleitet wird. Zum Magazin kamen zwei weitere wirtschaftliche Standbeine hinzu, die in zahlreichen Ländern existierenden Playboy-Klubs mit den schon weltberühmten langohrigen ›Bunnies‹ sowie eine Reihe von Hotel Ressorts und Kasinos, die inzwischen jedoch allesamt verkauft wurden. Der Firmengründer Hugh Hefner trifft zwar heute ebenso wie früher wichtige Entscheidungen, die ›Regie‹ des Magazins hat er inzwischen jedoch delegiert, und zwar an seine Tochter Christie.

Aber auch das »Playboy«-Magazin hat längst einen internationalen Markt erobert. Ende der 80er Jahre beliefen sich seine weltweiten Auflagen auf mehr als 1,7 Mio. Exemplare. Heute gibt es nationale Lizenzausgaben in zwölf Ländern, darunter Argentinien, Australien, Griechenland, Mexiko, Japan und sogar in der teils noch hinter dem Gesichtsschleier versteckten Türkei. Der deutsche »Playboy« erblickte im August 1972 das Licht der Männerwelt und zählt auch hierzulande längst zu den Klassikern der hüllenlosen Magazin-Literatur. Dort, wo's die Häschen-Broschüre noch nicht offiziell gibt, erzielt sie Schwarzmarktpreise fast wie geschmuggeltes Elfenbein. Wem es in früheren Jahren gelang, ein Exemplar vor den wachsamen Augen der Zöllner im Moskauer Flughafen Scheremetjewo zu verbergen, konnte das durch und durch kapitalistische Druckerzeugnis unter der Hand zum etwa 25fachen ›Liebhaberpreis‹ verscherbeln.

tischen Pfeffermühle verglichen wurde. Der Turm, 1866 bis 1869 nach Plänen des Architekten W. W. Boyington aus Kalkstein erbaut, dient dem lokalen Wasserversorgungssystem als Pumpstation. Schräg gegenüber steht mit **Water Tower Place** (14, 835 N. Michigan Ave.) jenes Einkaufszentrum, das 1976 dem Bauboom voranging, der diesen Boulevard so nachhaltig veränderte.

Im Water Tower Place

Ein zweites Wahrzeichen der Geschäftsstraße ist das **John Hancock Center** (15, 875 N. Michigan Ave.), im Volksmund nur Big John genannt, weil es mit 343 m das zweithöchste Gebäude der Stadt ist. Im 94. Stockwerk gibt es ein Aussichtsdeck (9 Uhr bis Mitternacht), von dem man einen spektakulären Blick auf die Innenstadt und auf den See hat. Im 95. Stockwerk befindet sich ein Restaurant, in dem man gepflegt speisen kann, falls die Vogelperspektive nicht allzu sehr ablenkt. Noch ein Stock höher, also in der 96. Etage, kann man in ungezwungener Umgebung in der Images Lounge Erfrischungen zu sich nehmen.

Die neogotische **Fourth Presbyterian Church** (16, im Block zwischen Delaware und Chestnut Street) aus dem Jahr 1914 bildet einen interessanten Kontrast zu den umliegenden Wolkenkratzern mit ihren gläsernen Fassaden. Es lohnt sich, einen Blick in den von efeubewachsenen Mauern umgebenen Innenhof der Kirche zu werfen.

Die Magnificent Mile endet im Norden an der Oak Street, die eine kleine Fortsetzung der Einkaufsstraße bildet. Dort haben sich zahlreiche elegante Geschäfte vor allem für neueste Mode, Schmuck und Kosmetika niedergelassen.

Old Town und Lincoln Park

Dort, wo sich heute der Stadtteil Old Town nördlich der Division Street und westlich der La Salle Street bis hinauf zur Wisconsin Street erstreckt, weideten die Farmer vor mehr als 100 Jahren noch ihre Kühe. Die ersten Siedler in diesem Gebiet waren Deutsche, deren Behausungen bei der Feuerkatastrophe 1871 abgebrannt waren und die in Old Town eine neue Heimat suchten. Geistiges Zentrum dieser deutschen Kolonie war die **St. Michael's Church** (1, 1633 N. Cleveland Ave.), die zwischen 1866 und 1872 errichtet wurde, nachdem der Vorgängerbau aus dem Jahre 1852 mit dem wachsenden Zustrom an Deutschen zu klein geworden und 1871 vom Feuer vernichtet worden war.

Die North Avenue, die den Stadtteil in Ost-West-Richtung durchschneidet, war damals unter dem Namen German Broadway bekannt, weil dort in erster Linie deutsche Einwanderer ihren Geschäften nachgingen. Als diese frühen Siedler mit Beginn des 20. Jh. weiter nach Norden abwanderten, rückten neue Immigranten nach, die vor allem aus osteuropäischen Ländern stammten. An der West Menomonee Street zwischen Wells Street und North Orleans Street kann man noch eine Reihe von Bauten aus dem vergangenen Jahrhundert finden, wie etwa das **Fire Relief Cottage** (2, 216 W. Menomonee St.), ein Notquartier für die vom Feuer 1871 obdachlos gewordenen Einwohner. Weitere Häuser aus den 70er und 80er Jah-

Old Town und Lincoln Park 1 St. Michael's Church 2 Fire Relief Cottage 3 Midwest Buddhist Temple 4 Chicago Academy of Sciences 5 Sheffield Historic District 6 DePaul University

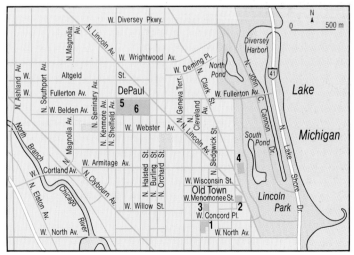

ren des 19. Jh. sind die Anwesen Lincoln Park West Nr. 1802 und 1824–34.

Eine jüngere Einwandererwelle als die deutsche dokumentiert der **Midwest Buddhist Temple**, dessen schlichten Innenraum man besichtigen kann (3, 435 W. Menomonee St.). Während des Zweiten Weltkriegs und in den Jahren danach wanderten vor allem zahlreiche Japaner in dieses Stadtviertel ein. 1972 bauten sie den buddhistischen Tempel. Jedes Jahr im Sommer findet um den Bau herum das

Ginza Festival mit japanischen Kulturveranstaltungen statt.

Der Stadtteil Lincoln Park, der sich von der North Avenue Richtung Norden bis zum Diversey Parkway am Seeufer entlangzieht und im Westen bis zur Clybourn bzw. Ashland Avenue reicht, beschränkt sich nicht allein auf die seenahen Parkanlagen mit vielfältigen Freizeitmöglichkeiten, sondern umfaßt auch die weiter westlich gelegenen Upper Class-Wohngebiete mitsamt den dort befindlichen Museen, Theatern, Restaurants usw. Das Museum der **Chicago Academy of Sciences** (4, 2001 N. Clark St., ☎ 312-871-2668, tägl.

Die Wells Street in Old Town

10–17 Uhr) präsentiert naturkund-
liche Ausstellungen.

Nordwestlich schließt sich an
den Lincoln Park der Stadtteil
DePaul an, in dessen Zentrum der
Sheffield Historic District (5, südlich der Fullerton Ave. zwischen
Sheffield Ave. und Halsted St.)
liegt. Dieses ehemalige Arbeiter-
viertel wurde in den vergangenen
Jahren durch diverse Umbaumaß-
nahmen und Renovierungen aufge-
wertet. Heute macht es im Ver-
gleich zu früher einen gepflegten
Eindruck mit blumenbunten Vorgärten und vielen schön verzierten
Fassaden.

In derselben Stadtgegend liegt
auch die katholische **DePaul University** (6, ✆ 312-362-8000), deren
Aufbau durch den Industriellen Cyrus McCormick gefördert wurde.
An der Hochschule, die auch in
anderen Stadtteilen Niederlassungen besitzt, sind 15 000 Studenten
eingeschrieben. Auf dem Campus
stehen einige Gebäude im typisch
neu-englischen, neugotischen oder
Queen-Anne-Stil.

ℹ️ Information: Chicago Convention and Visitors Bureau, 2301
Lake Shore Dr., Chicago, Il 60616, ✆
312-567-8500, Fax 3 12-5 67-8533;
Chicago Office of Tourism, Historic
Water Tower, 806 N. Michigan Ave.,
Chicago, Il. 60611, ✆ 312-280-5740;
Chicago Office of Tourism's Visitor Information Center, 163 East Pearson, ✆
312-280-5747. Öffnungszeiten der Informationsstellen: Mo–Fr 9–17 Uhr, das
Büro im Water Tower ist auch Sa, So
von 13–17 Uhr geöffnet

🛏️ Unterkunft: Viele bessere Hotels
in Zentrumsnähe sind während
der Woche ausgebucht, weil in Chicago
das ganze Jahr über zahlreiche Kongresse und Tagungen stattfinden. An Wochenenden sind diese Unterkünfte
meist nur schwach belegt und deshalb
häufig für den halben Preis zu bekommen. Preisgünstige Motels findet man
entlang den Interstates am Stadtrand. –
Drake Hotel, 140 E. Walton Place an
der North Michigan Avenue, ✆ 312-
787-2200, Fax 312-787-1431, $$$, Tra-
ditionshotel aus dem Jahre 1920 in der
Näje des Seeufers; Omni Ambassador
East, 1301 N. State Parkway, ✆ 312-
787-7200, Fax 312-787-4760, $$$, ge-
pflegtes Hotel im Stil der 20er Jahre;
Chicago Hilton and Towers, 720 S. Michigan Ave., ✆ 312-922-4400 und 800-
Hiltons, Fax 312-922-5240, $$$, Rie-
senhotel mit über 1600 Räumen und
fünf Restaurants; Blackstone Hotel, 636
S. Michigan Ave., ✆ 312-427-4300, Fax
312-427-4300-7128, $$–$$$, Hotel,
das sowohl literarisch wie filmisch ver-
ewigt wurde; Essex Inn, 800 S. Michi-
gan Ave., ✆ 312-939-2800 und 800-
621-6909, Fax 312-939-1605, $$–$$$,
an Wochenenden reduzierte Preise;
Chicago International Hostel, 6318 N.
Winthrop Ave., ✆ 312-262-1011, $,
Unterkunft auf Jugendherbergsbasis

🍴 Restaurants: Pump Room, 1301
N. State Parkway, ✆ 312-266-
0360, Prominentenlokal, dessen Wän-
de mit Photos von VIP's, die hier spei-
sten, dekoriert sind, Humphrey Bogart
und Lauren Bacall feierten im Pump
Room ihre Hochzeit. Am Navy Pier legt
die »Spirit of Chicago« ab, die Sightsee-
ing und Speisen bietet, 455 E. Illinois
St., ✆ 312-1241, $$; Signature Room at
the 95th, John Hancock Center, 875 N.
Michigan Ave., ✆ 312-787-9596, $$,

Aussichtsrestaurant; Chicago Chop House, 60 W. Ontario St.,☎ 312-787-7100, $$, hervorragendes Steakhouse; Pizzeria Uno, 29 E. Ohio, ☎ 312-321-1000 und Pizzeria Due, 619 N. Wabash St., ☎ 312-943-2400, $, servieren die berühmte *Deep Dish Pizza*; Heaven on Seven, 111 N. Wabash St., ☎ 312-263-6443, $, im 7. Stock gibt es Cajun-Küche; Three Happiness, 209 W. Cermak St.,☎ 312-842-1964, $, kantonesische Küche, Dim-Sum-Gerichte; Prairie, 500 S. Dearborn St., ☎ 312-663-1143, $$, von Frank Lloyd Wright baulich inspriertes Restaurant, u. a. Bisonsteaks; Heidelberger Faß, 4300 N. Lincoln Ave., ☎ 312-478-2486, »Fluchtpunkt« für heimwehkranke Mitteleuropäer, die von dirndltragenden Bedienungen mit deutschen Spezialitäten verwöhnt werden

Abendlicht über Chicago

Bars: Kingston Mines, 2548 N. Halsted St., ☎ 312-477-4646, mit Blue Monday Session; The Bulls, 1916 N. Lincoln Park West, ☎ 312-337-3000, tägl. Jazz und Pop-Musik; Ka-Boom, 747 N. Green St., ☎ 312-243-4800, sechs verschiedene Bars; Dick's Last Resort, 435 E. Illinois St., North Pier, ☎ 312-836-7870, tägl. Jazz; Matsuri, 111 E. Wacker Dr., ☎ 312-861-9555, Karaoke-Bar; Zinc's, 555 W. Madison St., Presidential Towers, ☎ 312-902-2900, Piano-Bar; The Baton, 436 N. Clark St., ☎ 312-644-5269, Show Lounge mit Revues

Einkaufen: Die vornehmsten Geschäfte, darunter Niederlassungen von Tiffany (Nr. 715), Gucci (Nr. 900) und Chanel (Nr. 990) findet man an der Magnificent Mile, wo es aber auch Läden für die ›normale‹ Brieftasche und den ›normalen‹ Geschmack gibt: Chicago Place, 700 N. Michigan

Ave., ✆ 312-266-7710, viele vornehme Spezialitätengeschäfte und Food Court, wo man Gerichte unterschiedlicher Nationalitäten kosten kann; Water Tower Place, 835–845 N. Michigan Ave., ✆ 312-440-3165, mit zwei Einkaufsmärkten, 125 Einzelgeschäften, elf Restaurants und sieben Kinos. Eine gute Adresse für Kleidung und Mode ist die Oak Street, wo es auch bekannte Designer-Boutiquen wie Giorgio Armani (Nr. 113) und Ultimo (Nr. 114) gibt.

 Kunstgalerien: American West Gallery, 2110 N. Halsted St., ✆ 312-871-0400, zeitgenössische Kunst des amerikanischen Südwestens und indianische Artefakten; Bob Horsch Chicago Gallery, 210 N. Michigan Ave. , ✆ 312-553-1101, größte Foto-Galerie der Stadt; The Alaska-Shop, 104 E. Oak St., ✆ 312-943-3393, Eskimo-Kunst aus Walknochen, Jade, Speckstein und anderen Materialien; Austin Galleries, 677 N. Michigan Ave., ✆ 312-943-3730, Drucke von mehr als 100 Künstlern; Jay Robert's Antique Warehouse, 149–155 W. Kinzie St., ✆ 312-222-0167, große Sammlung von Antiquitäten aus aller Welt

! **Führungen**: Sachkundige Architektur-Führungen in und um das Stadtzentrum: Chicago Architecture Foundation, 224 S., Michigan Ave., ✆ 312-922-3432; durch den Hyde Park Campus der University of Chicago: Hyde Park Historical Society, 5529 South Lake Park Ave., ✆ 312-493-1893; Gangster-Touren: Untouchable Tours, P. O. Box 43185, ✆ 312-881-1195; Chicago from the Lake, North Pier, 455 E. Illinois St., ✆ 312-527-1977, Fahrten auf dem Lake Michigan an der Lake Front entlang

 **Verkehrsverbindungen**: Zugverbindungen in alle

Landesteile, AMTRAK, ✆ 312-558-1075; CTA-Züge und -busse sind verläßliche, schnelle und billige Transportmittel (✆ 312-836-7000). Die Züge pendeln zwischen dem O'Hare Airport und Downtown; Fahrzeit 35 Minuten. Busse der PACE-Linie sowie die METRA-Züge bedienen die Vorstädte von Chicago

✈ Flugverbindungen: Der O'Hare International Airport wird von allen inländischen und zahlreichen internationalen Fluggesellschaften wie Lufthansa, Air France, British Airways und KLM regelmäßig angeflogen. Viel weniger Betrieb ist auf dem Midway Airport im Südwesten der Stadt, wo vor allem inneramerikanische Flüge starten und landen. Meigs Field am Lake Michigan dient in erster Linie Kurzstreckenflügen innerhalb von Illinois oder ins benachbarte Wisconsin

🚗 Autovermietungen: Alle großen Mietwagenfirmen sind auf dem O'Hare International Airport vertreten, unterhalten aber auch in der Stadt teilweise sogar mehrere Filialen, wo man Autos anmieten und zurückgeben kann. Die Mietpreise am Flughafen und in den Stadtbüros können unterschiedlich sein. Neben internationalen Firmen gibt es in Chicago auch kleinere Verleiher, deren Adressen man im Branchenverzeichnis unter ›Car Rentals‹ findet.

Straßenszenen in Chicago

Abraham Lincoln auf der Spur

Illinois & Michigan Canal

Peoria

Dickson Mounds

Illinois Lincoln
Heritage Trail

Springfield

New Salem am Illinois Lincoln Heritage Trail

Auf dem Illinois Lincoln Heritage Trail zu den Wirkungsstätten des populärsten Präsidenten der USA, nach Peoria und Springfield, zu den indianischen Grabhügeln der Dickson Mounds

Besuchern, die an der Historie der USA im allgemeinen und des Staates Illinois im besonderen interessiert sind, sei von Chicago eine Rundreise durch den nördlichen und zentralen Teil des Bundesstaates Illinois empfohlen. Auf dieser etwa 430 km langen Tour, für die man zwei Tage veranschlagen sollte, kann man sich mit einer rund 2000jährigen amerikanischen Geschichte vertraut machen, die mit der Woodland-Kultur der Indianer des Illinois River Valley beginnt, in deren Mittelpunkt aber das Leben und Schaffen des großen Präsidenten Abraham Lincoln steht, der hier zuhause war, ehe er sein Amt in Washington D.C. antrat.

Man verläßt Chicago auf der I-55 (Adlai Stevenson Expressway), die auf Höhe des Burnham Park im südlichen Stadtteil beginnt, und biegt auf die I-80 ab, der man bis Princeton folgt, um dort auf der Straße 180 bzw. 29 ins 170 Meilen von Chicago entfernte Peoria wei-

Der Illinois River östlich von Ottawa

Wasserweg in die Vergangenheit

Chicago entwickelte sich in einem Zeitraum von nur etwa 50 Jahren seit der Mitte des 19. Jh. von einer kleinen Blockhaussiedlung zur Millionenstadt. Ganz entscheidend für diesen phänomenalen Aufstieg der heutigen Weltmetropole war ein eher bescheidenes Projekt: der Bau des lediglich 160 km langen Illinois & Michigan Canal von 1836 bis 1848. Dieser Kanal stellte eine Verbindung zwischen dem Chicago River und dem Illinois River her und machte somit den ›Seeweg‹ von den Großen Seen über den Mississippi bis nach New Orleans am Golf von Mexiko durchgängig.

Damit war ein wichtiger Handels- und Verkehrsweg aufgetan, über den Menschen und Waren quer durch die östliche Hälfte der USA bewegt werden konnten. Der Zucker, den Chicagoer Hausfrauen in der zweiten Hälfte des 19. Jh. auf ihre Kuchen streuten, kam ebenso auf dem Wasserweg aus New Orleans wie der Kaffee, den die Geschäftsleute nach dem Lunch schlürften – und Teil dieses Wasserwegs war der Illinois & Michigan Canal. Mit einem Kapitalaufwand von nicht einmal 10 Mio. US Dollar hatten Ingenieure und Arbeiter innerhalb von zwölf Jahren einen auf Wasserhöhe rund 20 m breiten und 2 m tiefen Graben geschaffen, über den jahrzehntelang ein äußerst reger Warenaustausch abgewickelt wurde.

Mit der Inbetriebnahme 1848 begann die Karriere von Chicago als Umschlagplatz und Verkehrsdrehscheibe im nördlichen Illinois. Die Auswirkungen zeigten sich innerhalb weniger Jahre, als sich die Bevölkerung der Stadt explosionsartig vergrößerte. Allein in der Dekade nach der Kanaleröffnung stieg die Einwohnerzahl um über 600 %. Chicago sollte sich in der Folge zum größten amerikanischen Binnenhafen und gleichzeitig zum Tor in den weiten, noch unzivilisierten Westen entwickeln. Aber nicht allein die Stadt am Ufer des Lake Michigan profitierte von der veränderten Situation. Ein Nebeneffekt des Kanalbaus war die Entstehung neuer Ortschaften wie Lockport, Joliet, Morris, Seneca, Marseilles, Ottawa, Utica und LaSalle-Peru am künstlichen Wasserweg, den insgesamt 15 Schleusen regulierten.

In der zweiten Hälfte des 19. Jh. erwuchs dem Kanal mit der Eisenbahn ein Konkurrent, der schließlich seinen Niedergang verursachte. Der Eisenbahntransport war viel schneller, und die Kanalschiffer konnten den Wind der Veränderung selbst dadurch nicht aufhalten, daß sie ihre Frachtpreise senkten. Schon gegen Ende des Jahrhunderts wurde

Das Wahrzeichen des Illinois & Michigan Canal

der Wasserweg mehr und mehr als Abwasserkanal zweckentfremdet, ehe man den Schleusenbetrieb schließlich ganz einstellte.

Im Zuge des modernen Tourismus feierte der Illinois & Michigan Canal im Jahre 1974 seine ›Wiederauferstehung‹ als National Heritage Corridor, der für Freizeitaktivitäten wie Wandern, Radfahren, Kanu- und im Winter sogar Schneemobilfahren wie geschaffen war. Heute sind einige Abschnitte des Kanals wieder mit Wasser gefüllt. Es gibt Dutzende von Sehenswürdigkeiten entlang der Wasserstraße wie Museen (etwa in Utica), Schleusen, Schleusenwärterhäuschen und andere historische Bauten sowie State Parks, die zum Ausspannen einladen. Nur eine Autostunde vom hektischen Stadtzentrum von Chicago entfernt kann man dort ein Stück Amerika des 19. Jh. erahnen, wenn man über die Pfade spaziert, auf denen früher Mulis die Lastkähne schleppten.

terzufahren. Diese Strecke folgt in einiger Distanz dem sehenswerten Illinois & Michigan-Kanal bzw. dem Illinois River. Wer es nicht eilig hat, sollte die I-55 beim Exit 267 (Bolingbrook/Romeoville) verlassen, auf der Straße 53 Richtung **Lockport** fahren und den Kanal dort überqueren. In dem 9500 Einwohner großen Städtchen vermittelt das *Illinois and Michigan Canal Museum* (803 S. State St., ✆ 815-838-5080, geöffnet: tägl. 13–16.30 Uhr) einen Eindruck von der wirtschaftlichen Bedeutung des Kanals, auf dem während seiner 62jährigen ›Betriebszeit‹ rund 10 Mio. t Waren transportiert wurden.

In der 78 000 Einwohner zählenden Stadt Joliet am Des Plaines River biegt man auf die Straße 6 ab und folgt bis **Ottawa** dem Nordufer des Kanals. Der Ort wurde im Zusammenhang mit dem Bau des Kanals gegründet. Hauptsehenswürdigkeit ist das im Jahre 1855 erbaute *William Reddick Mansion* (100 W. Lafayette St.), ein herrschaftliches Anwesen im Ante-Bellum-Stil. Westlich von Ottawa liegt der *Buffalo Rock State Park* (an der Dee Bennett Road), in dem man die ungewöhnlichsten Kunstwerke der Region besichtigen kann. Nachdem zwischen 1934 und 1942 auf dem Areal Kohle im Tagebau geschürft worden war, verband man in der zweiten Hälfte der 80er Jahre die Rekultivierung der Flächen mit einer künstlerischen Landschaftsgestaltung wie sie schon von prähistorischen Indianern praktiziert wurde und legte das Gebiet in Form einer Wasserspinne, eines

Auf den Spuren von Abraham Lincoln

Frosches, einer Schildkröte und einer Schlange an.

Auf der Straße 71 wechselt man ans Südufer des Illinois River und erreicht den *Starved Rock State Park* mit einem etwa 40 m über dem Fluß liegenden Sandsteinfelsen. Dort baute der französische Entdecker La Salle im Jahre 1682 das *Fort St. Louis* auf, das schon 20 Jahre später aufgegeben wurde. Der Park erhielt seinen Namen von einer indianischen Legende, der zufolge auf dem Felsen einige Krieger verhungerten, nachdem sie sich dort vor Feinden verschanzt hatten.

Beim 125 000 Einwohner zählenden **Peoria** am Ufer des Illinois

Lincoln-Denkmal in New Salem

River entstand um 1691/92 das *Fort St. Louis II,* so daß die Stadt heute als älteste Siedlung des Staates Illinois gilt. Zwischen 1763 und 1778 wurde sie von den Briten, im Jahre 1781 für kurze Zeit von den Spaniern kontrolliert. Seit 1897 besitzt Peoria, das seinen Namen einem früher dort lebenden Indianerstamm verdankt, eine Universität. Vom 1837 errichteten, mit Originalmöbeln ausgestatteten *Flanagan House* (942 NE Glen Oak Ave., ✆ 309-674-1921, Besichtigung nach Absprache) dem ältesten Gebäude hoch über dem Flußufer, kann man das Tal des Illinois River überblicken. Ebenfalls sehenswert ist das *Pettengill-Morron House* (1212 W. Moss Ave., ✆ 309-674-1921) aus dem Jahre 1868. Das *Lakeview Museum of Arts and Culture* (1125 W. Lake Ave., ✆ 309-686-7000, Di–Sa 9–16, So 12–16 Uhr, Mo und feiertags geschlossen) bietet viele Exponate aus den Gebieten Kunst und Wissenschaft.

Im *Glen Oak Park* (Prospect Rd./McClure Ave.) gibt es einen Zoo (✆ 309-686-3364, tägl. 10 bis 15.30 Uhr) mit über 100 verschiedenen Tierarten sowie den George L. Luthy Memorial Botanical Garden (✆ 309-686-3362, tägl. 8 Uhr bis Sonnenuntergang, Gratiseintritt) mit saisonalen Ausstellungen. Etwa 10 Meilen westlich des Stadtzentrums befindet sich der *Wildlife Prairie Park* (Taylor Rd., ✆ 309-676-0998, im Sommer 9 bis 18.30, im Winter ab 10 Uhr) mit

einheimischen Tier- und Pflanzenarten.

ℹ️ **Information:** Convention & Visitors Bureau, 331 Fulton St., Suite
505, ☎ 309-676-0303 und 1-800-747-
0302

🛏️ **Unterkunft:** Fairfield Inn by Marriott, 4203 N. War Memorial Dr.,
☎ und Fax 309-686-7600, $; Holiday
Inn East, 401 N. Main St., East Peoria, ☎
309-699-7231, $$

🍴 **Restaurants:** River Station, 212
SW Water St., ☎ 309-676-7100,
$–$$, u. a. Fischspezialitäten; Stepha-
nie, 1825 N. Knoxville Ave., ☎ 309-
682-7300, $$, amerikanische und asia-
tische Gerichte

❗ **Touren:** Dinner-, Brunch- oder
Tanzfahrten mit der »Spirit of
Peoria« auf dem Illinois River, The Boat-
works, ☎ 309-673-2628 und 800-383-
2618

Fährt man von Peoria auf der
Straße 24 im Tal des Illinois River
nach Südwesten, erreicht man
nach 35 Meilen an der Straße
97/78 die **Dickson Mounds** (das
Gelände ist vom 1. 5. bis 1. 11.
von 8.30 Uhr bis Sonnenunter-
gang, sonst bis 17 Uhr geöffnet), ei-
ne Ansammlung von Überresten
prähistorischer Indianersiedlungen
und -grabhügel, die seit mehr als
50 Jahren erforscht werden. Das
Fulton County, in dem die Mounds
liegen, zählt mit über 3000 prähisto-
rischen Fundorten zu den reichsten
archäologischen Stätten der USA.

Das fruchtbare Tal des Illinois Ri-
ver durchstreiften schon vor etwa

10 000 Jahren eiszeitliche Jäger.
Bei den Dickson Mounds wurden
rund 8000 Jahre alte Speerspitzen
gefunden. Offensichtlich verur-
sachten Klimaveränderungen dann
auch einen Wandel der Lebenswei-
se der damaligen Bewohner, wie
sich anhand ihrer materiellen Kul-
tur erkennen läßt. Vor etwa 2000
Jahren wohnten sie bereits in Dör-
fern, Archäologen bezeichnen ihre
damalige Lebensform als Wood-
land-Kultur. In diese Ära gehört das
bei den Dickson Mounds entdeck-
te Dorf Ogden-Fettie, das mit mehr
als 30 Grabhügeln in Verbindung
steht.

Diese Hügel variieren sowohl in
Größe als auch Form. Die meisten
wurden kuppelförmig und nur et-
wa einen Meter hoch aufgeschüt-
tet, doch existieren auch Begräb-
nisstätten, die wie kleine Berge,
wie langgezogene Dämme oder
wie aus Erdreich gestaltete Tiere
aus der Landschaft herausragen.
Gewöhnlich wurden die Men-
schen sitzend bestattet, den Kopf
auf die angezogenen Knie gebettet,
wobei die Grabbeigaben meist aus
Werkzeugen und Schmuck bestan-
den. Bisweilen wurden Skelettreste
auch exhumiert und nachträglich
meist ohne Grabbeigaben in die
burial mounds eingebracht.

Zwischen 900 und 1300 zeich-
neten sich starke Veränderungen
im Leben der Indianer ab. Zu Be-
ginn dieser Periode lebten sie noch
als Jäger und Sammler in verstreu-
ten Siedlungen, am Ende des Zeit-
abschnitts betrieben sie Ackerbau

und wohnten in befestigten Städten. Im Museum (☎ 309-547-3721, tägl. 8.30–17 Uhr) läßt sich das Leben dieser Indianer anhand vieler Exponate nachvollziehen.

In Petersburg stößt man auf die westliche Schleife des **Illinois Lincoln Heritage Trail,** eine historische Route, die 1963 ausgewiesen wurde, um die Erinnerung an den 16. Präsidenten der USA, Abraham Lincoln, aufrechtzuerhalten. Geboren am 12. 2. 1809 in Hodgeville im Bundesstaat Kentucky, wuchs Lincoln im damaligen Grenzgebiet zum von Indianern bewohnten Westen in sehr bescheidenen Verhältnissen auf. Von 1831 bis 1837 lebte er im Dorf New Salem, wo er als Verkäufer und Postbeamter arbeitete und sich mit juristischen Studien und politischen Fragen beschäftigte.

Zwei Meilen außerhalb von Petersburg befindet sich heute **Lincoln's New Salem State Historic Site,** ein historisches Dorf, in dem vieles noch aussieht wie zu Lincolns Zeiten (☎ 217-632-4000, tägl. 9–17 Uhr). Von den ursprünglichen Häusern steht allerdings nur noch der Onstot Cooper Shop. Alle anderen Bauten sind originalgetreue Rekonstruktionen im Stil der 30er Jahre des 19. Jh. Trotzdem vermittelt dieses Blockhüttendorf einen lebhaften Eindruck der Geschichte der USA, zumal die Behausungen mit vielerlei originalen Gerätschaften ausgestattet und von Ortsansässigen in traditionellen Kostümen ›bewohnt‹ sind.

Im Jahre 1837 zog Abraham Lincoln in die heutige Hauptstadt des Staates Illinois, **Springfield,** um eine Anwaltskanzlei zu eröffnen. Dort heiratete er 1842 Mary Todd, ein Jahr später kaufte er das heute als *Lincoln Home National Historic Site* (8th und Jackson St., ☎ 217-492-4150, tägl. 8.30–17 Uhr) bekannte Anwesen. In der Nachbarschaft befindet sich das *Lincoln Home Visitor Center* (426 S. 7th St., ☎ 217-789-2357, tägl. 8.30–17 Uhr, Gratiseintritt), in dem man sich über Lincolns Jahre in Springfield informieren kann.

Es gibt einige weitere Gebäude aus der Mitte des 19. Jh. wie den Bahnhof *Lincoln Depot* (Monroe St., zwischen 9th und 10th Sts, ☎ 217-544-8695, Juni–Aug. tägl. 10 bis 16 Uhr) und die *First Presbyterian Church* (7th St./Ecke Capitol Ave., Mo–Fr 8.30–16 Uhr) mit der Kirchenbank der Familie Lincoln. Das einzige noch vorhandene Büro, in dem der 1860 zum Präsidenten Gewählte als Anwalt arbeitete, ist das 1840 erbaute *Lincoln-Herndorn Law Office* (6th St./Ecke Adams St., ☎ 217-785-7289, tägl. 9–17 Uhr, letzte Führung um 16 Uhr). Lincoln, der am 14. 4. 1865 während einer Vorstellung in Ford's Theater in Washington D.C. erschossen wurde, fand seine letzte Ruhestätte auf dem *Oak Ridge Cemetery* (1500 N. Monument Ave.), wo heute ein großes Monument mit Museum (☎ 217-782-2717, Mai–Okt. tägl. 8–20 Uhr, Nov.-April 8–17 Uhr) an ihn erinnert.

Im selben Jahr, in dem Abraham Lincoln nach Springfield zog, wurde die damals etwa 1500 Einwohner zählende Ortschaft zur Hauptstadt des Staates Illinois bestimmt. Das *State Capitol* (Second St./Capitol Ave., ✆ 217-782-2099, Führungen Mo–Fr 8–16 und Sa, So 9 bis 15.30 Uhr), äußerlich dem Regierungssitz in Washington D.C. nachempfunden, entstand allerdings erst Ende der 60er Jahre des 19. Jh. nach den Plänen des Chicagoer Architekten John C. Cochrane. Sehenswert ist auch das von dem berühmten Architekten Frank Lloyd Wright 1902 erbaute *Dana-Thomas House* (301 E. Lawrence Ave., ✆ 217-782-6776 und 217-785-0851), das an die frühen Entwürfe des Baumeisters erinnert. *Governor's Mansion* (5th und Jackson Sts, ✆ 217-782-2525, Führungen Di und Do 9.30–10.45 und 14–15.15 Uhr) mit schönem Mobiliar, antiken Exponaten und historischen Kunstwerken zählt zu den ältesten, ständig bewohnten Gouverneursresidenzen der USA (seit 1855).

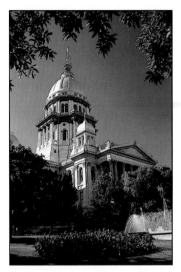

Das Kapitol in Springfield

Information: Springfield Convention & Visitors Bureau, 109 N. Seventh St., ✆ 217-789-2360 und 1-800-545-7300, Mo–Fr 8–17 Uhr

Unterkunft: Ramada Renaissance, 701 E. Adams St., ✆ 217-544-8800, Fax 217-544-9607, $$$; Holiday Inn-South, 625 E. St Joseph St., ✆ 217-529-7131, Fax 217-529-7160, $$; Super 8, 1330 S. Dirksen Pkwy, ✆ 217-529-8889, $; Sheraton Motor Inn, 3090 Adlai Stevenson Dr., ✆ 217-529-6611, Fax 217-529-6630, $$

Camping: Mr. Lincoln's Campground, 3045 Stanton Ave., März–Dez., ✆ 217-529-8206

Restaurants: Baur's, 620 S. First St., ✆ 217-789-4311, $$, Steaks, Hähnchen; Chesapeake Seafood House, 3045 Clear Lake Ave., ✆ 217-522-5220, $$, Fischgerichte

Museen: Illinois State Museum, Spring St./Edward St., ✆ 217-782-7386, Mo–Sa 8.30–17, So 12–17 Uhr, Exponate auf drei Stockwerken aus Geschichte, Archäologie und Kunst; Oliver P. Parks Telephone Museum, 529 S. Seventh St., ✆ 800-252-2871, Mo–Fr 9–16.30 Uhr, feiertags geschlossen, Geschichte des Telefons

Minneapolis-St. Paul

St. Paul

Minneapolis

Ausflug zur Mississippi-Quelle

Duluth und die Süßwasser-küste von Minnesota

Das Landmark Center in St. Paul

Zu den Twin Cities am Mississippi, zur Quelle des längsten Flusses der USA, in alte Holzfäller- und Pelztierjäger-Siedlungen, Besichtigung von Duluth, Fahrt entlang der Küste des Lake Superior

Minneapolis-St. Paul liegt zwar weit abseits jeder Meeresküste, besitzt aber dennoch einen Zugang in die weite Welt: den Mississippi River, der im Norden von Minnesota entspringt, mitten durch die Doppelstadt fließt und sie damit an die Weltmeere ›anbindet‹. In den Gründungsjahren hatte Minneapolis dem Strom viel zu verdanken: Er versorgte die Stadt mit jener Wasserkraft, die Sägemühlen in Betrieb setzte und Minneapolis zu einem der größten Zentren der Holzindustrie werden ließ. Heute bildet der Mississippi die ›Küste‹ der *Twin Cities* (Doppelstadt), wie die benachbarte Großstadt gerne genannt wird. Am Flußufer ziehen sich Parkanlagen und Marinas entlang, die ›vertuschen‹, daß die Metro Area weit abseits der Weltmeere im Zentrum des nordamerikanischen Kontinents liegt.

Minneapolis-St. Paul tauchen in der Regel als untrennbare Zwillinge auf, und dennoch sind sie offenkundig unterschiedlich. Minneapolis ist mit etwa 370 000 Einwohnern der größere Teil und gibt sich seiner Struktur und seinem Erscheinungsbild nach eher geschäftsmäßig und architektonisch modern. Die Staatshauptstadt St. Paul mit 260 000 Einwohnern ist eher durch ihre historischen Bauten gekennzeichnet.

Stadtgeschichte

In Minnesota, dem ›Land der 10 000 Seen‹, lebten Indianer vermutlich schon vor rund 5 000 Jahren. Die zahlreichen Gewässer schätzten sie nicht nur als reiche Fischgründe, sondern auch als Transport- und Handelswege. Beherrschender Stamm waren im 17. Jh. die Dakota (Sioux), als die ersten französischen Entdecker in das Gebiet westlich des Lake Superior vordrangen. Ein zweiter Stamm, die Ojibwa (Chippewa), lebte eher im Norden entlang der heutigen kanadischen Grenze sowie in der Grenzregion zu Wisconsin im Osten.

Die erste französische Expedition führte Daniel Greysolon 1679/80 ins heutige Minnesota. Sein Auftrag bestand darin, einen Weg zum Pazifischen Ozean durch den nordamerikanischen Kontinent zu finden. Um dieselbe Zeit wurde der französische Entdecker Robert Cavelier, Sieur de La Salle, zusammen mit dem Franziskanerpater

Louis Hennepin von den Dakota-Indianern gefangengenommen. Damals bekam Hennepin wahrscheinlich als erster Weißer die später St. Anthony Falls genannten Stromschnellen am Mississippi River zu Gesicht, wo sich heute die Großstadt Minneapolis ausdehnt. Aber dieses Gebiet blieb noch rund 150 Jahre lang Indianerland, ehe die Regierung in Washington nach Verträgen mit Häuptlingen 1837 zunächst das Ostufer, 15 Jahre später auch das Westufer des Mississippi für die Besiedlung freigab.

Um den amerikanischen Anspruch auf die Gegend nachdrücklich zu verdeutlichen, war an der Mündung des Minnesota River in den Mississippi schon 1819 Fort Snelling aufgebaut worden. Das dort stationierte Fünfte Infanterieregiment legte am Fluß die ersten Sägemühlen an und baute einen Siedlungskern auf, aus dem sich allmählich das Dorf St. Anthony entwickelte. Seit 1950 wurde die Befestigungsanlage wiederaufgebaut, die zur Besichtigung offensteht (Hwy 5 und 55, St. Paul, ☎ 612-726-1171, Mai–Okt. tägl. 10 bis 17 Uhr; History Center tägl. 10–17 Uhr). Den Sommer über leisten dort Freiwillige in historischen Uniformen Dienst.

Im Laufe der Zeit entstand eine Siedlung namens St. Anthony auf der östlichen Flußseite, während am Westufer das Dorf Minneapolis gegründet wurde, wobei der Name sich aus *Minne,* der Bezeichnung der Dakota für Wasser, und dem

Blick auf Minneapolis

griechischen *Polis* ableitet. Eine Hängebrücke verband die beiden Siedlungen dort, wo heute an der Hennepin Avenue ebenfalls eine Hängebrücke den Fluß überspannt.

In den 70er Jahren des 19. Jh. hatte das rasch wachsende Minneapolis St. Anthony bereits eingemeindet. Die Holzindustrie entwickelte sich immer mehr zum wirtschaftlichen Standbein der Stadt, die gänzlich aus Holz gebaut wurde und sich damit selbst der beste Auftraggeber war. Der Anschluß an die transkontinentale Eisenbahn in den 60er Jahren sowie der Bau des ersten hydroelektrischen Werks 1882 taten ein übriges, um die Gemeinde innerhalb kurzer Zeit in einen geschäftigen Industriestandort zu verwandeln.

Die Nachbarstadt St. Paul wuchs etwa um dieselbe Zeit als ein ›Ableger‹ von Fort Snelling. Der französische Geistliche Lucien Galtier baute in der Blockhaussiedlung 1841 eine dem hl. Paulus geweihte Kapelle, von welcher der Name St. Paul auf die Stadt überging. Im Jahre 1858 trat Minnesota als Bundesstaat den USA bei, St. Paul wurde zur Hauptstadt ernannt. Damals schwoll der Einwandererstrom aus Europa stark an, dessen Weg in die *Twin Cities* den Eisenbahnbau erleichterte. St. Paul wurde in diesen Jahrzehnten zu einem wichtigen Eisenbahnknotenpunkt.

Nach langen Jahren der wirtschaftlichen Talfahrt und des sozialen Niedergangs begann in der Doppelstadt Ende der 70er Jahre eine Ära der Erneuerung. Seither entstand ein in den USA einmaliges Skywalk-System, Amerikas längstes Netz an überdachten und klimatisierten Fußgängerpassagen, die rund 6 km weit durch Downtown St. Paul führen und im Zentrum von Minneapolis ungefähr 33 Straßenblocks miteinander verbinden. Heute hat Minneapolis-St. Paul seinen Ruf als Industrie- und Geschäftszentrum sowie als Hort der Kultur gefestigt.

St. Paul

Den besten Blick auf das Stadtzentrum von St. Paul hat man vom Südufer des Mississippi River. Man überquert den Fluß auf der Wabasha Bridge und fährt dann auf **Harriet Island** (1) an das Ufer bei **Padelford Landing** (2), wo zahlreiche Boote und Schiffe vor Anker liegen. Von dort kann man Ausflugsfahrten auf dem Mississippi unternehmen.

Downtown St. Paul erstreckt sich nordwestlich des Mississippi River bis zum State Capitol und ist im Westen vom Kellogg Boulevard und im Osten vom Lafayette Freeway flankiert. Die **City Hall** (3, Fourth St. zwischen St. Peter und Wabasha Sts, ✆ 612-298-4012, Mo–Fr 8.30–16.30 Uhr) befindet sich ebenso wie das Ramsey County Courthouse im selben, Anfang der 30er Jahre errichteten 20stöckigen Gebäude, das im Innern im Art déco-Stil ausgestaltet ist. Eindrucksvoll ist die mit Marmor und Blattgoldarbeiten dekorierte Lobby, die den Namen Memorial Hall trägt (Eingang an der 4th St.). Eine Sehenswürdigkeit für sich ist der 60 t schwere und über 10 m hohe, ›Indian God of Peace‹ des schwedischen Bildhauers Carl Milles, die größte, aus weißem Onyx gearbeitete Skulptur der Welt.

Das **Minnesota Museum of Art** (4, Jemne Building, 305 St. Peter St./Ecke Kellogg Blvd., ✆ 612-292-4355, Di, Mi, Fr 10.30–16.30, Do 10.30–19.30, So 11.30–16.30 Uhr, Mo und feiertags geschlossen, Gratiseintritt) ist ein schönes Beispiel für die Art déco-Architektur der 30er Jahre. Gezeigt werden neben zahlreichen wechselnden Aus-

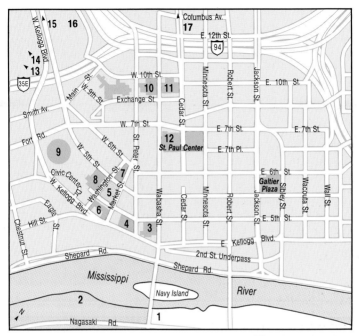

St. Paul 1 Harriet Island 2 Padelford Landing 3 City Hall/Ramsey County Courthouse 4 Minnesota Museum of Art 5 Rice Park 6 St. Paul Public Library 7 Landmark Center 8 Ordway Music Theater 9 Civic Center 10 Science Museum of Minnesota 11 World Theater 12 World Trade Center 13 Cathedral of St. Paul 14 James J. Hill House 15 Governor's Residence 16 Minnesota History Center 17 Minnesota State Capitol

stellungen asiatische Kunst und amerikanische Werke des 19. und 20. Jh. Auf der Fourth Street gelangt man in westlicher Richtung zum **Rice Park** (5), der schon um die Mitte des vergangenen Jahrhunderts angelegt wurde und wohl wegen der ihn umgebenden historischen Gebäude bei Einheimischen wie Fremden ein beliebter Platz

zum Ausspannen ist. Südlich des Parks befindet sich die **St. Paul Public Library** (6, Mo–Fr 9–18, Sa 9–16 Uhr) aus dem Jahre 1916.

Blickt man über die 5th Street nach Norden, hat man eines der sehenswertesten Gebäude von St. Paul vor sich, das **Landmark Center** (7, 75 W. 5th St., ✆ 612-292-3225, Mo–Mi, Fr 8–17, Do 8–20,

Sa 10–17, So 13–17 Uhr, Gratiseintritt), das zwischen 1892 und 1902 im neo-romanischen Stil erbaut wurde und mit seinem Hauptturm sowie den kleinen, dekorativen Spitztürmchen auf Höhe des Dachgeschosses einen burgartigen Charakter besitzt. Hier befanden sich früher die Räumlichkeiten des Bundesgerichts, vor dem in den 30er Jahren einige Gangsterprozesse stattfanden. Heute ist in Teilen eine ›Filiale‹ des Minnesota Museum of Art untergebracht (Di–Sa 10–17, So 13–17 Uhr, Mo und feiertags geschlossen).

In einem der bekanntesten Theater der Stadt, dem westlich vom Rice Park gelegenen **Ordway Music Theater** (8, 345 S. Washington St., ✆ 612-224-4222), sind sowohl das St. Paul Chamber Orchestra als auch die Minnesota Opera beheimatet. Dort finden ganzjährig viele Musik- und Theaterveranstaltungen statt. Hinter dem Theater liegt das Gebäude-Ensemble des **Civic Center** (9).

Das **Science Museum of Minnesota** (10, 30 W. 10th St., ✆ 612-221-9488, Mo–Sa 9.30–21, So 11–21 Uhr, Mo sowie Anfang Sept. bis Ostern geschlossen) beschäftigt sich mit Naturgeschichte, Biologie, Archäologie, Geographie, Paläonthologie und Technologie. Das Omnitheater bietet 300 Gästen für Filmvorführungen auf einer Großleinwand Platz. In der Nachbarschaft liegt das **World Theater** (11, 10 E. Exchange, St., ✆ 612-290-1200), das 1910 erbaute und damit älteste Theater der Stadt, in dem

Blick über Padelford Landing auf St. Paul

man unterschiedliche kulturelle Veranstaltungen besuchen kann. Geht man die Cedar Street Richtung Süden, gelangt man zum 36stöckigen **World Trade Center** (12, im Block zwischen Cedar und Wabasha Streets) aus dem Jahre 1987, in dessen unteren Etagen sich das große Einkaufszentrum Saint Paul Center befindet, während in den oberen Stockwerken Büros untergebracht sind.

Im Westen von Downtown liegt die bekannteste Kirche von St. Paul, die römisch-katholische **Cathedral of St. Paul** (13, 239 Selby Ave., ✆ 612-228-1766, tägl. 6–18

Uhr), deren massiver Granitbau in den ersten beiden Dekaden des 20. Jh. fast zehn Jahre in Anspruch nahm und als deren bauliches Vorbild der Petersdom in Rom diente. Unweit der Kirche verläuft mit der Summit Avenue eine von hohen Bäumen gesäumte Straße, die um die Jahrhundertwende als Millionärsmeile bekannt war. Von der alten Pracht zeugen heute noch einige Colleges und herrschaftliche Gebäude wie etwa das **James J. Hill House** (14, 240 Summit Ave., ✆ 612-297-2555, Führungen Mi, Do, Sa 10–15.30 Uhr), das sich der Eisenbahnpionier James Hill Anfang der 90er Jahre des 19. Jh. aus rotem Sandstein im neo-romanischen Stil bauen ließ. Ein weiteres schönes Anwesen ist die **Gover-**

nor's Residence (15, 1006 Summit Ave., ✆ 612-297-2161, Führungen nur nach telefonischer Voranmeldung), die offizielle Residenz des Gouverneurs des Bundesstaates Minnesota.

Im sogenannten ›Cultural Corridor‹ liegt das 70 Millionen Dollar-Projekt **Minnesota History Center** (16, 345 Kellogg Blvd. W., ✆ 612-296-1430, Di–Sa 10–17, Do bis 21 Uhr, So 12–17 Uhr, Eintritt gratis), das den kulturellen Sehenswürdigkeiten der Stadt noch drei Galerien und ein Theater hinzufügte.

Auch das 1905 vollendete **Minnesota State Capitol** (17, Aurora und Constitution Aves, ✆ 612-296-2881, Mo–Fr 9–17, Sa 10–16, So 13–16 Uhr, kostenlose Führungen) hat einen Besuch verdient. Beim Bau nach den Plänen des Architekten Cass Gilbert wurden mehr als 20 unterschiedliche Marmorarten verwendet. Die von Daniel Chester French und Edward Potter geschaffene Skulpturengruppe »The Progress of the State« (Der Fortschritt des Staates) vor dem Eingang stellt einen Wagen dar, den vier Pferde ziehen, die wiederum von zwei Frauen und einem Mann geführt werden – im Galopp der neuen Zeit entgegen.

ℹ️ Information in St. Paul: Minnesota Travel Information Center, 375 Jackson St., 250 Skyway Level, ✆ 800-657-3700, Fax 612-296-7095; St. Paul Convention & Visitors Bureau, 101 Norwest Center, 55 East Fifth St., ✆ 612-297-6985; telefonische Anfragen über die Doppelstadt Mo–Fr 8–17 Uhr unter ✆ 612-296-5029 und 800-657-3700

🛏 **Unterkunft:** Civic Center Inn, 175 W. 7th St., ✆ 612-292-8929, $$; Howard Johnson, 1201 W. County Rd., ✆ 612-636-4123, $$; Ramada, 1870 Old Hudson Rd., ✆ 612-642-1234, $$; Radisson, 11 E. Kellogg Blvd., ✆ 612-292-1900, $$$; St. Paul, 350 Market St., ✆ 612-292-9292, $$$$

⛺ **Camping:** Fish Lake Acres, 3000 210th St. E., Prior Lake, ✆ 612-492-2251, am Fish Lake, Mai–Okt.; Baker Park Reserve Campground, 3800 County Rd. 24, Maple Plain, ✆ 612-559-6700, Mai–Mitte Okt.; Lowry Grove Campground, 2501 Lowry Ave. NE, Minneapolis, ✆ 612-781-3148, keine Zelte, nur Campmobile, April–Okt.; St. Paul East KOA, 568 Cottage Grove Dr., St. Paul, ✆ 612-436-6436, Mitte April–Ende Okt.

🍴 **Restaurants:** Rudolph's Bar-B-Que, Galtier Plaza, 366 Jackson St., ✆ 612-222-2226, Photos prominenter Gäste, welche die Rippchenspezialitäten probierten, zieren die Wände, $$; Sawatdee, 289 Fifth St. E., ✆ 612-222-5859, gepfefferte Thai-Gerichte, $$; Leeann Chin Union Depot, 214 Fourth St. E., ✆ 612-224-8814, breite Palette asiatischer Spezialitäten, $$

❗ **Touren:** Airport Express, ✆ 612-827-7777, Besichtigungstouren durch die Doppelstadt

✈🚌 **Verkehrsverbindungen:** Der Minneapolis-St. Paul International Airport zählt zu den großen Drehscheiben des nationalen Luftverkehrs im Mittleren Westen. Die Doppelstadt liegt auch an der Bahnstrecke von Chicago nach Seattle bzw. Portland

Minneapolis

Minneapolis hat sich im Mittleren Westen der USA nicht nur als ein kulturelles Zentrum, sondern auch als grüne Oase einen Namen gemacht. Innerhalb der Stadtgrenzen liegen 22 Seen und zahlreiche Parks, die durch etwa 60 km befestigte Wander- und Radwege miteinander verbunden sind und zusammen das Parkway System bilden.

Das Zentrum von Minneapolis erstreckt sich nördlich etwa der 16th Street bis zum Mississippi und von der I-94 im Westen bis zur I-35W im Osten. Als Ausgangspunkt für eine Tour durch Downtown kann man die **Greater Minneapolis Convention Center & Visitors Authority** (1, 1219 Marquette Ave., ✆ 612-348-4313) wählen, wo es Informationsmaterial über die Stadt und ihre Umgebung gibt. Südlich schließt sich das **Minneapolis Convention Center** (2) an. Weiter Richtung Norden kommt man auf der Nicollet Mall zur **Orchestra Hall** (3, 1111 Nicollet Mall, ✆ 612-371-5656), wo das Minnesota Orchestra zuhause ist und ganzjährig Konzerte mit klassischer Musik oder Jazz-, Pop- und Country-Veranstaltungen stattfinden. Gleich um die Ecke liegt die auf mehreren Ebenen gestaltete **Peavy Park Plaza,** in deren Mitte ein Brunnen steht (4).

Die zwölf Blocks lange **Nicollet Mall** (5), 1968 als verkehrsberuhigte Shopping-Meile angelegt, ist heute die bekannteste Einkaufsstraße der Stadt mit Einkaufszentren, Spezialitätengeschäften, Restaurants und den ›wetterfesten‹ Skywalk-Passagen, die Verbindungen zwischen den einzelnen Blöcken herstellen. Geht man die Mall entlang Richtung Norden, folgt im Block zwischen 8th und 7th Street das 1973 erbaute **IDS** **Center** (6), das mit seinen 57 Stockwerken noch immer das höchste Gebäude der Doppelstadt ist. Im 50. Stockwerk gibt es ein Restaurant. Nur geringfügig niedriger ist das 1988 aus Glas und Stein errichtete **Northwest Center** (7, im Block zwischen 7th und 6th Sts), bei dessen Planung amerikanische Hochhäuser der Art déco-Ära Mo-

---

Minneapolis 1 Greater Minneapolis Convention Center & Visitors Authority 2 Minneapolis Convention Center 3 Orchestra Hall 4 Peavy Park Plaza 5 Nicollet Mall 6 IDS Center 7 Northwest Center 8 Dain Tower 9 City Hall 10 St. Anthony Falls 11 Mississippi Mile 12 Stone Arch Bridge 13 Nicollet Island 14 Warehouse District 15 Guthrie Theater, Walker Art Center, Sculpture Garden

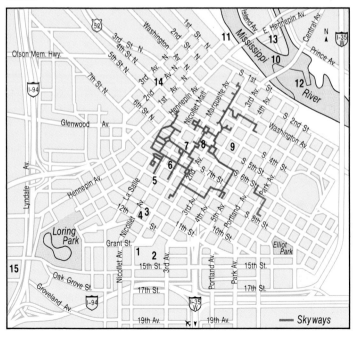

Die Skyline von Minneapolis

dell standen. Schräg gegenüber steht mit dem **Dain Tower** (8, zwischen 6th und 5th Sts) ein 27 Etagen hoher Wolkenkratzer aus dem Jahre 1929 in Art déco-Bauweise. Auf der 5th Street erreicht man an der Ecke 3rd Avenue die aus dem Jahre 1905 stammende **City Hall** mit neo-romanischen Architekturelementen (9).

Vom Rathaus führt die 3rd Avenue Richtung Norden direkt zu den **St. Anthony Falls** am Mississippi River (10), wo vor mehr als 300 Jahren das Fundament für den Aufbau der Stadt gelegt wurde. Die Fälle sind durch verschiedene Bau-

maßnahmen längst ›entschärft‹ und wohl kaum mehr mit dem vergleichbar, was Pater Hennepin 1679/80 erstmals sah. Rechts der Central Avenue-Brücke können Schiffe die Wasserfälle durch eine Schleuse passieren, die einen Höhenunterschied von etwa 15 m überwinden hilft. Am nördlichen Ende der Portland Avenue gibt es gleich neben der Schleuse ein Besucherzentrum mit einer Aussichtsplattform (✆ 612-332-3660, 1. 4.-1. 12.).

Von der I-35W im Osten bis zur Plymouth Avenue im Westen führen sechs Brücken über den Mississippi. Die Flußlandschaft, auf diesem Abschnitt unter dem Namen **Mississippi Mile** bekannt (11), ist bei den Einwohnern von

Minneapolis als Einkaufs- und Freizeitoase beliebt. Rechts der Schleuse sieht man die **Stone Arch Bridge** den Fluß überspannen (12), die wegen ihrer Architektur aus steinernen Bogen so genannt wird. Weiter flußaufwärts folgt die Brücke an der Central Avenue, die nach St. Anthony hinüberführt. Danach stellen zwei Brücken eine Verbindung quer über **Nicollet Island** (13) ans andere Ufer her – die Hängebrücke an der Hennepin Avenue sowie die weiter westlich liegende Eisenbahnbrücke.

Ein Ziel für Gourmets und Nachtschwärmer ist das alte Lagerhausviertel **Warehouse District** (14, zwischen First und Third Ave. N. sowie First und Sixth St.). In den zahlreichen Backsteingebäuden sind teilweise Restaurants und Nachtbars eingerichtet, einige der Häuser dienen als Warendepot.

Ein weiteres lohnendes Besucherziel liegt im Südwesten der City an der I-94. Das **Guthrie Theater** (15, 725 Vineland Pl., ✆ 612-377-2224) besitzt ebenso landesweite Reputation wie das benachbarte **Walker Art Center** (Hennepin Ave./Vineland Pl., ✆ 612-375-7600, Di–Sa 10–18, So 11–17 Uhr) mit Exponaten zeitgenössischer Malerei, Skulpturen, Zeichnungen, Photographien und Drucken. Vom hervorragenden Walker Art Center gelangt man direkt in den ebenso sehenswerten **Sculpture Garden** mit der größten amerikanischen Freiluftausstellung an Skulpturen und Kunstwerken.

Südlich von Minneapolis liegt das etwa 90 000 Einwohner zählende **Bloomington,** die drittgrößte Stadt von Minnesota, auf deren Gebiet der Minneapolis/St. Paul International Airport liegt. Jüngste Attraktion in Bloomington ist die Mall of America (I-494 und Hwy 77), das größte Einkaufszentrum der Vereinigten Staaten mit acht integrierten Kaufhäusern und rund 600 Einzelhandelsgeschäften, Restaurants und Freizeiteinrichtungen.

Information: Greater Minneapolis Convention & Visitors Authority, 1219 Marquette Ave., ✆ 612-348-4313, Fax 612-348-8359

Unterkunft: Boulevard, 5637 Lyndale Ave. S., ✆ 612-861-6011, $; Days Inn, 2407 University Ave. SE., ✆ 612-623-3999, $$; Best Western Golden Valley House, 4820 Olson Memorial Hwy, ✆ 612-588-0511, $–$$; Exel Inn, 2701 E. 78th St., ✆ 612-854-7200, Flughafennähe, $–$$; Marriott City Center, 30 S. 7th St., ✆ 612-349-4000, $$$; Whitney, 150 Portland Ave., ✆ 612-339-9300, Fax 612-339-1333, $$$

Restaurants: Murray's, 26 6th St., ✆ 612-339-0909, elegantes Restaurant, bekannt für seine butterzarten Steaks, nachmittags wird Tee serviert, $$$; The Anchorage Restaurant, Metrodome Hilton, 1330 Industrial Blvd., ✆ 612-379-4444, bestes Fisch- und Meeresfrüchtelokal der Stadt, $$$; Anthony's Wharf, St. Anthony Main, 201 Main St. SE, ✆ 612-378-7058, Fischrestaurant mit Blick auf den Mississippi und die City, $$; Manny's Steakhouse,

Hyatt Regency-Anlage, 1300 Nicollet Mall, ☎ 612-339-9900, fabelhafte Steaks, Rippchen und Fischgerichte

Ausflug zur Mississippi-Quelle

Minnesota grenzt nicht nur an den riesigen Lake Superior, sondern besitzt auch mehr als 10 000 weitere Seen. Davon abgesehen liegt im Staat das Quellgebiet des Mississippi River, der zu den größten Strömen der Erde zählt. Nur der Amazonas und der Zaire (früher Kongo) besitzen größere Einzugsgebiete. Rechnet man den Hauptzufluß, den Missouri, mit ein, bildet der Mississippi mit einer Länge von etwa 8000 km bei weitem das größte Flußsystem der Erde. Der Strom entspringt im Lake Itasca etwa 220 Meilen nordwestlich von St. Paul, wo die schiffbare Strecke endet, und mündet bei New Orleans im Bundesstaat Louisiana in den Golf von Mexiko.

Die Fremdenverkehrsplaner von Minnesota haben dem großen Strom der USA mit der Great River Road eine Besichtigungsroute gewidmet, die dem Fluß auf seiner ganzen Reise über das Territorium des Staates folgt. Eine interessante Teilstrecke bildet der Abschnitt von Minneapolis-St. Paul bis zu dem Quellgebiet, auf dem man nicht nur viele lohnende Ausblicke auf den ›Vater aller Gewässer‹ finden, sondern sich auch mit der Geschichte des Stroms und den dort in früheren Zeiten angesiedelten Indianerkulturen vertraut machen kann. Für die 450 km lange Tour benötigt man etwa zwei Tage.

Man verläßt Minneapolis auf der Straße 10 (West River Road), die am westlichen Ufer des Flusses entlangführt, und kommt zum Coon Rapids Dam Park. Dort befindet sich ein Wasserkraftwerk mit einem Aussichtsdeck, von dem man den Mississippi überblickt. Erster größerer Ort ist, 67 Meilen von Minneapolis entfernt, **St. Cloud** mit rund 43 000 Einwohnern, dessen Granitsteinbrüche das Baumaterial für viele Gebäude in den USA lieferten. Einige schöne Parks verleihen der Stadt ein freundliches Bild. Vom *Hester Park* (6th Ave. N.) überblickt man den Mississippi River. Wer sich für Geschichte und Wirtschaft von Zentral-Minnesota interessiert, sollte dem *Stearns County Heritage Center* (235 S. 33rd Ave., ☎ 612-253-8424, tägl. 10–16 Uhr, Sept.–Mai Mo und feiertags geschlossen) einen Besuch abstatten, wo man einen nachgebauten Granitsteinbruch besichtigen kann. Eine weitere Museumsanlage gibt es in der 1869 gegründeten *St. Cloud State University* (Fourth Ave. S.), in der naturgeschichtliche, anthropologische und historische Ausstellungen sowie Kunstsammlungen präsentiert werden. An der am Mississippi-Ufer

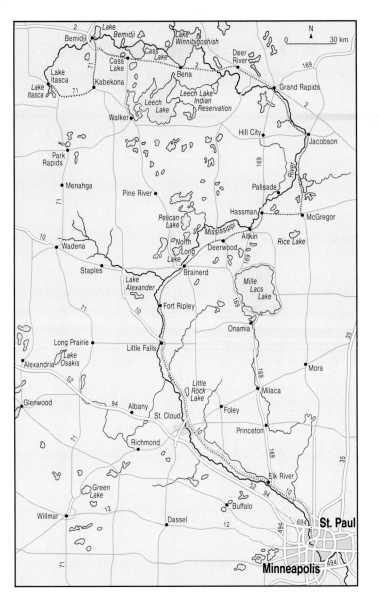

Auf der Suche nach der Mississippi-Quelle

In der Entdeckungsgeschichte spielte die Suche nach den Quellen großer Flüsse wie jener des Nil, des Niger oder des Ganges eine herausragende Rolle. Nicht selten haben Forschungsreisende und Abenteurer derartigen Unternehmen Jahre geopfert und manchmal ihr wissenschaftliches Interesse oder ihre Neugierde gar mit dem Leben bezahlt.

Der erste Europäer, der den von den Indianern Messipi (Vater der Gewässer) genannten Riesenstrom Mississippi zu Gesicht bekam, war der Spanier Hernando de Soto, der in den 30er Jahren des 16. Jh. auf der Spur der legendären Sieben Goldenen Städte von Cibola in Florida gelandet war und nach Jahren erfolgloser Suche über den Unterlauf des Mississippi mit seinen Mannen den Rückzug antrat, wo er sein nasses Grab fand. Mehr als ein Jahrhundert später tasteten sich französische Entdecker über die Großen Seen Richtung Westen vor. Louis Jolliet und der Jesuitenmissionar Jacques Marquette lernten damals ebenfalls den Unterlauf des Stroms kennen, ehe René Robert Cavelier, Sieur de la Salle, im Jahre 1682 das Mündungsgebiet beim heutigen New Orleans erreichte und die Region für seinen König Ludwig XIV. unter dem Namen Louisiana in Besitz nahm.

Schon zwei Jahre zuvor fuhr der in Belgien geborene Franziskanerpater Louis Hennepin den Mississippi stromaufwärts, geriet dort in die Hände der Dakota-Indianer und kehrte erst ein Jahr später nach seiner Befreiung durch D. G. du Luth nach Europa zurück, wo er seine Erlebnisse in dramatisierter Fassung veröffentlichte.

Danach vergingen Jahrzehnte, ehe der Brite Jonathan Carver im Jahre 1766 von Connecticut zum oberen Mississippi aufbrach, um dort, wie er meinte, das Kernland einer zukünftigen britischen Kolonie zu kartographien. Carver war davon überzeugt, daß der Lake Pepin im südlichen Minnesota die eigentliche Quellregion des großen amerikanischen Stroms sei, während kurz vor der Wende zum 19. Jh. der britische Vermesser David Thompson den Turtle Lake als Quelle ausmachte.

Nach dem Kauf von Louisiana im Jahre 1803 von Frankreich begannen sich auch die USA für die Mississippi-Quelle zu interessieren. Der Nachschuboffizier Zebulon Montgomery Pike wurde 1805 mit einer

Der Lake Itasca, die Quelle des Mississippi

Expedition betraut, um die Frage nach der Quelle ein für allemal zu beantworten. Anfang 1806 erreichte seine kleine Truppe den Leech Lake in Minnesota, und Pike erklärte dieses Gewässer zum Ursprung des Mississippi. Im Jahre 1823 wollte der Italiener Giacomo Costantino Beltrami mit einer Entdeckungsreise im Alleingang an die Seite seiner großen Landsleute Marco Polo und Kolumbus treten – doch auch er scheiterte.

Die tatsächliche Entdeckung der Quellregion gelang 1832 schließlich dem Mineralogen Henry Rowe Schoolcraft (1793–1864), der eine Regierungsexpedition nach Minnesota leitete und sich am Cass Lake der Führung eines Ojibwa-Indianers namens Oza Windib anvertraute. Dieser leitete Schoolcraft zu dessen Überraschung nicht weiter nach Norden, sondern vom Cass Lake nach Süden zum heutigen Lake Itasca, dem Quellsee des großen Mississippi, der – wie es der Schriftsteller T. S. Eliot formulierte – weder einen Anfang noch ein Ende hat, weil er am Anfang noch kein Fluß und am Ende kein Fluß mehr ist.

gelegenen Universität sind rund 17 000 Studenten eingeschrieben.

Der berühmteste Bürger der 7200 Einwohner zählenden Kleinstadt **Little Falls** war der Luftfahrtpionier Charles Lindbergh, der dort am 4. 2. 1902 geboren wurde und seine Kindheit teilweise am Ufer des Mississippi verbrachte, wo sein Vater 1906 ein Sommerhaus bauen ließ. Das *Charles A. Lindbergh House* (im Lindbergh State Park, zwei Meilen südlich von Little Falls, Lindbergh Dr./Rt. 3, ✆ 612-632-3154, 1. 5.–Anfang Sept. tägl. 10–16 Uhr, sonst Sa 10–16 und So 12–16 Uhr), ein einfaches, auf einem Steinfundament errichtetes Holzhaus, wurde von Souvenirjägern geplündert, ehe die Familie es der Minnesota Historical Society zur Restaurierung überließ. In der Nachbarschaft wurde in den 70er Jahren ein modernes Besucherzentrum errichtet, das an den Alleinflug von Charles Lindbergh am 20./21. 5. 1927 mit der »Spirit of St. Louis« von New York ins 6000 km entfernte Paris erinnert.

Auf dem weiteren Weg nach Norden führt die Great River Road am Camp Ripley vorbei, wo sich der zweitälteste Militärposten von Minnesota befindet. Die Anlage ist der Öffentlichkeit nicht zugänglich, da das Areal als Ausbildungszentrum für die amerikanische Nationalgarde dient. Dort, wo der aus dem Westen kommende Crow Wing River in den Mississippi mündet, liegt der **Crow Wing State Park** (7100 State Park Rd. SW, ✆ 218-829-8022) an jener Stelle, an der sich früher das Crow Wing Village befand. In dem zunächst von Indianern, später von weißen Siedlern bewohnten Dorf kann man heute noch auf dem historischen Red River Ox Cart Trail an den Überbleibseln einer verfallenen Ortschaft vorbeiwandern.

Nach weiteren 9 Meilen erreicht man die Kleinstadt **Brainerd,** die sich selbst gern als Heimatstadt des legendären Holzfällers Paul Bunyan bezeichnet, der in den USA so bekannt ist wie Rübezahl in Deutschland. Auch heute noch ist der Ort durch zahlreiche holzverarbeitende Betriebe gekennzeichnet. An die große Zeit der Holzfällerei erinnert *Lumbertown USA* (an der Pine Beach Rd. nordwestlich von Brainerd, ✆ 218-829-8872, Mitte Mai–Mitte Sept. tägl. 9.30 bis 17.30 Uhr), ein aus etwa 30 historischen Bauwerken bestehendes Freilichtmuseum, das Besucher ins 19. Jh. zurückversetzt. Man kann dort auch mit einer historischen Dampflok oder mit Booten fahren. Einen Blick in die Geschichte der früher einmal stark bewaldeten und von Chippewa- und Ojibwa-Indianern durchstreiften Region gibt auch das *Crow Wing County Historical Museum* (320 Laurel St. beim Court House, ✆ 218-829-3268, 1. Mai–Anfang Sept. Mo–Fr 10–17 Uhr). Dort erfährt man interessante Details über die Holz- und Eisenbahnvergangenheit der Stadt. In jüngerer Zeit hat sie eher als Urlauberzentrum von sich reden

Restaurant bei Grand Rapids

gemacht; denn in einem Umkreis von etwa 40 km liegen 464 Seen sowie zahlreiche Hotel- und Ferienanlagen.

Grand Rapids verdankt seine Entstehung den einst riesigen Wäldern im nördlichen Minnesota, die im 19. Jh. zum bedeutendsten Rohstoff der Region wurden, sowie dem Mississippi, der als Verkehrsverbindung den Transport von Holz wie auch von verarbeitenden Produkten ermöglichte. Neben Holz spielte auch Eisenerz eine Rolle, das aus der östlich gelegenen Mesabi Range nach Grand Rapids gebracht und dort aufgearbeitet wurde. Noch heute dominieren diese beiden traditionellen Ressourcen die Ökonomie des etwa 8000 Einwohner zählenden Orts. Im ehemaligen Gebäude der *Central School* (10 NW Fifth St., ☎

218-326-6431, Mo–Sa 9–17 Uhr) sind historische Sammlungen untergebracht sowie das Judy Garland-Museum, das mit vielen Memorabilien an die aus Grand Rapids stammende Schauspielerin und Mutter des Bühnen- und Leinwandstars Liza Minelli erinnert.

Eine besondere Sehenswürdigkeit ist das *Forest History Center* (☎ 218-327-4482, 15. 5.–15. 10. tägl. 10–17 Uhr) 3 Meilen außerhalb der Stadt im Südwesten, erreichbar über die Straße 169, das als Holzfäller-Camp im Stil des 19. Jh. aufgebaut ist und von Freiwilligen der Minnesota Historical Society in für die damalige Zeit typischer Kleidung betrieben wird.

Westlich von Grand Rapids wird die Great River Road eher zu einer ›Seestraße‹, weil sie auf diesem Abschnitt zahlreiche Seen wie den Ball Club Lake, den großen Lake Winnibigoshish und den Leech Lake sowie den Cass Lake berührt.

Dort liegt die **Leech Lake Indian Reservation,** in der viele Traditionen und Bräuche der Chippewa-Indianer die Zeiten überdauert haben. Wer sich für die Indianerkulturen interessiert, legt seinen Besuch am besten auf den Labor Day (erster Montag im September), wenn in Cass Lake alljährlich ein großes Powwow (Indianerfest) mit Tänzen und Paraden stattfindet. Auf dieser Seen-Tour lohnt sich ein Halt im **Schoolcraft State Park** (zwischen Grand Rapids und Ball Club Lake). Der nach dem Entdecker des Mississippi-Quellgebiets, Henry R. Schoolcraft (1793 bis 1864), benannte Park bedeckt eine Fläche, auf der die Indianer früher wilden Reis ernteten. Heutigen Besuchern erlaubt der Park einen schönen Blick auf den Mississippi River.

Das etwa 11 000 Einwohner zählende **Bemidji** führt seine Gründung wie viele andere Ortschaften des nördlichen Minnesota auf die Holzindustrie des 19. Jh. zurück. Ein beliebtes Photomotiv im Ort sind die Statuen der Fabelfigur Paul Bunyan und dessen ständigem Begleiter ›Babe‹, einem blauen Ochsen, am Seeufer. Das legendäre Duo ist Gegenstand vieler Geschichten aus der großen Zeit der Holzfäller.

Im Südwesten von Bemidji erreicht man den **Itasca State Park** (✆ 218-266-3654), in dessen Zentrum der Itasca-See liegt. In nördlicher Richtung verläßt ein Bach das Gewässer, der auf den folgenden rund 4000 km zum mächtigen Mississippi anschwillt. Am Seeufer steht ein hölzernes Denkmal, in das die Worte eingeritzt sind: »Hier, 1475 Fuß über dem Ozean, beginnt der mächtige Mississippi auf seinem gewundenen Weg 2552 Meilen weit zum Golf von Mexiko zu fließen«. Um die Ufer dehnen sich Wälder mit Kiefern aus, die bis zu 200 Jahre alt sind. Auf einem Wanderpfad kann man Minnesotas größte Kiefer (White Pine) aufsuchen, die rund 300 Jahre alt, knapp 40 m hoch ist und einen Umfang von 4,40 m aufweist. Am Wilderness Drive steht der Aiton Heights Fire Tower, von dem man einen schönen Blick über den Park hat, der Möglichkeiten für viele Freizeitaktivitäten wie Wandern, Radfahren, Angeln, Schwimmen, Kanufahren und Hobbyarchäologie bietet. Innerhalb der Parkgrenzen liegen etwa 500 Jahre alte Beerdigungsstätten der Indianer der Woodland-Periode, die gegen Ende des 19. Jh. teilweise durch Grabungen erschlossen wurden.

Information: Bemidji Chamber of Commerce, P.O. Box 850, ✆ 218-751-3540; Itasca State Park Headquarter, Itasca State Park, ✆ 218-266-3654

Unterkunft: Douglas Lodge, im Itasca State Park, ✆ 218-266-3656, Mai–Okt., $$, Lodge im Blockhausstil aus dem Jahr 1905, einige Anbauten

 Camping: Im Itasca State Park unterschiedlich ausgerüstete

Campingplätze. Reservierungen Mo–Sa 8–18 Uhr, ☎ 1-800-765-CAMP

Duluth und die Süßwasserküste von Minnesota

Minnesota, der westlichste Bundesstaat in der Region der Großen Seen, besitzt einen vergleichsweise kleinen, wenn auch interessanten Anteil am größten Süßwasserdepot der Erde: einen rund 230 km langen Uferstreifen am Lake Superior, der sich von der Hafenstadt Duluth bis nach Grand Portage an der kanadischen Grenze erstreckt. Auf der ›Küstenstraße‹ 61 findet man an zahlreichen Stellen schöne Ausblicke auf den größten unter den Großen Seen, ländlich geprägte Siedlungen und einige State Parks mit besten Freizeitmöglichkeiten. Für die Fahrt von Duluth nach Grand Portage sollte man mindesten seinen Tag einplanen.

Startpunkt für den sogenannten North Shore Drive ist das rund 84 000 Einwohner zählende **Duluth,** der größte Binnenhafen der USA, der – hinsichtlich der Tonnage der umgeschlagenen Waren – hinter New York City auf Platz 2 rangiert. Der 3750 km vom Atlantik entfernt gelegene Hafen hat einen riesigen Einzugsbereich. Dort werden Weizen, Bohnen und Saatgut aus Minnesota und den Dakotas verschifft, Kohle aus Montana und Eisenerz aus der Mesabi Range. Die Stadt trägt den Namen des Entdeckers und Händlers Daniel Greysolon du Luth der 1678/79 seine erste Kanureise auf dem Lake Superior unternahm und bis ans nordwestliche Ufer vorstieß. Damals entwickelte sich Duluth zu einem Sammel- und Umschlagplatz für Felle, die von den Indianern und weißen Trappern gegen andere Waren eingetauscht wurden. Danach dauerte es noch fast 200 Jahre, ehe mit dem Schleusenbau in Sault Ste. Marie am östlichen Ende des Lake Superior der Schiffahrtsweg zum Lake Huron geöffnet wurde und sich Duluth zu einem modernen Hafen entwickeln konnte.

In der zweiten Hälfte des 19. Jh. profitierte die Stadt am Lake Superior vor allem vom Holzgeschäft, das in den riesigen Wäldern Minnesotas eine unerschöpfbar erscheinende Ressource besaß. Gegen Ende des Jahrhunderts, als sich der Holzumschlag im Hafen bereits abzuschwächen begann, nahm der Bergbau in der etwa 130 km nordwestlich der Stadt liegenden Mesabi Range einen ungeahnten Aufschwung mit Investitionen von schwerreichen Industriellen wie John D. Rockefeller und Andrew Carnegie sowie dem Bau der Eisenbahnlinie von St. Paul nach Duluth. Zum Durchbruch des Bergbaus trug vor allem die Entdeckung der Mountain Iron Mine bei, wo Erz mit einem extrem hohen Eisengehalt gefunden wurde.

Wer sich heute einen Überblick über die Stadt verschaffen will, kann den rund 30 Meilen langen *Skyline Drive* entlangfahren, der an

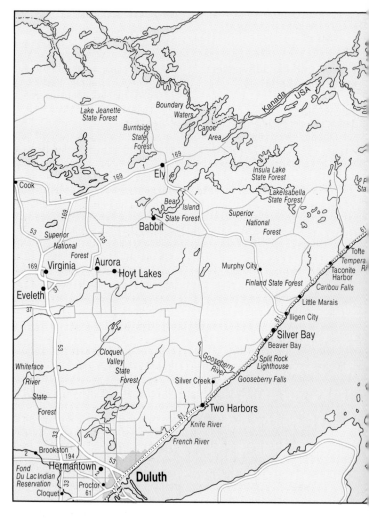

der erhöht gelegenen Uferzone um die Stadt führt. An dieser Route gibt es zahlreiche Aussichtspunkte, darunter den 1939 vom späteren norwegischen König Olav V. eingeweihte fast 20 m hohe Turm *Enger Tower* (an der 18th Ave. W.). Am westlichen Ende des Skyline Drive

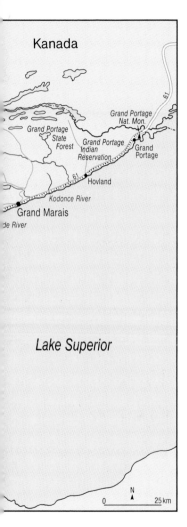

Kanada

Grand Portage
Nat. Mon.

Grand Portage
State
Forest

Grand Portage
Indian
Reservation

Grand
Portage

Hovland

Kodonce River

Grand Marais

de River

Lake Superior

N
0   25 km

Duluth und die Süßwasserküste von Minnesota

Auch im Winter wird der Park mit Abfahrtspisten, Langlaufloipen und Sessellifts von den Einwohnern der Stadt gerne für sportliche Aktivitäten genutzt.

Hauptanziehungspunkt von Duluth ist zweifellos der *Canal Park* am Hafen, dessen Wahrzeichen die stählerne Aerial Lift Bridge ist, eine Hebebrücke über den Einfahrtskanal zum inneren Hafen. Innerhalb von nur einer Minute kann der Brückenboden auf eine Höhe von rund 40 m angehoben werden, um ein- oder auslaufenden Schiffen den Weg freizumachen. Über die Boatwatcher's Hotline (✆ 218-722-6489) erfährt man die Zeiten. In der Nachbarschaft liegt das *Canal Park Visitor Center* mit dem *Marine Museum* (✆ 218-727-2497, 10–18 Uhr, Mitte Juni bis Anfang Sept. bis 21 Uhr), das rund 10 000 Artefakte vom Schiffsmodell bis zur historischen Photographie ausstellt. Vom Canal Park kann man auf einem hölzernen Gehweg am Einkaufszentrum *Fitger's On the Lake* vorbei, das sich in einer ehemaligen, heute denkmalgeschützten Brauerei befindet, bis zum knapp einen Kilometer entfernten *Leif Erikson Park* spazieren.

Zu den sehenswerten Gebäuden der Stadt zählt das *Glensheen Mansion* (3300 London Rd., ✆ 218-724-8864, tägl. außer Mi 9–17 Uhr), ein um die Jahrhundertwen-

kommt man zum Freizeitgebiet Spirit Mountain mit vielen Möglichkeiten zum Wandern und anderen sportlichen Betätigungen.

Dem Biber auf den Pelz gerückt

Handelskontakte fanden in Nordamerika nicht erst seit Ankunft der ersten Weißen statt, sondern existierten unter den Indianern schon lange vorher. Metalle, Schmuckmuscheln, Töpfereien und andere Gegenstände wurden getauscht, nicht um sich zu bereichern, sondern um sich durch materielle Ergänzung gegenseitig zu helfen. Völlig anders geartet war der von den Franzosen aufgenommene Pelzhandel, bei dem es um möglichst hohe Profite ging, ein den Indianern vollkommen unverständliches Ansinnen. Im Zuge des rund 200 Jahre andauernden Pelzhandels, der nach Schätzungen etwa 30 Mio. Bibern das Leben kostete, richteten die Weißen sogar eine Art Kreditsystem ein, bei dem Indianer für Felle vorab mit Alkohol, Tabak, Stoffen oder Perlen ›bezahlt‹ wurden, um deren Loyalität angesichts der schnell aufkommenden Rivalitäten um die besten Pelzgründe zu erhalten.

So waren weder Gold noch Silber erste ›Rohstoffe‹ aus Nordamerika, die auf dem internationalen Markt gehandelt wurden und manchem Händler zu Reichtum verhalfen, sondern Biberpelze. Beginnend in der ersten Hälfte des 17. Jh., dominierte das Pelzgeschäft nicht nur rund 200 Jahre lang die Wirtschaft der im Nordosten des Kontinents tätigen Kolonialmächte, sondern zu großen Teilen auch deren Politik.

Frankreichs Eintritt in den Pelzhandel folgte der Gründung der Stadt Quebec im Jahre 1608 durch Samuel de Champlain. Die *Voyageurs* und ›Entdecker‹ drangen von dort immer weiter in das unbekannte Waldland der Große-Seen-Region vor, und bald begann sich auch der französische König für den lukrativen Pelzhandel zu interessieren in Anbetracht der hohen Preise, die mit den Fellen von Bibern, Ottern, Füchsen und anderen Tieren auf dem europäischen Markt zu erzielen waren. Im Kampf um die Monopolisierung des Handels vergab die französische Krone Lizenzen an ausgewählte Gesellschaften, denen der Export nach Frankreich gestattet wurde. Gleichzeitig versuchte Frankreich, seine Handelsposten durch militärische Präsenz sowohl gegen feindliche Indianer als auch gegen rivalisierende Briten abzusichern.

Der englische König gewährte im Jahre 1670 der Hudson Bay Company das Recht, Pelze im gesamten Einzugsgebiet der kanadischen Hudson Bay zu handeln. Doch bald wurde die Region nach Süden und Osten ausgedehnt, so daß der Konflikt mit den französischen Interessen unvermeidbar war. In diese internationalen Auseinanderset-

Pelztierhandel im 18. Jh.

zungen wurden die Indianer einbezogen, die sich mit einer der rivalisierenden Mächte liiert hatten. Im Jahre 1763 mit dem Ende des Siebenjährigen Krieges war die Auseinandersetzung zwischen Frankreich und England zugunsten der Briten entschieden. Britische Händler übernahmen zahlreiche französische Posten, zum Teil sogar die Franzosen als Arbeitskräfte oder Geschäftspartner.

Um 1830 ging die Ära des Pelzhandels langsam zu Ende. Einerseits hatte die wilde Jagd nach der weichen Ware vor allem die Biber in großen Gebieten nahezu vollständig ausgerottet. Andererseits dämmerte mit der Besiedlung der Große-Seen-Region ein neues Zeitalter herauf, in dem mit Ackerbau und Holz, das in Hülle und Fülle zur Verfügung stand, noch weit mehr Geld zu verdienen war als mit Fuchsschwänzen und Biberhüten. Die Zeit des Pelzhandels ist inzwischen in weite Ferne gerückt. So wissen nicht einmal mehr Amerikas stolze Cowboys, daß sich der Wert eines guten Stetson auch heute noch danach bemißt, wieviel Pelz in seinem Filzmaterial verarbeitet wurde.

de für den Bergbauunternehmer und Politiker Chester Congdon erbautes Anwesen, das einen Blick in die vornehme Lebensart der damaligen Zeit erlaubt. Den 1890 errichteten, stillgelegten Bahnhof Union Depot, der mit den Haupteingang flankierenden Spitztürmen wie ein kleines Schloß aussieht, verwandelten die Stadtväter von Duluth in das *St. Louis County Heritage and Arts Center* (506 W. Michigan St., ✆ 218-727-8025, tägl. 10–17 Uhr), in dem neben drei Museen einige kulturelle Vereinigungen ihren Platz haben. Das *A. M. Chisholm Museum* zeigt orientalische Kunst, eine Puppenausstellung sowie kunstvoll gearbeitete Gegenstände aus Glas, während das *Lake Superior Museum of Transport* sich vor allem mit der Eisenbahngeschichte befaßt und die *St. Louis County Historical Society* sich auf die reiche Historie der Lake Superior-Region konzentriert.

In der Nachbarschaft des *Duluth Entertainment and Convention Center* an der Waterfront kann man den 1938 gebauten ehemaligen Erzfrachter »William A. Irvin« (Mai bis Mitte Okt. tägl. 10–18 Uhr, ✆ 218-722-7876), das Flaggschiff der Große-Seen-Flotte des Konzerns US Steel, besichtigen. Einen Besuch lohnen auch die *Lake Superior Zoological Gardens* (72nd Avenue W. und Grand Ave., ✆ 218-624-1502, Mitte Mai – Anfang Sept. tägl. 9–18, Mitte Okt. – Mitte April 9–16, Mitte April – Mitte Mai, Anfang Sept. – Mitte Okt. wochentags 9–16 Uhr) mit vielen exotischen und einheimischen Tierarten.

Rund 20 Meilen nordöstlich von Duluth erreicht man auf dem North Shore Drive **Knife River,** dessen Einwohner zunächst Kupferschürfer, später Holzfäller waren. Heute ist die Ortschaft vor allem wegen der köstlichen Räucherfische bekannt, die man dort kaufen oder sich servieren lassen kann. Vier Meilen weiter folgt das etwa 4000 Einwohner zählende **Two Harbors,** das seinen Namen den ausgezeichneten Schiffsanlegestellen in der Agate Bay und der Burlington Bay verdankt. Der 1856 besiedelte Ort lebte vor allem von der Holzindustrie, der Fischerei und seit 1884 vom Eisenerztransport. Bei Silver Creek Cliff erreicht man den höchsten Punkt auf dem North Shore Drive – 329 m über dem Ufer des Lake Superior gelegen.

Ein schöner Platz zum Rasten ist der **Gooseberry River State Park,** der seinen Namen von einem Fluß erhielt, der sein Wasser über zwei Fälle und mehrere Stromschnellen Richtung Lake Superior schickt. Ein ›Pflichtstopp‹ auf der Weiterfahrt nach Nordosten ist der **Split Rock Lighthouse State Park,** in dem man einen der bekanntesten und am häufigsten photographierten Leuchttürme Amerikas besichtigen kann. Das Split Rock Lighthouse wurde 1910 auf einer 52 m hohen Klippe direkt über dem Lake Superior errichtet (15. 5. – 15. 10. tägl. 9–17 Uhr). Bis 1939 wies eine im Turm blinkende Gaslampe den Erzfrachtern den Weg. Dann wurde auf Elektrizität umgestellt. 1969 ging die Anlage ›in Ruhestand‹, weil sie durch moderne Funktechnik überflüssig geworden war. Neben dem Leuchtturm kann man sich in einem Besucherzentrum über die Geschichte der Schiffahrt informieren. Innerhalb des Parks gibt es schöne Wanderpfade, im Winter Langlaufloipen.

Grand Portage, 1731 vom Franzosen LaVerendrye gegründet, ist die älteste ›weiße‹ Siedlung in Minnesota. Im letzten Viertel des 18. Jh. wurde es zu einem bedeutenden Zentrum des Pelz- und Warenhandels an der wichtigsten Ost-West-Verbindung im Mittleren Westen. Über eine Distanz von 14 km mußten sämtliche Waren zwischen dem Pigeon River und dem Ufer des Lake Superior auf dem Landweg transportiert werden, was die Bedeutung von Grand Portage als Warenumschlagplatz steigerte. Alljährlich im Sommer fanden dort sogenannte Rendez-Vous statt, Treffen von all jenen, die mit dem damaligen Pelz- und Warenhandel zu tun hatten.

Das *Grand Portage National Monument* (✆ 218-387-2788, Mai bis Mitte Okt. tägl. 8–17 Uhr) erinnert mit einigen wiederaufgebauten Gebäuden, in denen traditionell gekleidete Freiwillige typische Arbeiten verrichten, an die lukrativen Pelzhandelszeiten, die in Grand Portage bereits 1804 zu Ende gingen, als die North West Company ihr Hauptquartier nach Fort William verlagerte. Bester Zeitpunkt, dieses Freilichtmuseum zu besuchen, ist im August, wenn das traditionelle Rendez-Vous gefeiert wird und die Grand Portage Indian Reservation gleichzeitig ihr großes Powwow mit Indianertänzen und anderen kulturellen Darbietungen veranstaltet (✆ 218-387-27 88, 15. 5.–15. 10. tägl. 8 bis 17 Uhr).

Information in Duluth: Duluth Convention and Visitors Bureau, Endion Station, 100 Lake Place Dr., ✆ 218-722-4011 und 1-800-4-DULUTH; wer die Ankunft eines Schiffes im Hafen erleben will, kann sich vorab über Ankunftszeiten erkundigen über ✆ 218-722-6489

Unterkunft in Duluth: Best Western Edgewater Motels, 2330 London Rd., ✆ 218-728-3601, $$, mit Blick auf den Lake Superior; Fitger's Inn, 600 E. Superior St., ✆ 218-722-8826, $$–$$$; Radisson Hotel Duluth, 505 W. Superior St., ✆ 218-727-8981 und 1-800-333-33 33, $$–$$$, historisches Inn; Buena Vista Motel, 1144 Mesaba Ave., ✆ 218-722-7796, $$. **Bed & Breakfast:** The Ellery House, 28 South 21st Ave. E., ✆ 218-724-7639, viktorianisches Haus

Camping in Duluth: Indian Point Campground, 75th Ave. W. und Grand Ave., ✆ 218-624-5637; Duluth Tent and Trailer Camp, 8411 N. Shore Dr., ✆ 218-525-13 50

Restaurants in Duluth: Old Country Buffet, 1600 Miller Trunk Hwy., ✆ 218-722-4546, $$; Grandma's Saloon & Deli, 522 Lake Ave. S., ✆ 218-727-4192, $$; Augustino's, 600 E. Superior St., ✆ 218-727-8871, $$–$$$, im historischen Fitger's Inn

Touren: Man kann Duluth-City-Touren von Mai bis Okt. beim Convention & Visitors Bureau buchen; Hafenrundfahrten: The Vista Fleet, Harbor Drive, D.E.C.C. Dock, ✆ 218-722-6218; Fahrten mit der historischen Eisenbahn von Duluth nach Two Harbors und zurück (88 km) von Mitte Juni bis Anfang Sept., North Shore Scenic Railroad, 506 W. Michigan St., ✆ 218-722-1273

Rund um den Lake Michigan

Von Chicago
nach Wisconsin

Milwaukee

Door Peninsula

Von Green Bay
nach St. Ignace

West-Michigan

Das Indiana-Ufer

Die Mackinac-Brücke in Michigan

Rund um das Süßwassermeer des Lake Michigan, zu alten Leuchttürmen, wehrhaften Forts und ausgedehnten Sanddünen, Besichtigung der Bierkapitale Milwaukee, zu den Grabhügeln des Indian Mound State Park und des Copper Culture Mound State Park, zur Door Peninsula

Von Chicago nach Wisconsin

Unter den fünf Großen Seen steht der Lake Michigan mit einer Fläche von 58 016 km^2 an dritter Stelle. In Nord-Süd-Richtung ist das Gewässer 494 km lang, in Ost-West-Richtung 190 km breit. Wer dieses ›Süßwassermeer‹ umrunden will, muß auf den Küstenstraßen, die im Süden einem regelmäßigen, im nördlichen Teil einem durch Buchten unterbrochenen Ufer folgen, rund 2670 km zurücklegen. Im Unterschied zum Lake Superior, der im Norden und Westen eine steilabfallende Felsküste besitzt, kennzeichnen Kies- und Sandstrände die Uferzonen des Lake Michigan, der nur an einigen wenigen Stellen wie der Garden Peninsula und Door Peninsula Steilküsten aufweist. Der Lake Michigan lockt Besucher mit anderen Reizen: sanft geschwungene Sanddünen, die vor allem im Sleeping Bear Dunes National Lakeshore, dem Indiana Dunes National Lakeshore und dem Indiana Dunes State Park sehenswerte Uferlandschaften bilden. Da die ›Circle Tour‹ um den Michigan-See viel Abwechslung bietet, ist sie zu einem wahren ›Ausflugsklassiker‹ geworden.

Keine andere Strecke auf dem US-amerikanischen Gebiet der Großen Seen vermittelt Besuchern einen besseren Eindruck von Natur und Landschaft, Kultur, Geschichte und Politik sowie der Lebensart der Menschen im Mittleren Westen als die Fahrt um den Lake Michigan. Man lernt auf dieser Tour, die mit rund 2670 km etwa der Distanz zwischen Kopenhagen und Istanbul entspricht, die vier amerikanischen Bundesstaaten Michigan, Wisconsin, Illinois und Indiana sowie die Welt- bzw. Großstädte Chicago und Milwaukee kennen und macht darüber hinaus die Bekanntschaft mit ländlich abgelegenen Gegenden, die vergessen lassen, daß man sich inmitten einer der am dichtest bevölkerten Regionen der USA befindet. Für diese Tour sollte man sich 10 Tage Zeit nehmen.

Man kann die Reise in Chicago (s. S. 62 ff.) beginnen und von dort zunächst Richtung Norden fahren,

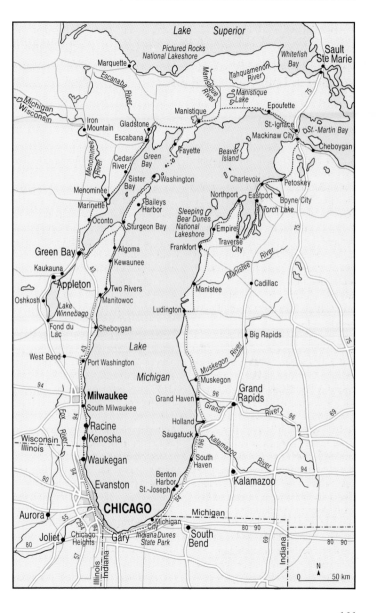

wo man an der Peripherie der Metropole die 74 000 Einwohner zählende Universitätsstadt **Evanston** erreicht. Im dortigen Naturhafen legte 1674 der Jesuitenmissionar Jacques Marquette mit seinem Boot an. Hier entstand später das Dorf Grose Point, aus dem sich die heutige Stadt entwickelte. An den alten Namen erinnert noch das *Grose Point Lighthouse* (Sheridan Rd. und Central St., ✆ 708-866-2910, Juni–Sept. Sa, So 9–17 Uhr), das 1873 errichtet wurde, nachdem dort bei einer Havarie rund 300 Menschen ihr Leben verloren hatten.

In der nördlichen Nachbarschaft von Evanston liegt das Städtchen **Wilmette,** wo sich mit dem *Bah'ai House* (100 Linden Ave., ✆ 708-256-4400, Mai–Okt. tägl. 10–22, Nov.–April 10–17 Uhr) das spirituelle Zentrum der 1894 gegründeten amerikanischen Sektion der Bah'ai-Religion befindet. Diese Glaubensbewegung, die über etwa 2,2 Mio. Anhänger verfügt, erkennt die heiligen Schriften anderer Weltreligionen als Glaubensquellen an wie z. B. den islamischen Koran und die christliche Bibel. Zentrale Vision des Bahaismus ist eine im Frieden geeinte Menschheit. Den dreistöckigen Rundbau überwölbt eine reichverzierte, filigran wirkende, mächtige Kuppel, die fast 60 m hoch ist. Sehenswert ist das von Frank Lloyd Wright entworfene, 1908 fertiggestellte *Frank J. Baker House* (507 Lake Ave.), das sich in Privatbesitz befindet.

Drei Meilen nördlich von Waukegan nimmt bei Winthrop Harbor der **Illinois Beach State Park** (auf der Straße 131 östlich zur Wadsworth Rd., ✆ 708-662-4811 und 708-662-4828) die Uferregion am Lake Michigan ein. Dort befinden sich nicht nur die einzigen Sanddünen im Staate Illinois. Auf rund 10 km Länge erstreckt sich auch einer der schönsten Strände des Lake Michigan, umgeben von einer interessanten Naturlandschaft, die man zu Fuß auf zahlreichen Pfaden erkunden kann. Anfang der 90er Jahre eröffnete hier die größte Marina am See mit rund 1500 Liegeplätzen für Boote und Jachten. Auf dem Parkgelände gibt es außerdem ein Besucherzentrum, zahlreiche Läden, Restaurants und ein Resort mit Konferenzzentrum.

Rund 60 Meilen nördlich von Chicago passiert man die Grenze in den Nachbarstaat Wisconsin. An der I-94 unterhält der Bundesstaat ein Information Center (Rest Area 26, geöffnet: Mai–Okt. Mo–Sa 8–18, Nov. – Mitte Mai Di–Sa 8–16 Uhr), wo man sich Karten und Broschüren besorgen kann. Erster Ort nach der Grenze ist der Industriehafen **Kenosha** mit etwa 78 000 Einwohnern. Im Zentrum um die Third Street stehen einige ältere Gebäude wie der neogotische, zwischen 1871 und 1911 errichtete *Kemper Hall-Komplex* (6501 Third Ave., ✆ 414-657-6005, Führungen Di und Sa 13–15 Uhr), in dem heute ein Kulturzentrum untergebracht ist. An dieser Straße liegt auch das

Kenosha County Historical Museum (6300 Third Ave., ☎ 414-654-5770, Di–So 14–16.30 Uhr), eine um die Jahrhundertwende errichtete vornehme Residenz, in der mit vielen Exponaten und Ausstellungen das Leben am Lake Michigan im Stil des 19. Jh. nachgestellt ist. Auch *Harmony Hall* (6315 Third Ave., ☎ 414-654-9111, Führungen Mai–Sept. Mo–Fr 10 und 14 Uhr) im Tudor-Stil ist mit dem lokalen Museum einen Besuch wert.

Den größten Teil des Seeufers nehmen Parks ein. Der *South Port Park* auf Höhe der 78th Street, in dem mit dem *Beach House* eines der schönsten Beispiele von Art déco-Architektur in Wisconsin steht. Die Lakefront läßt sich auch bequem mit dem Kenosha Lakeshore Trolley (☎ 414-654-6334, Mai–Sept. Di–Fr 11–16, Sa 10–15 Uhr) erkunden.

Fährt man auf der Straße 32 von Kenosha Richtung Norden weiter, erreicht man nach 11 Meilen **Racine,** das den Einheimischen auch als Kringleville bekannt ist, weil die dortigen Nachfahren dänischer Einwanderer mit dem runden Kringel ein beliebtes, mit Nüssen, Früchten oder Käse gefülltes Gebäck herstellen. Der *South Side Historic District* (am Lake Michigan zwischen DeKoven und Lake Ave. sowie Southern und 8th St.) erlaubt einen Blick in die lokale Architektur, wie sie etwa zwischen 1850 und 1920 entstand. In diesem Areal fallen vor allem die schönen viktorianischen Häuser auf. Aus neuerer Zeit stammt das *Johnson Wax Administration Building* (1525 Howe St.), das 1939 nach Plänen von Frank Lloyd Wright gebaut wurde. Futuristisch mutet das *Golden Rondele Theater* an (14th und Franklin St., ☎ 414-631-2154), das für die Weltausstellung in New York 1964 errichtet und danach in Racine aufgestellt wurde. Jüngste Errungenschaft der Stadt ist die in der zweiten Hälfte der 80er Jahre unter dem Namen *Reefpoint Marina/Festival Park* neu gestaltete Uferzone mit einem Jachthafen sowie vielen Freizeiteinrichtungen, Läden und Restaurants.

Auf dem Weg ins nahe Milwaukee bietet sich ein Halt beim *Wind Point Lighthouse* an (östlich des Hwy 32 über die Four Mile Road erreichbar). Der 33 m hohe, 1880 gebaute Turm ist der höchste und einer der ältesten am Lake Michigan. Bei günstigem Wetter kann man Windsurfer bei ihrem Sport beobachten.

Milwaukee – Großstadt zum Anfassen

Die Hosenträger des einen Herrn ziert ein röhrender Hirsch, während sein Begleiter mit zwei bayerischen Löwen aufwartet, die ein weiß-blaues Rautenwappen in den Pranken halten. Darüber hinaus unterscheidet sich das Duo kaum: rote Krawatte zum weißen Hemd, Trachtenjanker und Trachtenhut, der sich unter Abzeichen und Emblemen versteckt. Die beiden stemmen die Bierkrüge, als im Hintergrund die Blaskapelle zu »Muß i denn, muß i denn zum Städtele hinaus« anhebt. Ort der Handlung ist nicht etwa ein oberbayerisches Dorf, sondern der Old Heidelberg Park in Wisconsins Großstadt Milwaukee, wo Deutschstämmige traditionell ein Oktoberfest veranstalten, um an ihre historische Rolle beim Aufbau der Metropole seit Mitte des 19. Jh. zu erinnern. Kaum irgendwo in den Vereinigten Staaten haben deutsche Einwanderer so deutliche Spuren hinterlassen wie hier.

Die ›nur‹ 636 000 Einwohner zählende Stadt liegt in der US-Rangliste lediglich auf Platz 19. Dennoch ist der Name von Milwaukee den meisten Amerikanern geläufig, weil es als Hochburg der Bierbrauerei gilt – in einem Bundesstaat, der sich national eher als Käseproduzent einen Namen gemacht hat. Dabei spielt die Bierherstellung, rein wirtschaftlich betrachtet, eine recht untergeordnete Rolle, da in diesem Sektor nur etwa 2 % der Beschäftigten tätig sind. Aber Brauereitradition verleiht einer Stadt eben eine andere Reputation als die Herstellung von Schnürsenkeln oder etwa Kleiderbügeln…

Die Potawatomi-Indianer nannten den heutigen Standort Milwaukees Millioki – Versammlungsplatz an den Wassern –, weil sich dort die drei Flüsse Menomonee, Kinnickinnic sowie Milwaukee

Die Skyline von Milwaukee

vereinen und gemeinsam als Milwaukee River quer durch die heutige Großstadt fließen und in den Lake Michigan münden. Seit wann die ersten Indianer am Westufer des Sees lebten, ist nicht bekannt. In der fruchtbaren Gegend um die fischreichen Gewässer am Ufer des Sees hatten aber schon seit Jahrhunderten Indianer ihre Jagdgebiete, bevor 1674 der französische Jesuit Jacques Marquette als einer der ersten Weißen in diese Region vorstieß, die von 1671 bis 1760 ein

ein isoliertes Dasein fristete. In den 30er Jahren tauchten mit Byron Kilbourn und George Walker zwei Amerikaner von der Ostküste auf, als die Regierung in Washington begann, Land in Wisconsin zu verkaufen, das 1848 als 30. Staat in die USA aufgenommen wurde. Den Historikern gilt heute das Dreiergespann Juneau, Kilbourn und Walker als Stadtgründer. Jeder der drei Pioniere baute eine eigene Siedlung – Juneautown, Kilbountown (heute Near North Side) und Walker's Point –, zwischen denen es zu erheblichen Rivalitäten kam. Im Jahre 1845 gipfelten die Auseinandersetzungen im Great Bridge War, in dem es darum ging, wer für die Erhaltung der Flußbrücken zuständig war, die manche lediglich als Hindernisse für die Schiffahrt betrachteten. Noch heute wird an einigen über den Milwaukee River führenden Brücken offenkundig, daß sie ehemals ›gegnerische‹ Stadtteile miteinander verbinden: Sie bilden keine gradlinigen Verbindungen, wie man es nach den Straßenfluchten der Stadt eigentlich erwarten könnte, sondern schlagen ›Haken‹.

Selbst die Vereinigung der drei Stadtteile zur Gemeinde Milwaukee im Jahre 1846 konnte die Streitereien nicht völlig beenden. Dennoch machte sich ein großes Bevölkerungswachstum von etwa 20 000 im Jahre 1850 auf etwa 285 000 um die Jahrhundertwende bemerkbar. Ursache dafür war die starke Einwandererwelle aus

Teil Neu-Frankreichs war. Damals gab es an der ›Küste‹ von Wisconsin nachweislich noch insgesamt sieben Indianernationen: die Menominee, Ottawa, Ojibwa, Mesquakie, Winnebago, Potawatomi und die Sauk.

In der Folgezeit geriet die Region der Großen Seen immer mehr ins Blickfeld von Handelsgesellschaften, die mit Pelzen einen schwunghaften und lukrativen Handel betrieben. Die American Fur Company schickte im Jahre 1818 den Frankokanadier Solomon Juneau ins Gebiet des heutigen Milwaukee, wo er weit jenseits der Zivilisationsgrenze mit seiner Familie

Deutschland, aufgrund derer sich in Milwaukee bis um 1890 eine deutschsprachige Mehrheit herausbildete mit eigenen Stadtvierteln, Schulen, Kirchen, Geschäften und Zeitungen. Zwei Drittel der Deutschen lebten in Near North Side, wo man noch heute im historischen Distrikt an der First Street die Häuser der Reicheren sehen kann. Das Zentrum des deutschen Viertels befand sich damals am heutigen Martin Luther King Drive.

Heute leben im Großraum Milwaukee etwa 50 unterschiedliche ethnische Gruppen, von denen die meisten eigene Organisationen gegründet haben, typische Restaurants betreiben und alljährlich mit traditionellen Veranstaltungen an die Öffentlichkeit treten. Dazu zählt das Bavarian Folkfest im Old Heidelberg Park in Glendale (Juni) ebenso wie das Polish Fest (Juni) mit den traditionellen Polka-Wettbewerben, das Greek Festival (Juli), das Irish Fest (August) und die Serbian Days (August).

Mehr als ein Viertel der gesamten amerikanischen Bevölkerung lebt in einem Umkreis von etwa 600 Meilen um die Stadt, und in dieser Region werden dem Volumen nach etwa ein Drittel aller Industrieerzeugnisse des Landes hergestellt. Wirtschaftliche Basis sind etwa 2700 Industriebetriebe, die vor allem Maschinen, Motoren und Werkzeuge, Prüfgeräte und Druckereiausrüstungen fertigen. So trägt Milwaukee den Beinamen ›Amerikas Werkstatt‹ auch zu Recht.

Die Stadtbesichtigung beginnt an der Lake Front. Auf einer Länge von rund 43 km grenzt die Stadt auf ihrer Ostseite an den Lake Michigan. Im Zentrum dieses ›Schaufensters‹ zum See liegen zwei Sehenswürdigkeiten eng nebeneinander. Das von Eero Saarinen entworfene und an exponierter Stelle über dem Seeufer 1957 erbaute **War Memorial Center** (1, 750 N. Lincoln Memorial Dr., ☏ 414-273-5533, tägl. 10–17 Uhr) wurde dem Gedenken an die Kriegstoten des *county* geweiht. Dort finden häufig gesellschaftliche und kulturelle Veranstaltungen statt. In diesem Memorial ist auch das **Milwaukee Art Museum** (☏ 414-224-3200, Di, Mi, Fr, Sa 10–17, Do 12–21, So 12–17 Uhr) untergebracht, das über 10 000 Skulpturen, Gemälde, Photographien und andere Exponate aus unterschiedlichen Kulturkreisen und Zeitaltern ausstellt. Der Schwerpunkt liegt auf amerikanischer und europäischer Kunst des 19. und 20. Jh.

Westlich des War Memorial erstreckt sich Downtown, einer von drei ursprünglichen Stadtteilen, aus denen Milwaukee entstand. Damals hieß die Gegend noch Juneautown, weil sie von Solomon Juneau, einem der drei Stadtpioniere, gegründet worden war. Vom Memorial geht man zum östlichen Ende der Wisconsin Avenue, die zu den großen Straßen in Downtown zählt und in Ost-West-Richtung durch die Innenstadt verläuft. Nachdem man linker Hand den kleinen **Juneau Square** (2) passiert hat, kommt man zum **First Wisconsin Center** (3, 777 E. Wisconsin Ave., ✆ 414-765-4460), dem höchsten Gebäude der Stadt, auf dessen 41. Etage ein Aussichtsdeck (Mo–Fr 14–16 Uhr) eingerichtet ist. Die gegenüberliegende Zentrale der **Northwestern-Lebensversicherung** (4, 720 E. Wisconsin Ave.) wurde im klassizistischen Stil errichtet, der die amerikanische Architektur nach der Weltausstellung in Chicago 1893 eine Zeitlang prägte.

Zwei Blocks weiter folgt auf der linken Straßenseite das **Federal Courthouse** (5, 517 E. Wisonsin Ave.), das zwischen 1892 und 1899 im neoromanischen Stil aus Granit erbaut wurde. Sobald man an der Ecke North Jefferson Street angekommen ist, blickt man auf das **Pfister Hotel** (6, 424 E. Wisconsin Ave., ✆ 414-273-8222), das zu den traditionsreichsten Nobelherbergen der Stadt zählt. Von 1890 bis 1893 erbaut, glänzt es vor allem durch reichen Dekor im Innern, zu dem die unter den Einwohnern der Stadt nur als ›Dick und Harry‹ bekannten bronzenen Löwenfiguren zählen, welche die Treppe in der Lobby flankieren.

Biegt man auf dem North Broadway einen Block nach Süden ab,

Milwaukee 1 War Memorial Center 2 Juneau Square 3 First Wisconsin Center 4 Insurance Building 5 Federal Courthouse 6 Pfister Hotel 7 Milwaukee Grain Exchange Room 8 Iron Block Building 9 Riverside Theater 10 Grand Avenue 11 Mecca Convention Center 12 Greyhound Bus Depot 13 Milwaukee Public Museum 14 Milwaukee Public Libraay 15 Discovery World Museum 16 Pabst Brewing Company 17 Old World Third Street 18 Milwaukee County Historical Center 19 Repertory Theater 20 Pabst Theater 21 Performing Arts Center 22 City Hall 23 St. John's Cathedral 24 Juneau Park 25 McKinley Marina

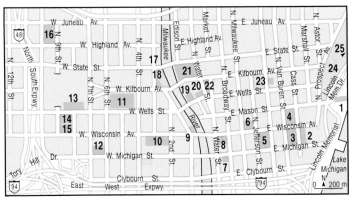

kann man an der Michigan Avenue dem **Milwaukee Grain Exchange Room** (7, 225 E. Michigan Ave., ☎ 414-272-6230, tägl. 9–17 Uhr) einen Besuch abstatten, wo sich früher die Getreidebörse befand. Der im ersten Geschoß liegende Raum gleicht einem Palastsaal mit reichem Architekturschmuck, fein gearbeiteten Säulen, Wand- und Deckenmalereien sowie Einlegearbeiten im hölzernen Fußboden. Das **Iron Block Building** (8, Ecke Wisconsin Ave./N. Water St.) aus der Zeit des amerikanischen Bürgerkriegs zählt zu den wenigen verbliebenen Gebäuden mit gußeiserner Fassade.

Sobald man die Brücke über den Milwaukee River überquert hat, befindet man sich auf der West Wisconsin Avenue, der belebtesten Geschäftsstraße der Innenstadt. Rechts am Flußufer liegt das **Riverside Theater** (9, 116 W. Wisconsin Ave., ☎ 414-271-2000), das 2500 Besuchern Platz bietet und Musicals sowie Konzerte klassischer und moderner Musik präsentiert. Kern des ›Einkaufsparadieses‹ ist die Mall **Grand Avenue** (10, 275 W. Wisconsin Ave., ☎ 414-224-9720, Mo–Fr 10–20, Sa 10–18, So 12–17 Uhr), in der sich auf drei Stockwerken alles befindet, was ein Konsumentenherz zufriedenstellt. Die Anlage mit der Plankinton Arcade von 1915 bildet vor allem bei schlechtem Wetter mit den hellen Lichthöfen ein beliebtes Refugium für Fußgänger, die trocken bleiben wollen. Zur Rast lädt der beliebte *Speisegarten* im dritten Stock ein, eine Ansammlung von 15 Speiseständen mit Spezialitäten verschiedener Ethnien.

Über das Skywalk-System ist die Grand Avenue Mall mit einigen anderen Gebäuden, etwa dem weiter nördlich liegenden **Mecca Convention Center** (11, 500 W. Kilbourn Ave.), verbunden, das sich aus drei Teilen zusammensetzt. Durch dieses System von überdachten Fußgängerpassagen gelangt man vom Konferenzzentrum via Hyatt Regency Hotel durch das Reuss Federal Building bis zur Grand Avenue Mall und von dort sogar über den Milwaukee River bis zur Marine Plaza.

Biegt man auf der Seventh Street nach links ab, erreicht man das **Greyhound Bus Depot** (12, 606 N. 7th St., ☎ 414-272-8900 und 800-528-0447). Geht man auf der North Eighth Street einen Block nach rechts, kommt man zum **Milwaukee Public Museum** (13, 800 W. Wells St., ☎ 414-278-2702, Mo 12–20, Di–So 9–17 Uhr), einem der größten naturkundlichen Museen der USA mit einer Vielzahl von faszinierenden Ausstellungen. Man kann dort einen Gang durch das Zeitalter der Saurier machen, von denen zahlreiche Exemplare in Lebensgröße nachgebildet und mit computergesteuerten Bewegungsapparaten ausgestattet sind. Ein Publikumsmagnet ist auch die Ausstellung ›Regenwald‹.

Weiter auf der West Wisconsin Avenue befindet sich links die **Mil-**

Brücke über den Milwaukee River

waukee Public Library (14, 814 W. Wisconsin Ave.) sowie im selben Block das **Discovery World Museum** (15, 818 W. Wisconsin Ave., ✆ 414-765-9966, Mo–Sa 9–17 Uhr) mit Ausstellungen aus unterschiedlichen Gebieten wie Technologie, Wissenschaft und Wirtschaft. Jeweils an Wochenenden finden spezielle Veranstaltungen – etwa Lasershows – statt.

Wendet man sich auf der 10th Street nach rechts, gelangt man parallel zum Freeway I-43 zur **Pabst Brewing Company** (16, 915 W. Juneau Ave., ✆ 414-223-3709, Besichtigung stündlich Juni–Aug. Mo–Sa, Sept.–Mai Mo bis Fr), einer der traditionsreichen Brauereien der Stadt, die den Ruf von Milwaukee als Brauereihochburg mitbegründete. Die Zentrale des Konzerns befindet sich seit 1844 an dieser Stelle. Auf der Highland Avenue wendet man sich wieder dem Zentrum zu und geht Richtung Lake Michigan bis zur **Old World Third Street** (17), an der deutschstämmige Restaurants und Betriebe das Straßenbild prägen.

Im Block zwischen State Street und Kilbourn Avenue grenzt der Père Marquette Park an den Milwaukee River. Dort soll der entdeckungsfreudige Geistliche 1674 ein Lager aufgeschlagen haben. Am Rande des Parks befindet sich das **Milwaukee County Historical Center** (18, 910 N. Old World Third St., ☎ 414-273-8288, Mo–Fr 9.30–17, Sa 10–17, So 13–17 Uhr, Gratiseintritt) in einem früheren Bankgebäude, das in den 20er Jahren erbaut wurde. Viele Exponate lassen ein Bild von der rund 150jährigen Geschichte der Stadt und ihrer Umgebung entstehen.

Überquert man den Milwaukee River auf der Wells Street-Brücke, kommt man am **Repertory Theater** (19, 108 E. Wells St., ☎ 414-224-1761; in diesem neuen Kulturkomplex befinden sich das Powerhouse Theatre, das Stiemke Theatre sowie das Stackner Cabaret) vorbei zum **Pabst Theater** (20, 144 E. Wells St., ☎ 414-278-3663), das ob seiner viktorianischen und Neo-Renaissance-Architektur aus dem Jahre 1895 zu den sehenswertesten historischen Gebäuden der Stadt zählt. In diesem vom lokalen Bierkönig Frederick Pabst in Auftrag gegebenen Theater wurden bis zum Ersten Weltkrieg vornehmlich deutschsprachige Stücke aufgeführt. Einen Block nördlich, jenseits des Milwaukee Center, liegt das **Performing Arts Center** (21, 929 N. Water St., ☎ 414-273-7206), in dem ganzjährig Symphoniekonzerte, Ballettaufführungen oder Theaterabende stattfinden.

Gegenüber dem Pabst Theater liegt mit der **City Hall** (22, 200 E. Wells St.) eines der architektonischen Wahrzeichen der Stadt. Auf dem Platz wurde 1861 zunächst eine Markthalle errichtet, in der man einen Teil der Stadtverwaltung einquartierte. Das heutige Rathaus entstand zwischen 1893 und 1896 nach Plänen des Architekten Armand Koch, der sich zuvor in Belgien, Frankreich und den Niederlanden bauliche Anregungen geholt hatte. Da der Untergrund nicht sehr stabil ist, rammte man vor dem Bau rund 25 000 Pfähle aus Zedernholz in den Boden. Im Turm des Gebäudes hängt eine 10 t schwere Glocke, die der Bevölkerung 1922 zum letzten Mal die Stunde schlug, weil die Beschwerden über den Geräuschpegel zu häufig geworden waren.

Weiter auf der East Wells Street kommt man zum Cathedral Square, der nach der benachbarten römisch-katholischen **St. John's Cathedral** (23, 802 N. Jackson St.) benannt ist, die zwischen 1847 und 1853 errichtet wurde. Der Turm kam erst 1892 hinzu, nachdem sein Vorgänger aus Sicherheitsgründen abgetragen werden mußte. Der damalige Erzbischof soll das für den Bau nötige Geld auch in Mexiko, Kuba, Belgien und Bayern gesammelt haben. Nicht mehr wiedergutzumachende Schäden im Innern und an der Innenausstattung – etwa an dem handgeschnitzten Altar – richtete ein Brand 1935 an.

Über die Wells Street oder die Kilbourn Avenue kann man an die Wasserkante zurückkehren und dort der nördlichen Lake Front noch einen Besuch abstatten. Der **Juneau Park** (24) ist die größte zusammenhängende Grünfläche in der Innenstadt. Fährt man den Lincoln Memorial Drive am Seeufer nach Norden, kommt man in den Nordteil des Parks, wo man von der **McKinley Marina** (25) einen schönen Blick über den Lake Michigan hinweg auf die Innenstadt hat. Auf Höhe der Juneau Avenue steht heute übrigens jene Blockhütte, in welcher der Stadtgründer Solomon Juneau vor mehr als 150 Jahren gewohnt haben soll.

Westlich von Downtown Milwaukee schließt sich der Stadtteil West Side an, und auch dort bildet die Wisconsin Avenue nicht nur eine wichtige Verkehrsverbindung, sondern gleichzeitig ein Schaufenster in die Architekturgeschichte der Stadt. Hat man die Interstate 43 überquert, kommt man zum Campus der privaten **Marquette University,** an der 12 000 Studenten eingeschrieben sind. Auf Höhe der 14th Street hat die aus dem 15. Jh. stammende Kapelle **St. Joan of Arc** (✆ 414-288-6873, tägl. 10–16 Uhr, feiertags geschlossen, Gratiseintritt) ihren Platz gefunden, die früher bei Lyon in Frankreich stand, dann in Einzelteile zerlegt und nach dem Transport über den Atlantik 1965 zusammengesetzt wurde. Ein zweiter sehenswerter Sakralbau auf dem Campus ist die römisch-katholische **Church of the Gesu** (1145 W. Wisconsin Ave., ✆ 414-224-7101, tägl. 10–16 Uhr) im neogotischen Stil. Die Orgel der

Der Tripoli Temple

Kirche gehörte früher einem Theater in Chicago.

Im weiteren Verlauf der Wisconsin Avenue passiert man einige herrschaftliche Gebäude, die aus der Zeit um die Jahrhundertwende übrigblieben. Das renommierteste darunter, die ehemalige Residenz des Brauereibesitzers Pabst, **Pabst Mansion** (2000 W. Wisconsin Ave., ✆ 414-931-0808, Führungen Mitte März – Dez. Mo–Sa 10–15.30, So 12–15.30 Uhr, Jan. – März nur an Wochenenden, Okt. geschlossen) wurde 1893 im Stil der Neo-Renaissance erbaut. Das schöne Anwesen bezieht seinen Reiz auch aus den dekorativen Holz- und Metallarbeiten, die es verzieren. Der kleinere Pavillon rechts neben dem Haus wurde 1893 für die Weltausstellung in Chicago erbaut und später hierher versetzt.

Ebenfalls im Stadtteil West Side liegt die wie ein Zebra gestreifte ›Moschee‹ des **Tripoli Temple** (W. Wisconsin Ave./Ecke 30th St.), eines der auffälligsten Gebäude von Milwaukee. Unter der reichverzierten Kuppel und den spitzen Minaretten wird aber nicht zu Allah gebetet, dort hat die Freimaurerloge seit 1926 ihre Klubräume.

Am US-amerikanischen Biermarkt mit jährlich etwa 200 Mio. Fässern zu je 117 l hat neben der relativ kleinen Pabst-Brauerei auch die **Miller Brewing Company** (4251 W. State St., ✆ 414-931-BEER, Gratisführungen Mo–Sa 10 bis 15.30) als zweitgrößte Brauerei der USA einen maßgeblichen An-

teil. Nördlich der Anlage verläuft in Ost-West-Richtung der Highland Boulevard, der früher zu den besseren Adressen gehörte. Das wird am Lion House (3209 Highland Blvd.) deutlich, das sich der Banker George Koch erbauen ließ. An der Ecke Highland Boulevard/38th Street fing ein Tüftler in einer kleinen Werkstatt an, Motorräder zu bauen. Daraus entstand die legendäre Harley-Davidson Company, deren Produkte noch heute jedes Easy-Rider-Herz höher schlagen lassen.

Noch weiter im Westen liegt der **Milwaukee County Zoo** (10001 W. Blue Mound Rd., ✆ 414-771-3040, Anfang Mai – Anfang Sept. Mo–Sa 9–17, So und feiertags 9–18 Uhr, Mitte Sept. – Ende April tägl. 9–16.30 Uhr) mit vielen Tierarten, die zu den bedrohten Spezies zählen. Für Naturliebhaber gleichermaßen empfehlenswert sind die **Boerner Botanical Gardens** (5879, S. 92nd St., Whitnall Park, ✆ 414-425-1130, Mitte April bis Okt. tägl. 8 Uhr bis Sonnenuntergang), wo es neben dem Rosengarten viele andere Anlagen mit saisonal unterschiedlichen Pflanzenarten zu bestaunen gibt.

Unweit der Kreuzung der I-94 mit der U.S. 41 liegt **St Josephat's Basilica** (2336 S. 6th St./West Lincoln Ave.), die erste polnische Kirche in Nordamerika, die 1897 im Neo-Renaissance-Stil von Erhard Brielmaier errichtet wurde. Das Baumaterial stammte größtenteils vom alten Postamt in Chicago.

ℹ Information: Greater Milwaukee Convention & Visitors Bureau, 510 W. Kilbourn Ave. , ☎ 414-273-3950 und 800-231-0903, Fax 414-273-5596; Visitor Information Center, General Michell International Airport, 5300 S. Howell Ave., ☎ 414-747-4808

🛏 Unterkunft: Pfister Hotel, 424 E. Wisconsin Ave., ☎ 414-273-8222, Fax 414-273-8222, $$$, gepflegtes Traditionshotel im Stadtzentrum mit drei Restaurants und Nachtklub; Wyndham, 139 E. Kilbourn Ave., ☎ 414-276-8686 und 1-800-822-4200, Fax 414-276-8007, $$$, im modernen Milwaukee Center; Wisconsin, 720 N. Third St., ☎ 414-271-4900, $–$$, zentrale Lage; Marc Plaza Hotel, 509 W. Wisconsin Ave., ☎ 414-271-7250 und 1-800-558-7708, Fax 414-271-7250, $$$, vornehm, in zentraler Lage; The Grand Milwaukee Hotel, 4747 S. Howell Ave., ☎ 414-481-8000 und 1-800-558-3862, Fax 414-481-8065, $$$, mit guten Sport- und Konferenzmöglichkeiten; **Bed & Breakfast:** Bed & Breakfast of Milwaukee Inc., 320 E. Buffalo St., ☎ 414-271-BEDS, vermittelt entsprechende Plätze; Ogden House, 2237 N. Lake Dr., ☎ 414-272-2740

🏕 Camping: Country View Campground, S. 110 St./W. 26400 Craig Ave., Mukwonago, ☎ 414-662-3654, Mitte April – Mitte Okt.; Lazy Days Campgrounds, 1475 Lakeview Rd., West Bend, ☎ 414-675-6511, 1. 4.–1. 11.; Wisconsin State Fair RV Park, I-94 auf Höhe der 84th St., ☎ 414-257-8844, April–Okt.; Yogi Bear Jellystone Camp Resort, 8425 Hwy. 38, Caledonia, ☎ 414-835-2565, Mitte April bis Mitte Okt.

🍴 Restaurants: In Anbetracht der ethnischen Vielfalt gibt es in der Stadt zahlreiche italienische, französische, kantonesische, serbische, polnische, griechische, armenische, arabische, mexikanische, peruanische, deutsche Restaurants...; Karl Ratzsch's Restaurant, 320 E. Mason St., ☎ 414-276-2720, $$$, wird zu den besten gezählt; Mader's, 1037-41 N. Old World Third St., ☎ 414-271-3377, $$, **der** Anlaufpunkt für heimwehkranke Deutsche, denen der Wirt heimische Kost und deutsches Bier anbietet; Butch's Old Casino Steakhouse, 1634 N. Water St., ☎ 414-271-8111, saftige Steaks, Fischgerichte und Kalbfleischspezialitäten; Christy's Restaurants, 11703 W. Blue Mound Rd., ☎ 414-771-3000, Familienlokal mit exzellenten Steaks

🏛 Museen: Greene Memorial Museum, 3209 N. Maryland Ave., UWM Campus, ☎ 414-229-4561, unterschiedliche Öffnungszeiten , Mineralien, Kristalle, Fossilien; Haggerty Museum of Art, 13th St./Clybourn St., Campus der Marquette University, ☎ 414-288-7290, Mo–Fr 10–16.30, Sa, So 12–17 Uhr, Gratiseintritt, Gemälde aus mehreren Jahrhunderten, Photographien, orientalische und afrikanische Kunst; Charles Allis Museum, 1801 N. Prospect Ave., ☎ 414-278-8295, Mi–So 13–17, Mi zusätzlich 19–21 Uhr, Gratiseintritt, Haus im englischen Tudor-Stil mit Kunstobjekten aus zahlreichen Kulturkreisen; Brooks Stevens Automobile Museum, 10325 N. Port Washington Rd. Mequon, ☎ 414-241-4185, tägl. 10–17 Uhr, etwa 60 teils kostbare Oldtimer; Villa Terrace Museum, 2220 N. Terrace Ave., ☎ 414-271-3656, telefonische Auskunft über Öffnungszeiten, in der Nähe des Lake Michigan gelegene Villa im italienischen Stil mit Kunstwerken aus der Zeit seit dem 17. Jh.

❗ Touren: Iroquois Boat Line, 3225 N. Shepard Ave., ☎ 414-332-

4194, Ausflugsfahrten auf dem Lake Michigan und dem Milwaukee River Mitte Juni – Anfang Sept. tägl. zweimal; Adventure Cruises, ☎ 414-271-1840, Mi bis Sa jeweils abends Rundfahrten auf dem Lake Michigan und dem Milwaukee River; Edelweiss Luxury Excursion Vessel, 1110 Old World Third St., ☎ 414-272-DOCK: Dinner-Fahrten auf dem See bzw. dem Milwaukee River; Kettle Moraine Scenic Steam Train, North Lake (9 Meilen nördlich von Downtown am Hwy 83), ☎ 414-782-8074, Dampflokfahrt auf einer 8 Meilen langen Strecke Anfang Juni – Mitte Okt.

Von Milwaukee zur Door Peninsula

Hat man den Großraum Milwaukee hinter sich gelassen, erreicht man 25 Meilen nördlich der Stadt **Port Washington**, das in den 30er Jahren des 19. Jh. als kommerzieller Fischereihafen entstand, als die Schiffahrt auf dem Lake Michigan an Bedeutung gewann. Heute liegen im Hafen überwiegend modern ausgerüstete Sportfischerboote, die man chartern kann. Daß der See auf diesem Abschnitt nicht ungefährlich ist, bewiesen einige Havarien. Im Jahre 1856 ging das Dampfschiff »Toledo« mit der Mannschaft vor Port Washington unter, die Crew der gesunkenen »Niagara« ist auf dem Union Cemetery (an der Park St. und Chestnut St.) beerdigt.

Zu den Sehenswürdigkeiten der Stadt zählt das *Eghart House* (316 Grand Ave., ☎ 414-284-2897,

Mai–Okt. So 13–16 Uhr), eine viktorianische Villa aus dem Jahre 1872, die früher der örtliche Richter bewohnte und die mit dem originalen Mobiliar aus der zweiten Hälfte des 19. Jh. ausgestattet ist. Auch das Pebble House (126 E. Grand Ave., ☎ 414-284-0900, Mai–Okt. tägl. 9–17 Uhr), in dem die lokale Handelskammer einquartiert wurde, ist einen Besuch wert. Das denkmalgeschützte Anwesen wurde aus Kieseln gebaut, die vom Ufer des Lake Michigan stammen, was um die Zeit zwischen 1835 und 1845 Mode war. Das *Ozaukee County Courthouse* (109 W. Main St.) wurde 1902 im neoromanischen Stil aus graublauem Kalkstein errichtet.

Sheboygan ist der nächste größere Ort am Ufer, dessen Namen auf den Begriff der Chippewa-Indianer für schnelles Wasser zurückgeht, was sich auf den Sheboygan River bezieht. Die 48 000 Einwohner zählende Stadt, Industriestandort und Fischereihafen zugleich, wurde in den vergangenen Jahren vor allem als ›Amerikas Bratwursthauptstadt‹ bekannt, wofür die Nachfahren deutscher Einwanderer ›verantwortlich‹ sind. Alljährliches Hauptfest ist denn auch jeweils am ersten Wochenende im August das Bratwurst Days Festival im Kiwanis Park. In Sheboygan lohnt sich eine Fahrt entlang dem Ufer des Lake Michigan sowie ein Besuch der örtlichen Museen. Das 1848 erbaute *Sheboygan County Museum* (3110 Erie Ave., ☎ 414-

458-1103, April–Okt. Di–Sa 10 bis 17, So 13–17 Uhr), einst Wohnhaus eines Richters, zeigt vielfältige Exponate aus der Pionierzeit von Wisconsin. Auf dem Gelände ist zudem ein zweigeschossiges Blockhaus aus dem Jahre 1862 zu sehen. Das *John Michael Kohler Art Center* (608 New York Ave., ☎ 414-458-6144, tägl. 12–17 Uhr) zeigt nicht nur Ausstellung, Photographien, zeitgenössische amerikanische Kunst, Volkskunst, sondern dient auch als Kulturzentrum für Theater-, Tanz- und Konzertveranstaltungen.

An der Stelle eines historischen Chippewa-Dorfs befindet sich der **Indian Mound State Park** (im Süden der Stadt, S. 12th St. und Panther Ave., ☎ 414-457-9495 ganzjährig geöffnet rund um die Uhr). Dort kann man 34 Grabhügel besichtigen, die in den 20er Jahren erforscht wurden. Diese Begräbnisstätten legten Woodland-Indianer zwischen 500 und 1000 n. Chr. so an, daß die aufgeschichteten Gräber unterschiedlichen Tiergestalten ähnelten.

Vier Meilen landeinwärts von Sheboygan liegt mit **Kohler** (an der Straße 28) ein Dorf, das der aus Österreich stammende Unternehmer Walter J. Kohler (1929–31 Gouverneur des Staates Wisconsin) in den 20er Jahren als Arbeitersiedlung gründete. Die im englischen Cottage-Stil errichteten Backsteinhäuser wurden so malerisch in eine Gartenlandschaft gebettet, daß Kohler in den 30er Jahren als schönstes Dorf in Wisconsin galt. Der Arbeiterort machte positive

Sonnenuntergang über dem Hafen von Sheboygan

Schlagzeilen, bis bei einem Streik 1934 zwei Arbeiter von der Siedlungspolizei getötet und 47 verwundet wurden. Schaustück des Kohler Village ist heute der *American Club*, ein Erste-Klasse-Hotel (Highland Dr., ☎ 414-457-8000 und 1-800-344-2838) sowie das auf einer Anhöhe über dem Sheboygan River gelegene *Waelderhaus* (Riverside Dr., tägl. 9–17 Uhr, feiertags geschl., Gratiseintritt), ein Nachbau des Kohlerschen Elternhauses in Österreich.

Manitowoc und Two Rivers sind Nachbarstädte mit 33 000 bzw. 14 000 Einwohnern. Manitowoc – das Wort bedeutet Heimat des großen Geistes – war wirtschaftlich schon immer durch seine Lage am Seeufer geprägt, und Schiffbau sowie Fischerei spielten schon im 19. Jh. eine bedeutende Rolle. Vor allem während des Zweiten Weltkriegs hatten die Werften volle Auftragsbücher, als für die US-Marine mehr als 100 Schiffe gebaut wurden. Die Geschichte dieses Wirtschaftssektors kann man im *Manitowoc Maritime Museum* (75 Maritime Dr., ☎ 414-684-0218, tägl. 9–17 Uhr) verfolgen. Beim Museum liegt die »USS Cobia« (nur März–Okt.) vor Anker, eines von insgesamt 28 U-Booten, die in Manitowoc zwischen 1941 und 1945 vom Stapel liefen.

Ein Abstecher landeinwärts vom Seeufer führt zum **Pinecrest Historical Village** (927 Pinecrest Lane, ☎ 414-684-5110, Juni–Sept. 10 bis 16 Uhr), einem ›Pionierdorf‹ mit 18 authentischen Gebäuden, die mit dem originalen Mobiliar aus dem 19. Jh. ausgestattet sind.

Hauptsehenswürdigkeit in **Two Rivers** ist das *Rogers Street Fishing Village Museum* (2102 Jackson St., ☎ 414-793-5905, Juni–Aug. tägl. 9–18 Uhr) am Ufer des East Twin River, ein kommerzielles Fischerdorf im Stil des 19. Jh., das von der örtlichen Historical Society aufgebaut wurde. Man sieht dort einen über 100 Jahre alten Leuchtturm, die Überreste eines Wracks und viele andere Ausstellungsstücke, die sich auf die Geschichte des Lake Michigan beziehen. Von Two Rivers kann man auf der Straße 147 bzw. dem Highway 43 weiterfahren nach Green Bay, dem Ausgangspunkt eines Abstechers auf die Door Peninsula.

Door Peninsula – Wisconsins ›heißer Sporn‹

Die knapp 150 km in den Lake Michigan ragende Door-Halbinsel besitzt eine rund 400 km lange Uferlinie. Die reizvolle Atmosphäre dieser Landschaft wird gern mit einer Kombination von neu-englischen Fischerdörfern und norwegischen Fjorden verglichen.

Ausgangspunkt für einen Abstecher ins Door County ist die 88 000 Einwohner zählende Stadt **Green Bay**, die von der günstigen Lage in der gleichnamigen Bucht am Lake Michigan schon vor mehr als 300 Jahren profitierte, als sie sich zu einem Handelszentrum zu entwickeln begann. Heute werden im Hafen alljährlich zwischen 3 und 4 Mio. t Güter umgeschlagen. Inzwischen gilt das Hinterland aber auch als Agrarregion, in dem vor allem Käse produziert wird.

An alte Zeiten erinnert der *Heritage Hill State Park* (2640 S. Webster Ave., ✆ 414-448-5150, im Sommer Di–So 10–17 Uhr, im Winter nur am Wochenende), ein Freilichtmuseum, dessen Gebäude und Exponate die Zeit seit 1672 dokumentieren. Geradezu eine Institution in der Stadt ist die *Green Bay Packer Hall of Fame* (auf dem Brown County Expo Complex, Lombardi Ave., ✆ 414-499-4281, 10–17 Uhr), eine Art Football-Museum, das der lokalen Mannschaft der Green Bay Packers gewidmet ist. Vielbesucht ist auch das *National Railroad Museum* (2285 S. Broadway, ✆ 414-435-RAIL, Mai bis Okt. tägl. 9–17 Uhr, Okt.–Dez. Sa, So 12–17 Uhr), eines der größten Eisenbahnmuseen der USA.

Thanksgiving-Dekoration in Egg Harbor

ℹ️ **Information:** Visitor & Convention Bureau, 1901, S. Oneida St., ✆ 414-494-9507

🛏️ **Unterkunft:** Budgetel Inn, 2840 South Oneida St., ✆ 414-494-7887, $–$$; Embassy Suites, 333 Main St., ✆ 414-432-4555, $$$; Mariner Motel, 2222 Riverside Dr., ✆ 414-437-7107, $$

🏕️ **Camping:** Bayshore County Park, Hwy 57, etwa 24 km nördlich von Green Bay, ✆ 414-866-2414, April–Okt.; Happy Hollow Campground, Hwy 41, etwa 16 km südlich der Stadt, ✆ 414-532-4386, Mai–Okt.

🍴 **Restaurants:** Backgammon Pub & Restaurant, 2920 Ramada Way, ✆ 414-336-0335, $$, große Menüauswahl, Happy Hour ab 16 Uhr; The Dragon Wyck Restaurant, 1992 Gross Ave., ✆ 414-498-9801, $$, größtes Chinarestaurant der Gegend mit umfangreicher Karte; Eve's Supper Club, 2020 Riverside Dr., ✆ 414-435-1571, So geschlossen, $$, Steaks und Prime Ribs; The Stein, 126 South Adams St., ✆ 414-435-6071, $$, Sauerbraten, Wiener Schnitzel, Sauerkraut – Fluchtpunkt für heimwehkranke Deutsche

Von Green Bay fährt man auf dem Hwy 57 nach Norden zur Door Peninsula, die nach der Überquerung der Sturgeon Bay auf der Brücke zur Insel wurde, seit man dort im Jahre 1881 einen 17 km langen Schiffahrtskanal anlegte. Diese künstliche Wasserstraße verkürzte den Seeweg von Milwaukee oder Chicago nach Green Bay um 160 km und verschaffte dem Hafen der Stadt starken Auftrieb.

Die 9000 Einwohner von **Sturgeon Bay** sind vornehmlich im Schiffbau, in obstverarbeitenden Betrieben oder im Dienstleistungsgewerbe beschäftigt. Im Zentrum des Städtchens gibt es mit dem East Side und dem West Side-District zwei historische Viertel. Viele der meist privaten Gebäude, von denen die Mehrzahl zwischen 1880 und 1910 gebaut wurde, sind Holzhäuser. Kein Wunder, denn die Existenz des Orts begann um die Mitte des 19. Jh. als ein Zentrum von Sägemühlen. Das älteste Gebäude in den historischen Stadtteilen ist das *Charles Reynolds House* (552 Louisiana St.) aus den 50er Jahren des 19. Jh. Reizvoll wird ein Spaziergang durch die Straßen, da die Bauten ganz unterschiedliche Stilrichtungen aufweisen von viktorianisch und kolonial, neoklassizistisch, Queen Anne, neoromanisch bis hin zu dem Scheinfassadenstil, den man vor allem im amerikanischen Westen antrifft.

Ein lohnendes Ausflugsziel ist der **Lake Shore Park** an der Stelle, wo der Schiffahrtskanal östlich der Stadt in den Lake Michigan mündet. Dort steht eine Station der Küstenwache an einem Uferabschnitt mit kleinen Sanddünen und der typischen Dünenvegetation. Auf der gegenüberliegenden Seite der Halbinsel bietet sich für Urlaub und Freizeit der **Potawatomi State Park** (3740 Park Dr., ✆ 414-743-8869) an, wo es Campingmöglichkeiten, Bootsanlegestellen, Picknickplätze und im Winter sogar Abfahrtspisten gibt. Von einem Aussichtsturm überblickt man die Gegend.

Information: Sturgeon Bay Area Information Center, Hwy 42/57, ✆ 414-743-3924; Chamber of Commerce, Green Bay Rd., ✆ 414-734-7046

Unterkunft: Wer im Herbst zum Indian Summer auf die Door-Halbinsel fährt, sollte rechtzeitig Zimmer reservieren, weil viele Hotels ausgebucht sind – Best Western Maritime Inn, 1001 North 14th Ave., ✆ 414-743-7231, $$, mit Pool; Glidden Lodge, 4670 Glidden Dr., ✆ 414-743-4944, $$, mit Privatstrand am Lake Michigan; **Bed & Breakfast:** The Barbican, 132 North 2nd Ave., ✆ 414-743-4854, $$–$$$, im historischen Distrikt der Stadt; White Lace Inn, 16 N. 5th Ave., ✆ 414-743-1105, $$$, viktorianisches Haus; Inn at Cedar Crossing, 336 Louisiana, ✆ 414-743-4200, $$$, vornehmes viktorianisches Interieur

Camping: Potawatomi State Park (s. o.); Quietwoods, 3668 Grondin Rd., ✆ 414-743-7115, Mitte April–Mitte Okt.

Restaurants: Andropolis, 230 Michigan St., ✆ 414-743-9910,

$–$$, amerikanische und griechische Gerichte; Country Kitchen, 239 Green Bay Rd., ✆ 414-743-3345, $–$$, Familienrestaurant; Schartner's on the Shore, 4680 Bay Shore Dr. (8 km nördlich der Stadt), ✆ 414-743-2421

Nördlich von Sturgeon Bay gabelt sich die Hauptstraße. Hält man sich rechts auf dem Hwy 57, kann man bei Valmy auf der Straße T nach Osten zum **Whitefish Dunes State Park** (Route 3, ✆ 414-823-2400, ganzjährig geöffnet) abbiegen, wo es die höchsten Dünen in Wisconsin und einen langen Sandstrand gibt. Nördlich schließt sich der **Point Cave County Park** an, wo die Brandung die Küste höhlenartig ausgewaschen hat. Bei Bailey Harbor kann man das Ridge Sanctuary, ein Naturschutzgebiet, besuchen, wo sich die Einwirkungen des Wellengangs auf das Ufer ebenfalls nachverfolgen lassen. Etwa eine Meile südlich von Baleys Harbor an der Chapel Lane liegt die Björglund-Kapelle (geöffnet: Mai–Sept. Mo und Mi 9–16 Uhr), die Kopie einer norwegischen Stabkirche, die im Innern mit Wandmalereien und Schnitzereien ausgestaltet ist. Cana Island Lighthouse, einen sehenswerten Leuchtturm aus dem Jahre 1869, kann man über einen Damm erreichen. Die Insel bietet sich auch für Spaziergänge an.

In **Sister Bay** trifft die Straße 57 auf den Hwy 42, der zum Nordende der Halbinsel führt. Vom dort gelegenen Gills Rock kann man mit dem Passagierschiff oder der Fähre in 40 Minuten nach **Wa-**

Geschäft in Ephraim

shington Island übersetzen. Diese Passage führt über eine Seenenge namens Porte des Mortes (Totentor). Dies war die übliche Route von Green Bay Richtung Süden, bis in den 80er Jahren des 19. Jh. der Schiffahrtskanal bei Sturgeon Bay gebaut wurde. Die Küste wird hier von teils steilen Ufern gesäumt, und Felsen verlaufen unter Wasser bis in die Passage hinein. Zudem existieren dort gefährliche Strömungen, die vielen Schiffen zum Verhängnis wurden. Zwischen 1837 und 1914 gingen an diesem ›Portal ins Totenreich‹ 24 Schiffe verloren, und weitere 40 liefen bei benachbarten Inseln auf Grund und sanken.

Wem Washington Island noch nicht genug Einsamkeit bietet, der kann die nächste Fähre zum **Rock Island State Park** (✆ 414-847-2235, Mai–Dez.) nehmen, wo als einzige Fahrzeuge Fahrräder erlaubt sind.

Zurück in Sister Bay folgt man der Straße 42 nach **Ephraim,** einem hübschen Ort an einer Bucht mit Holzhäusern, die in die Landschaft passen. Am Nordende liegt Anderson Dock, von Aslag Anderson, einem norwegischen Fischer, 1858 erbaut. Das Dock diente bis in die Ära der Dampfschiffe in den 20er Jahren des 20. Jh. als Transportzentrum des Gebiets. Heute ist dort eine Kunstgalerie untergebracht. Die Außenwände des Holzgebäudes sind mit buntem Graffiti übersät, die das Dock zu einem der meistphotographierten Motive auf der Halbinsel machen. Südlich von

Ephraim liegt der **Peninsula State Park** (Route 42, ✆ 414-868-3258, ganzjährig geöffnet) mit Camping- und Freizeitmöglichkeiten auf einer erhöhten Landnase, die in die Green Bay hineinragt. Auf dem Parkgelände steht bei Eagle Bluff ein Leuchtturm, und wer sich beim Golfspielen betätigen will, hat dazu auf der schönen 18-Loch-Anlage Gelegenheit.

Fish Creek verfügt ebenfalls über viele ältere Gebäude und jüngere Kunstgalerien. **Egg Harbor** veranstaltet seit den späten 80er Jahren jeweils im September das Pumpkin Festival, das sich eines großen Zulaufs erfreut. Dabei werden in den Vorgärten der Häuser neben Kürbissen möglichst ausgefallen dekorierte Vogelscheuchen aufgestellt.

Südlich von Sturgeon Bay kann man auf der Straße 57 nach Green Bay zurückfahren oder die Reise Richtung Süden über die Lake Michigan-Küste fortsetzen. Dort kommt man zunächst nach **Algoma,** einem Hafen für kommerzielle Fischerei. In einer dortigen Weinkellerei (Von Stiehl Winery, 114 Navarino St., ✆ 414-487-5208, geöffnet: Juli/Aug. 9–18 Uhr) kann man Fruchtweine kosten, die aus kalifornischem Trauben- sowie Kirschsaft verschnitten sind. Bevor man **Kewaunee** erreicht, passiert man auf der Straße 42 ein Industrieunternehmen (Svoboda Industries), vor dem die größte Pendeluhr der Welt aufgestellt ist. Das Städtchen lebte lange vom Fährverkehr nach Ludington in Michigan,

Gerichtsgebäude in Marinette

der heute zwischen Manitowoc und Ludington stattfindet (✆ 800-841-4243).

Von Green Bay nach St. Ignace

Am Westufer der Green Bay entlang erreicht man unmittelbar vor der Ortschaft Oconto den **Copper Culture Mound State Park** (Mill Rd., ✆ 414-834-3363, ganzjährig geöffnet: 8–18 Uhr), wo vor rund 4500 Jahren die der sogenannten Kupfer-Kultur zugehörigen Indianer, später diejenigen der *Woodland Culture* lebten. Im Jahre 1952 wurde die Stätte zufällig entdeckt und in der Folgezeit archäologisch untersucht. Die Experten stießen

auf 21 Begräbnisstellen mit vielen Grabbeigaben (Gebrauchsgegenstände, Schmuck), die im benachbarten *Copper Culture Museum* und im *Beyer Home Museum and Annex* (Park Ave., ✆ 414-834-2260, Juni–Sept. Mo–Sa 9–17, So 12–17 Uhr) ausgestellt sind.

Bei **Marinette** am Südufer des Menominee River erreicht man die Staatsgrenze von Wiconsin. Seit Jahren ist das 12 000 Einwohner zählende Städtchen ein Zentrum der Sportfischerei und des Wassersports. Nicht nur der Lake Michigan bietet sich in Marinette für Freizeitaktivitäten an. Die Flüsse Menominee und Peshtigo gehören zu den wildesten Wasserläufen im Mittleren Westen mit Fällen und Stromschnellen, die für Kajakfahrer und Kanusportler eine Herausforderung sind und Forellenanglern ein Paradies bedeuten.

181

ℹ️ **Information in Oconto:** Oconto County Forest Park Agent, 300 Washington St., ✆ 414-834-6820; **in Marinette:** Chamber of Commerce, 601 Marinette Ave., ✆ 715-735-6681

🛏️ **Unterkunft in Oconto:** Oconto Motel, 5680 Hwy 41 South, ✆ 414-834-2000, $; **in Marinette:** Riverfront Inn Best Western, 1821 Riverside Ave., ✆ 715-732-0111 und 1-800-338-3305, $$; Lauerman Guest House Inn, 1975 Riverside Ave., ✆ 715-732-7800, $$

❌ **Restaurant in Marinette:** Schoegel's, 1828 Hall Ave. (US 41), ✆ 715-735-5084, $

Nachbarstadt von Marinette auf der Nordseite des Menominee River ist das 10 000 Einwohner zählende **Menominee** – bei der Tour rund um den Lake Michigan die erste Ortschaft im Staate Michigan auf der sogenannten Upper Peninsula, einer von den Seen Superior, Michigan und Huron umschlossenen Halbinsel. Die grenzüberspannende Brücke über den Fluß führt auch zum Stephenson Island, einer kleinen Insel mit dem *Stephenson Island Logging Museum* (geöffnet: Ende Mai–Okt. 10–17 Uhr; Museum der Holzindustrie). Menominee bedeutet in der Sprache der Indianer ›wilder Reis‹, der in dieser Gegend an vereinzelten Stellen auch heute noch wächst. Der Ort war zu Beginn ein Pelzhandelsposten, später ein Zentrum der Holzindustrie. Heute gilt Menominee County als größter Milch- und Käseproduzent im Staate Michigan. Neben dem *Riverview Park*, in dem man ein vor über 100 Jahren gesunkenes und später gehobenes Wrack besichtigen kann, bietet sich der *Henes Park* für einen Besuch an, wo es neben Picknickplätzen auch ein kleines Tiergehege (✆ 906-863-2656, Juni–Okt. Gratiseintritt) gibt.

Rund 54 Meilen nördlich von Menominee erreicht die Straße 35 den 14 400 Einwohner zählenden Ort **Escanaba**, den schon der Dichter Henry Wadsworth Longfellow in seinem »Song of Hiawatha« erwähnte.

Im *Ludington Park* an der Seefront befindet sich neben der Coast Guard Station mit dem 1867 erbauten Leuchtturm das *Delta County Historical Museum* (✆ 906-786-3428, Juni–Sept. tägl. 9–17 Uhr) mit Artefakten aus der Pionierzeit der Stadt. Geschichtsbezogen ist auch das alljährliche Bay Fest, bei dem die Einwohner an die Holzfällergeschichte und -geschichten erinnern.

Der rund 150 Meilen lange Highway 2, der sich zwischen Escanaba und der Mackinac-Brücke im Osten erstreckt, verläuft durch die ländlichste Region des Staates Michigan; denn auf der gesamten Distanz passiert man nur eine etwas größere Ortschaft, Manistique mit knapp 4000 Einwohnern. Die restlichen Siedlungen haben ihre beste Zeit bereits hinter sich, waren vor 100 Jahren zur Zeit des Holz-Booms jedoch teilweise ansehnliche Städte von 10 000 Einwohnern und mehr. Vor Garden Corners an der Big Bay de Noc kann man auf der Straße 183 einen Abstecher auf die Garden Peninsula zum etwa 17 Meilen entfernten **Fayette State Park** (geöffnet: tägl. 8–17 Uhr) machen.

Zurück auf dem Hwy 2 setzt man die Fahrt 14 Meilen Richtung Osten nach Thompson und dort auf der Straße 149 fort, die zum 12 Meilen entfernten **Palm Book State Park** (tägl. 8–17 Uhr) führt. Big Springs, die größte Quelle in Michigan, wurde von den Indianern Kitch-iti-Kipi genannt. Man kann mit einem Floß über den jede Minute etwa 40 000 l schöpfenden Quelltopf fahren und die Fische im kalten, kristallklaren Wasser beobachten.

Manistique ist das städtische Zentrum für den südlichen Teil der Upper Peninsula mit zahlreichen Unterkunfts- und Einkaufsmöglichkeiten. Die 1919 erbaute Siphon Bridge am alten Highway 2 liegt über 1 m tiefer als der Wasserspiegel im Fluß. Neben der Brücke steht ein denkmalgeschützter achteckiger Wasserturm, der 1922 aus Ziegelstein erbaut wurde. Etwa 7 Meilen westlich der Stadt liegt mit dem Indian Lake ein vielbesuchter See mit zahlreichen Freizeitmöglichkeiten.

St. Ignace, auf dem südlichen Zipfel der Upper Peninsula an den Straits of Mackinac zwischen Lake Michigan und Lake Huron gelegen, führt seine Gründung auf eine vom

Steilufer im Fayette State Park

Jesuitenpater Marquette 1671 aufgebaute Missionsstation zurück. An den tatendurstigen französischen Geistlichen und Entdecker erinnern zwei Stätten. Das *Father Marquette National Memorial and Museum* (im Straits State Park südwestlich der Stadt am Hwy 2, tägl. Mitte Mai–Anfang Sept. 9–17.30 Uhr) wurde gebaut, um die historische Leistung Marquettes zu würdigen. Der Pater stand zwei Jahre lang der Mission vor, ehe er 1673 mit Louis Jolliet die berühmte Mississippi-Reise antrat, bei der er auf dem Rückweg starb. Das Museum gibt Einblick in das Leben der Missionare und Indianer in St. Ignace.

Der **Marquette Mission Park** (500 N. State St., ☎ 906-643-9161,

Mai–Sept. tägl. 9–17 Uhr) nördlich der Sadt, war in etwa der Standort der 1671 errichteten Mission. In der Nachbarschaft stehen auf dem Areal eines ehemaligen Indianer-dorfes zwei aus Ästen und Rinden gefertigte Hütten der Ojibwa.

Information: St. Ignace Area Tourist Association, 11 S. State St., ✆ 906-643-8717

Unterkunft: Bavarian Haus Motel, 1067 N. State St., ✆ 906-643-7777, $$, mit Blick auf Mackinac Island; Howard Johnson-Lodge Dupont, 913 Boulevard Dr., ✆ 906-643-9700, $$; Belle Isle Motel, 1030 N. State St., ✆ 906-643-8060, $$; Dettman's Resort Motel, am Business Loop Hwy 75, ✆ 906-643-9882 und 1-800-642-3318, ruhige Lage an der Lakefront

Camping: Straits State Park, an den Straits of Mackinac in St. Ignace, ✆ 906-643-8620; Lake Shore Park Campground, 1,5 Meilen westlich der Mackinac-Brücke, ✆ 906-643-9522

Restaurants: Driftwood, 590 N. State St., ✆ 906-643-7744, $–$$, Dez. geschlossen; The Flame, 698 West Hwy 2, ✆ 906-643-8554, Mitte Nov. bis Febr. geschlossen, $$

Museum: Fort de Buade Museum, 334 N. State St., ✆ 906-643-9494, Mai bis Okt. tägl. 9–17 Uhr, Sammlungen von indianischem Kunsthandwerk sowie Artefakten aus der französischen und britischen Ära

Touren: Von St. Ignace fahren regelmäßig Passagierschiffe nach Mackinac Island, einer autofreien Insel;

Star Line, 590 N. State St., ✆ 906-643-7635; per Hydro-Boot benötigt man etwa 18 Min. zur Überfahrt; Shepler's Inc., ✆ 616-436-5023

West-Michigan

Erste Pläne, die Straits of Mackinac zwischen der Upper und der Lower Peninsula des Staates Michigan zu überbrücken, waren schon 1884 in der Diskussion. Passagiere, Autos und Lastwagen wurden per Fähre transportiert, was sich als sehr zeitaufwendig erwies. Doch am 1. 11. 1957 war das stolze Bauwerk mit Rekordmaßen schließlich fertiggestellt und erlaubt seither die Überquerung der See-Enge in etwa zehn Minuten. Zwischen den Kabelverankerungen gemessen, ist die Mackinac Bridge mit 2543 m die längste Hängebrücke der Welt – mehr als doppelt so lang wie die Golden Gate-Brücke in San Francisco.

Mackinaw City ist für Reisende, die aus dem Norden kommen, die erste Stadt auf der Lower Peninsula von Michigan. Im 18. Jh. errichteten die Franzosen an der Wasserscheide zwischen dem Lake Michigan im Westen und dem Lake Huron im Osten einen befestigten Pelzhandelsposten, um ihre angesichts des britischen Vordringens schrumpfende Einflußsphäre verteidigen und sich gegen die Sauk- und Fox-Indianer behaupten zu können. Aus dieser Ansiedlung entstand das 1715 ebenfalls von

Fort Michilimackinac

Franzosen errichtete **Fort Michili-mackinac** (im Fort Michilimack-inac Historic Park, 102 W. Straits Ave., ✆ 616-436-5563, Mitte Juni–Anfang Sept. tägl. 9–19 Uhr, Mitte Mai–Mitte Juni und Anfang Sept.–Mitte Okt. tägl. nur bis 17 Uhr). Im Jahre 1761 fiel die Anlage in die Hände der Briten. Rund zwei Jahre später gelang es den Chippe-wa-Indianern, die Besatzung zu überlisten und das Fort rund ein Jahr lang zu kontrollieren. Heute gehört das Fort zu den großen Besucherattraktionen an den Straits of Mackinac, weil in der ganz aus Holz gebauten Anlage Freiwillige in traditionellen Kostümen Atmos-phäre und Leben im Stil des 18. Jh. vermitteln.

In östlicher Nachbarschaft des Forts liegt der **Mackinac Marine Park** (gleicher Eingang und gleiche Zeiten wie bei der Fortbesichti-gung), in dem man einen histori-schen Leuchtturm sowie ein Mari-timmuseum mit vielen Exponaten besichtigen kann. Am Ufer ist die »Welcome« vertäut, die Rekonstruk-tion eines 1775 gebauten und 1781 gesunkenen Schiffs, mit dem man Ausflugsfahrten unternehmen kann.

Südöstlich der Stadt an der Straße 23, die am Ufer des Lake Huron entlangführt, liegt der **Old Mill Creek State Historic Park** (Mitte Mai–Mitte Okt., ✆ 616-436-7301) mit einer wasserbetriebenen Sägemühle aus dem späten 18. Jh. Der kleine Betrieb entstand, als die Briten Holzplanken benötigten, um auf Mackinac Island eine neue Ver-teidigungsanlage zu bauen. Auf dem Gelände des Parks gibt es Naturpfade sowie archäologische Grabungsstätten.

Charlevoix liegt günstig und schön an der Mündung des Lake Charlevoix in den Lake Michigan. Die beiden Gewässer sind durch den Pine River Canal miteinander verbunden, den eine Hebebrücke überspannt. Mit dem Raddampfer »Star of Charlevoix« kann man Ausflugsfahrten unternehmen. Bei dem Leuchtturm hat man einen guten ›Logenplatz‹, um die ein- und auslaufenden Schiffe zu beobachten.

Auf dem Hwy 31 fährt man in Ufernähe weiter nach Süden Richtung **Traverse City**, das geschützt in der Grand Traverse Bay liegt. Das heutige etwa 16 000 Einwohner zählende kommerzielle Zentrum der Region entstand um die Mitte des 19. Jh. als Standort holzverarbeitender Betriebe, hat sich aber inzwischen zu einem der bedeutendsten Urlauberziele im westlichen Michigan entwickelt. Bei einer Fahrt auf die **Old Mission Peninsula**, einer schmalen Halbinsel, die sich etwa 20 Meilen weit in die Bucht hineinstreckt, kann man die schöne Lage genießen. Den dortigen Farmern verdankt Traverse City auch seinen Beinamen ›Kirschenhauptstadt der Welt‹. Zum National Cherry Festival Anfang Juli kommen alljährlich fast 500 000 Besucher.

Information: Mackinaw Area Tourist Bureau, 708 S. Huron St.,

✆ 616-436-5664; Traverse City CVB, 415 Munson Ave., ✆ 616-947-1120

Unterkunft: in Mackinaw City: Anchor Inns, 138 Old US 31, ✆ 616-436-5553, Fax 616-436-7112; $$; Best Western Dockside Waterfront Inn, 505 S. Huron St., ✆ 616-436-5001, $$-$$$, am Strand gelegen; Super-8 Motel, 601 N. Huron Ave., ✆ 616-436-5252, Fax 616-436-7004, $$; in Traverse City: Grand Beach Resort Hotel, 1683 US 31 N., ✆ 616-938-4455, Fax 616-938-4435, $$; Driftwood Motel, 1861 Shore Dr., ✆ 616-938-1600

Restaurants: in Mackinaw City: Admiral's Table, 502 S. Huron St., ✆ 616-436-5687, $$, Steaks and Fish; The Fort Restaurant, 400 N. Louvingny St., ✆ 616-436-5433, $$; in Traverse City: Reflections, 2061 US 31 N., ✆ 616-938-2321, $$; Bower's Harbor Inn, 13512 Peninsula Dr., ✆ 616-223-4222, $$$

Museen, Zoo: Music House, 7377 US 31 North, Acme, ✆ 616-938-9300, Mai–Okt. und Dez., Ausstellung von Musikautomaten; Clinch Park Zoo, Grandview Pkwy und Cass St., ✆ 616-922-4904, April–Nov. tägl. 9–17 Uhr; Con Forster Museum, Clinch Park, ✆ 616-922-4905, April bis Nov. tägl. 10–16 Uhr, lokale Pioniergeschichte und Indianerkultur

Weingutbesichtigung: Leelanau Wine Cellar, Omena, ✆ 616-386-5201 (April–Dez.), Gratisproben: Chateau Grand Traverse, 12239 Center Rd., ✆ 616-223-7355: Touren durch ein Weingut mit Gratisproben (April–Dez.)

Traverse Bay wird im Westen der Leelanau Peninsula gegen den

Mackinac Island
Abstecher in die viktorianische Zeit

Sobald man die Planken der Fähre verlassen und festen Boden unter den Füßen hat, umfängt einen das 19. Jh. Das Geklapper von Pferdehufen und Fahrradklingeln machen den Verkehrslärm unter sich aus. Statt geparkter Blechlawinen säumen blütenweiße Holzzäune und gepflegte Vorgärten die Straßen, auf denen man flanieren kann, als sei das Automobilzeitalter noch in weiter Ferne: Die Insel ist von einigen öffentlichen Fahrzeugen abgesehen autofrei. Mackinac Island, eine halbe Fährenstunde vom Festland entfernt östlich der Straits of Mackinaw im Lake Huron gelegen, ist in der Tat eine andere Welt.

Die hügelige Insel, die man auf der knapp 13 km langen Straße 185 umrunden oder auf einer 4,8 km langen Straße (einfacher Weg) überqueren kann, wurde schon in prähistorischer Zeit von Indianern bewohnt und auch zur Bestattung ihrer Toten genutzt. Der erste Weiße, der sie betrat, war vermutlich der Jesuitenmissionar Claude Dablon, der dort den Winter 1670/71 verbrachte. Aus dem Dunstschleier der Anonymität tauchte das Eiland aber erst im Jahre 1780 auf, als die Briten sich der wachsenden Bedrohung durch die Amerikaner nach der amerikanischen Unabhängigkeit bewußt wurden und ihr Fort Michilimackinac im heutigen Mackinaw City aufgaben, um auf der Insel das neue Fort Mackinac zu bauen.

Noch heute kann man sich ein Bild von der eindrucksvollen Anlage auf einer Anhöhe über dem Hafen machen, wo das Fort außer Reichweite von Schiffsgeschützen thronte. Insgesamt 14 restaurierte Gebäude liegen innerhalb der wehrhaften Befestigungsmauer. Die Officers' Stone Quarters, aus 1,2 m dicken ›mörsersicheren‹ Mauern errichtet, zählen zu den ältesten Gebäuden im Staat Michigan.

Der Pelzhandel war im ausgehenden 18. Jh. noch in vollem Gang, und Mackinac Island bildete damals einen wichtigen Umschlagplatz für Felle, die mit Indianern und Trappern gegen Waren und Geld getauscht wurden. Zu Füßen des Fort entwickelte sich eine zivile Siedlung, die bald zu einer zentralen Vorsorgungsbasis für die Menschen jenseits der Zivilisationsgrenze wurde. Um 1830 war die große Zeit des Pelzhandels vorbei, doch begann sich die Insel schon damals als Urlauberdomizil anzubieten. Der steigenden Nachfrage trugen 1887

Auf Mackinac Island

einige Eisenbahngesellschaften dadurch Rechnung, daß sie das renommierte Grand Hotel (✆ 906-847-3331, geöffnet: Mai–Okt.) bauen ließen, das mit seiner langen, blendend weißen Säulenterrasse zu den schönsten Gebäuden der Region zählt. Wahrscheinlich ist das ›Grand‹ auch die einzige Nobelherberge der USA, die den Strom der Schaulustigen dadurch zu kontrollieren versucht, daß sie Eintritt von all denen verlangt, die im Hotel weder speisen noch wohnen. Unüblich für die USA ist auch, daß das Management seinem größtenteils aus der Karibik kommenden Personal verbietet, Trinkgelder anzunehmen.

Neben dem Grand Hotel gibt es vor allem im südöstlichen Teil der Insel, wo sich Hotels, Geschäfte, Fahrradverleihe und andere Dienstleistungsbetriebe entlang der Hafenfront konzentrieren, einige schöne viktorianische Privathäuser, die den Inselspaziergang zu einem Augenschmaus werden lassen. Im Mackinac State Historic Parks Visitor's Center (✆ 906-847-3328, Mai–Okt. tägl. 9–17 Uhr) an der Anlegestelle für die Fähren kann man sich einen Plan der Insel besorgen, in dem die sehenswertesten Attraktionen sowie zahlreiche Wanderwege durch den State Park eingetragen sind.

Anreise: Es gibt drei Fährlinien, die von St. Ignace bzw. Mackinaw City die Insel täglich anfahren (1. 5. bis Ende Okt.). Man kann sich auch per Flugzeug übersetzen lassen. Im Winter fahren die etwa 500 ständig auf der Insel lebenden Einwohner mit dem Snowmobil über den zugefrorenen Lake Huron zum Festland.

Lake Michigan abgeschirmt. Ähnlich wie die Old Mission Peninsula ist es eine vornehmlich ländliche Gegend, in der Kirschen und Trauben kultiviert werden und wo einige Weingüter liegen, die man besichtigen kann. Eine Attraktion ist die am westlichen Ufer gelegene **Sleeping Bear Dunes National Lakeshore,** deren Besucherzentrum im Ort Empire zu finden ist (✆ 616-326-5134, tägl. 8–17 Uhr). Der Park besteht aus hügeligem, teils bewaldetem Gelände mit Wasserläufen und Seen, vor allem aber mit ausgedehnten Dünen entlang dem Lake Michigan-Ufer, die über Tausende von Jahren vom Wind in einer von Gletschern geformten Landschaft abgeladen wurden. Biegt man auf Höhe des Glen Lake auf den gut 7 Meilen langen Pierce Stocking Scenic Drive ab, kann man entlang dieser Aussichtsstraße ein Dutzend Punkte anfahren, die Aufschluß über Landschaft, Vegetation und Ökologie geben (am Parkeingang bekommt man eine Broschüre, in der alle Punkte aufgelistet sind).

Der Name Sleeping Bear beruht auf einer Indianerlegende. Eine Bärin soll mit zwei Jungen vor einem Waldbrand am Wisconsin-Ufer in den Lake Michigan geflohen sein. Während die Mutter das rettende Ufer erreichte, ertranken die Jungen, die in die beiden vorgelagerten Manitou-Inseln verwandelt wurden. Abgestorbene Bäume, die den Ghost Forest (Geisterwald) bilden, gehen auf das ›Konto‹ der Wanderdünen, deren Alter auf etwa 2000 Jahre geschätzt wird. Über die fragile Ökologie des Parks sowie über Wanderpfade in den Dünen kann man sich im Besucherzentrum (Visitors Center, in Empire am südlichen Parkeingang, ✆ 616-326-5134, tägl. 8–17 Uhr) informieren. Dort sollte man sich von einem Park Ranger auch ein Exemplar des *Poison Ivy* (Giftefeu) zeigen lassen. Die Pflanze kommt im Park häufig vor und verursacht Hautverbrennungen.

Auf der Fahrt nach Süden ist **Manistee** der nächste größere Ort. Die Holzindustrie ließ dort seit der Mitte des 19. Jh. eine erste Siedlung von Weißen entstehen, wo zuvor ein Indianerdorf seinen Platz hatte. Als der Rohstoff Wald langsam zu Ende ging, erschlossen sich die Einwohner mit den unterirdischen Salzwasserdepots eine neue Ressource.

Zwischen Manistee und Ludington verläuft die Tour über die Straße 31 in einiger Distanz zum Seeufer. **Ludington** ist Michigans Hafen für die Auto- und Eisenbahnfähre, die nach Manitowoc in Wisconsin übersetzt (die Fahrt dauert etwa vier Stunden; ✆ 616-843-2521 und 1-800-841-4243, Juni bis Sept. tägl., sonst Mo–Fr). Der Ort hieß früher Père Marquette, änderte seinen Namen dann aber nach einem der reichen Holzbarone. Wie man sich das kleinstädtische Leben in Michigan im späten 19. Jh. vorzustellen hat, zeigt das *White Pine Village* (1687 S. Lake

Shore Dr., ☎ 616-843-4808, Mai bis Sept. tägl. außer Mo 9–17 Uhr). Das Museumsdorf enthält neben dem ersten Mason County Court House zahlreiche originalgetreue Gebäude aus dem vergangenen Jahrhundert, in denen kostümierte ›Einwohner‹ alltägliche Arbeiten wie zu Großmutters Zeiten verrichten.

Wie viele andere Lake Michigan-Anrainer liegt auch **Muskegon** nicht direkt am Ufer, sondern landeinwärts versetzt am Muskegon Lake, aus dem ein schmaler Durchstich als Muskegon Channel in den Lake Michigan führt. Die rund 41 000 Einwohner zählende Stadt stieg 1837 mit dem Bau der ersten

Die Sleeping Bear National Lakeshore

Sägemühle ins profitable Holzgeschäft ein. In den 80er Jahren des 19. Jh. erreichte sie einen wirtschaftlichen Höhepunkt, als 50 Sägemühlen den Muskegon Lake säumten, die rund 5000 Arbeiter beschäftigten und bereits 40 lokale Geschäftsleute zu Millionären gemacht hatten. Der gigantische Holzeinschlag im Hinterland von Muskegon fand gegen 1890 sein Ende. Um die Jahrhundertwende arbeiteten nur noch fünf Sägemühlen in der Stadt. Zehn Jahre später stellte die letzte den Betrieb ein, weil der Rohstoff fehlte. An die Ära der Holzverarbeitung erinnert heute noch das historische Millionärsviertel.

Nordöstlich des historischen Distrikts liegt der *Hackley Park* mit Denkmälern und Statuen, die von Charles Hackley gestiftet wurden. Die benachbarte *Hackley Public Library* (316 W. Webster Ave., ☎ 616-722-7276) im neoromanischen Stil aus rötlichem Granit wurde ebenfalls von diesem Holzbaron finanziert und 1890 eingeweiht. Gegenüber an der Webster Avenue steht die *John Torrent Residence* (☎ 616-722-1363, geöffnet: Mo, Fr 8–17 Uhr, Gratiseintritt) aus dem Jahre 1892, deren Besitzer einer der großen Rivalen von Charles Hackley im Holzgeschäft war. Das *Muskegon Museum of Art* (296 Webster Ave., ☎ 616-722-2600, tägl. außer Mo und feiertags 9–17 Uhr) zeigt eine renommierte Gemäldeausstellung europäischer und amerikanischer Meister, wertvolle Drucke sowie andere Kunstwerke.

Im Père Marquette Park am Muskegon Channel kann man mit der »USS Silversides« (✆ 616-755-1230, Mai–Sept. tägl., April und Okt. Sa, So 9.30–17.30 Uhr) ein U-Boot aus dem Zweiten Weltkrieg besichtigen.

Auf dem Weg von Muskegon nach Süden lohnt sich ein Abstecher in den **P. J. Hoffmaster State Park** (Lake Harbor Rd., ✆ 616-798-3711), wo man auf Naturpfaden durch die schöne Dünenlandschaft gehen und über eine Treppe die höchste Düne besteigen kann. Im Geneviève Gillette Nature Center (✆ 616-798-3573, tägl. 8–17 Uhr) geben Ausstellungen Aufschluß über die Bildung von Sanddünen am See. Auch die dort gezeigte Dia-Show ist einen Besuch wert.

Die Sanddünen reichen bis in die Gegend von **Grand Haven**, das 13 Meilen von Muskegon entfernt liegt. Der 12 000 Einwohner große Ort avancierte in den vergangenen Jahren zum größten Charterboot-Hafen am Lake Michigan.

ℹ️ Information in Muskegon/Whitehall: Chamber of Commerce, 349 West Webster St., Room 202, ✆ 616-722-3751; White Lake Area Chamber of Commerce, 124 W. Hanson St., ✆ 616-893-4585; **in Grand Haven**: Grand Haven/Spring Lake Area Visitors Bureau, 1 S. Harbor Dr., ✆ 616-842-4499; City of Grand Haven, 519 Washington St., ✆ 616-842-3210

🛏️ Unterkunft in Muskegon: Bel-Aire Motel, 4240 Airline Rd., ✆ 616-733-2196, $$; Muskegon Harbor Hilton, 939 Third St., ✆, Fax 616-722-0100, $$$; Motel Haven, 4344 Airline Rd., ✆ 616-733-1256, $–$$; **in Grand Haven**: Days Inn, 1500 Beacon Blvd., ✆ 616-842-1999, Fax 616-842-3892, $–$$; **Bed & Breakfast in Muskegon/Whitehall**: Bunk & Galley Inn, 1411 Mears St., Whitehall, ✆ 616-894-9851, $$; Country Haven, 9691 Sikkenga Rd., Montague, ✆ 616-894-4977, $$; Blue Country, 1415 Holton Rd./Straße 120, ✆ 616-744-2555, $$; **in Grand Haven**: Shifting Sands, 19343 N. Shore Dr., ✆ 616-842-3594, $$

⛺ Camping in Muskegon: Muskegon State Park, Straße 213, ✆ 616-744-3480; P. J. Hoffmaster State Park, Lake Harbor Rd., ✆ 616-798-3711; **in Grand Haven**: Grand Haven State Park, Harbor Ave., ✆ 616-842-6020

🍴 Restaurants in Muskegon: Cherokee, 1971 W. Sherman St., ✆ 616-759-7006, $$–$$$; Doo Drop Inn, 2410 Henry St., ✆ 616-755-3791, $$, Familienrestaurant mit amerikanischen Gerichten; Specialty's Restaurant (im Quality Inn), 2967 Henry St., ✆ 616-739-4524, $$, südamerikanische und Südstaaten-Spezialitäten wie etwa Cajun-Gerichte; **in Grand Haven**: Bil-Mar Inn Supper Club, 1223 Harbor Ave., ✆ 616-842-5920, $$, Spezialität sind Prime Ribs

🏛️ Museen in Muskegon: Muskegon County Museum, 430 W. Clay Ave., ✆ 616-722-0278, Mo–Fr 9.30 bis 16.30, Sa, So 12.30–16.30 Uhr, feiertags geschlossen, Gratiseintritt, Ausstellungen zu Wirtschaft, Geschichte, Indianerkultur, Wissenschaft und Natur

! Touren in Muskegon: Dort verkehren auf drei Linien Trolleys, mit denen man die Sehenswürdigkeiten erreicht, ✆ 616-724-6420, Mai–Sept., in **Grand Haven** gibt es zwei Trolley-Routen in Downtown sowie nach Spring Lake; ✆ 616-842-3200, Mai bis Sept.

Eine kleine Schar niederländischer Einwanderer legte 1847 an der Mündung des Black River in den Lake Michigan den Grundstein für eine Siedlung, die 20 Jahre später bereits 2000 Einwohner zählte und 1871 bei einem Großfeuer fast völlig abbrannte. **Holland** wurde zwar wiederaufgebaut, entwickelte sich aber nur langsam zu einem Agrar- und Geschäftszentrum, das heute etwa 26 000 Einwohner zählt. Über die Jahrzehnte hinweg hat die Stadt ihre holländische Atmosphäre behalten, was vor allem im *Dutch Village* (an der Straße 31, ✆ 616-396-1475, April–Okt. tägl. 9 bis 18 Uhr) offenkundig ist. In dieser Kombination von Museumsdorf und Rummelplatz sollen Windmühlen, Grachten und Tulpenbeete holländisches Ambiente vermitteln.

Eine holländische *Windmühle*, die rund 230 Jahre alt ist und 1964 aufgebaut wurde, kann man auf Windmill Island (Seventh und Lincoln Sts, ✆ 616-396-5433, Mai bis Aug. tägl. 9–16 Uhr, Sept., Okt. nur am Wochenende 10–16 Uhr) besichtigen. Niederländisch geprägt

sind auch die Exponate im *Holland Museum* (31 W. 10th St., A Mo–Sa 10–17 Uhr, So 14-17 Uhr, längere Öffnungszeiten im Mai während des Tulip Time Festivals), in dem man sich über Delfter Porzellan, Leerdamer Glaswaren und andere Aspekte der niederländischen Geschichte, Wirtschaft und Kultur informieren kann. Geradezu zum Wahrzeichen der Stadt ist die rotgetünchte, 1907 errichtete Station der Küstenwache am Lake Michigan geworden, die allerdings durch die moderne Radar- und Funktechnik längst überflüssig wurde.

ℹ Information: Muskegon County CVB, 349 W. Webster, ✆ 616-722-3751 und 1-800-235-FUNN

🛏 Unterkunft: Holiday Inn, 650 E. 24th St., ✆ 616-394-0111, $$; Eagle Drive Resort, 327 S. Lake Shore Dr., ✆ 616-399-9626, $–$$; Country Hospitality Inn, 12260 James St., ✆ 616-396-6677, $$; **Bed & Breakfast**: Old Wing, 5298 E. 147th Ave., ✆ 616-392-7362, $$, in einem historischen Gebäude; Old Holland Inn, 133 W. 11th St., ✆ 616-396-6601, $$, im viktorianischen Stil

🏕 Camping: Oak Grove Resort, 2011 Ottawa Beach Rd., ✆ 616-399-9230; Dutch Treat Campground, 10300 Gordon St., Zeeland, ✆ 616-772-4303

🍴 Restaurants: Dave's Garage, 478 E. 16th St., ✆ 616-392-3017, $$, Meeresfrüchte und Steaks; The Hatch, 1870 Ottawa Beach Rd., ✆ 616-399-9120, $$, rustikal-elegantes Restaurant; Queen's Inn, US 31 und James St., ✆

Leuchtturm in Holland

616-396-1475, $$, holländisches Restaurant im Dutch Village

! Touren: Wooden Shoe Factory, 447 US 31 und 16th St., ☎ 616-396-6513, Besichtigung einer Fabrik, in der holländische Holzschuhe hergestellt werden, zu Demonstrationszwecken auch von Hand, tägl. 9–18 Uhr

Südlich von Holland erreicht man die beiden Städtchen **Saugatuck** und **Douglas**, die durch den Kalamazoo River voneinander getrennt sind. Auf diesem Fluß bzw. auf dem Lake Michigan kann man von Saugatuck Fahrten mit dem doppelstöckigen Raddampfer »Queen of Saugatuck« unternehmen. Wer über ausreichend Kondition verfügt, kann auch *Mount Baldhead*

besteigen, eine etwa 60 m hohe Düne, die einen weiten Blick auf die ganze Umgebung erlaubt. In Douglas liegt das ausgediente Passagierschiff »*S. S. Keewatin*« (Tower Harbor, ☎ 616-857-2107, Mai bis Sept. tägl. 10–16.30 Uhr) aus dem Jahre 1907 vor Anker, das als Nautikmuseum dient. Saugatuck hat sich mit einer Reihe interessanter Galerien zu einer kleinen Künstlerkolonie entwickelt.

Das Indiana-Ufer

Der Bundesstaat Indiana hat mit etwa 72 km Uferlänge unter den Anliegerstaaten des Lake Michigan den geringsten Anteil am See. Das ›Küstengebiet‹ besteht aus dem Territorium der Stadt Michigan City im Osten und dem sich westlich anschließenden Calumet Area, das die Industriestädte Gary und East Chicago einschließt.

Michigan City entstand in der ersten Hälfte des 19. Jh. aus dem Wunsch von Staatspolitikern heraus, am Lake Michigan einen Hafen aufzubauen. Bis zur Jahrhundertwende war dort nicht nur ein Umschlagplatz für Waren, sondern auch ein Industriestandort sowie ein Ferienzentrum entstanden, das vornehmlich von Einwohnern Chicagos genutzt wurde. Heute ist der *Washington Park* (am nördlichen Ende der Franklin Street) mit einer Marina und Freizeiteinrichtungen nicht nur die grüne Lunge der rund 37 000 Einwohner zählenden Stadt, sondern mit den Bootsanlegestellen auch das ›maritime‹ Zentrum. Dort gibt es einen kleinen *Zoo* (✆ 219-873-1510, tägl. 9–17 Uhr) sowie ein im *Old Lighthouse* aus dem Jahre 1858 eingerichtetes *Museum* (✆ 219-872-6133, Di–So und feiertags 10–16 Uhr) mit Exponaten zur Schiffahrt auf den Großen Seen.

Fährt man auf der Straße 12 ungefähr 11 Meilen nach Westen, erreicht man mit der **Indiana Dunes National Lakeshore** den Kern einer Sanddünenlandschaft, die sich am Lake Michigan entlang von Michigan City bis nach Gary erstreckt. Innerhalb der National Lakeshore liegt der **Indiana Dunes State Park**, als dessen ›herausragender‹ Punkt im wahrsten Sinne des Wortes der 37 m hohe Mount Baldy gleich außerhalb von Michigan City gilt, eine Wanderdüne, die ständig ihre

Position und ihr Aussehen verändert. Setzt man die Fahrt auf der Straße 12 fort, kommt man an der Abbiegung der Kemil Road zum Visitor Center (tägl. außer 1. 1., Erntedankfest und Weihnachten 8–17 Uhr), wo man Karten über das Gebiet erhält, um etwa den Weg zu den drei größten Dünen Mount Tom, Mount Jackson und Mount Holden zu finden.

Hinter dem Visitor Center führt die Straße zunächst an einer Industrieanlage vorbei, die deutlich macht, wie die Uferregion aussehen würde, hätten sich nicht schon um 1913 Umweltschützer für die Erhaltung der Dünenlandschaft eingesetzt. An den Ogden Dunes vorbei gelangt man dann zur County Line Road, auf der man rechts nach West Beach abbiegen kann. Beim Visitor Center (tägl. außer an manchen Feiertagen 8–17 Uhr) kann man dann das Auto abstellen, um zu Fuß auf einem der Pfade eine kurze Wanderung durch die Dünen zu unternehmen. Auf jeden Fall sollte man nicht auf den etwa 1,5 km (hin und zurück) langen Spaziergang zum Bathhouse verzichten, das nahe am Ufer steht und von dessen Terrasse man die Skyline von Chicago sehen kann.

Weiter im Westen kommt man bereits in die Außenbezirke des Industriezentrums **Gary**, wo vor allem Stahl produziert wird. Die etwa 152 000 Einwohner zählende Stadt ist die drittgrößte im Staat Indiana. Angesichts ihrer qualmenden Schlote kann man sich kaum

Leuchtturm in Michigan City

vorstellen, daß diese Gegend um die Jahrhundertwende noch völlig unbewohnt war, ehe 1905 der Bau des ersten Stahlwerks begann. Da die Stadt keine besonderen Sehenswürdigkeiten bietet, nimmt man am besten die I-94, um über die Staatsgrenze nach Illinois und Chicago weiterzufahren.

Information in Michigan City: LaPorte County Convention & Visitors Bureau, 1503 S. Meer Rd., ✆ 219-872-5055; an der I-94 gibt es beim Exit 40 B ein Welcome Center (tägl. 9–17 Uhr)

Unterkunft in Michigan City: Red Roof Inn, US 421, ✆ 219-874-5251, $–$$; Knights Inn, 201 W. Kieffer Rd., ✆ 219-874-9500, $; Holiday Inn, 5820 S. Franklin St., ✆ 219-879-0311, $$–$$$; **Bed & Breakfast in Michigan City**: Creekwood Inn, Route 20–35 und I-94, ✆ 219-872-8357, $$$$; Plantation Inn, 651 E. 1500 North, ✆ 219-874-2418, $$–$$$

Restaurants in Michigan City: Maxine & Heinie's, 521 Franklin Sq., ✆ 219-879-9068, So Ruhetag, $$, Fisch- und Fleischgerichte

Detroit

Downtown

New Center

Ausflug nach Windsor
in Kanada

Wandmalerei in der Autostadt Detroit

Streifzug durch Downtown und New Center, die beiden Zentren der Autostadt, nach Dearborn zum Henry Ford Museum, Ausflug nach Windsor in Kanada

Der Umweg ins benachbarte Ausland lohnt sich. Man fährt vom Stadtzentrum den Detroit River in westlicher RIchtung entlang, durch Lagerhausviertel und graue Stadtrandsiedlungen, überquert dann den Fluß auf der kühn geschwungenen Ambassador Bridge Richtung Kanada und fährt ›drüben‹ wieder flußaufwärts bis zum Dieppe Park, von dem die Skyline der Millionenstadt Detroit wie auf dem Präsentierteller liegt. Fast jede Tageszeit hat an diesem ›ausländischen‹ Aussichtspunkt ihren Reiz. Morgens fangen die Glaszylinder des Renaissance Center im Zentrum von Detroit in der aufgehenden Sonne zu glühen an, als sei in den hoch hinaufragenden Türmen ein Großbrand ausgebrochen. Abends, wenn sich der Himmel hinter der kantigen Wolkenkratzerlandschaft blau zu verfärben beginnt und in Downtown die Lichter angehen, erhebt sich das Stadtpanorama über dem Flußufer auf der amerikanischen Seite wie eine transparente, zerbrechliche Glasmalerei.

Detroit ist mit etwa 1,2 Mio. Einwohnern die sechstgrößte Stadt der USA und gleichzeitig die bevölkerungsreichste des Staates Michigan. Im Großraum leben sogar 4 Mio. Menschen aus rund 150 ethnischen Gruppen, darunter etwa 900 000 Schwarze sowie 400 000 Einwohner polnischer, 35 000 kurdischer, 45 000 belgischer und 250 000 arabischer Abstammung. Die Stadt liegt verkehrsgünstig am Detroit River, der eine etwa 90 Meilen lange Verbindung zwischen dem Lake Huron und dem Lake Erie darstellt. Den Reiz der geographischen Lage erhöht auch die Tatsache, daß der Fluß die Grenze nach Kanada bildet. Dortige Nachbarstadt von Detroit ist Windsor.

Detroit, unter den industriellen Ballungsgebieten der USA nach Los Angeles und Chicago an dritter Stelle, hat in der Autoindustrie den wichtigsten Wirtschaftszweig, in dem drei Großkonzerne dominieren: General Motors Corporation (GM), Ford Motor Company und Chrysler Corporation. In den vergangenen Jahrzehnten erlitt diese Branche schwere Einbußen, auch weil die ausländische Konkurrenz, vor allem die japanische, auf dem amerikanischen Markt immer stärker wurde. Auch in den 90er Jahren befanden sich Amerikas Autoriesen auf wirtschaftlichem Schleuderkurs. Dennoch gilt Detroit immer noch als die ›Automobilhauptstadt der Welt‹.

Henry Ford

Vater des motorisierten Amerika

Kaum jemand hat das Gesicht der USA im 20. Jh. so nachdrücklich geprägt wie der geniale Ingenieur und dynamische Industrieboß Henry
Ford, der mit der Massenproduktion von Kraftfahrzeugen eine zweite
Industrielle Revolution initiierte. Ford wurde am 30. 7. 1863 in Dearborn bei Detroit als Sohn eines Farmers geboren. Das Haus, in dem er
seine Kindheit verbrachte, steht heute im historischen Greenfield Village in seinem Geburtsort, wo man auch einige frühe Erfindungen des
großen Geistes besichtigen kann. Im Jahre 1892 konstruierte er seinen
ersten Kraftwagen, elf Jahre später gründete er seine eigene Firma, die
Ford Motor Company, heute die zweitgrößte Automobilfirma der USA.

Ford war überzeugt, Autos zu einem akzeptablen Preis in Serienfer-
tigung herstellen zu können. Dabei ging er von einigen Grundsätzen
aus wie etwa gesteigerter Arbeitsteilung, wirtschaftlicher Verwendung
von Roh- und Abfallstoffen sowie weitgehender Rationalisierung,
wofür das 1913/14 von ihm erfundene Fließband die technischen Voraussetzungen schuf. Stein des Anstoßes zu dieser Erfindung war aber
in erster Linie die Notwendigkeit erhöhter Produktion angesichts des
Ausbruchs des Ersten Weltkriegs.

In den ersten Jahrzehnten ihrer Existenz benannte die Ford Company ihre Autos nach Buchstaben des Alphabets. Im Jahre 1908 war
man bereits beim Buchstaben T angekommen, das sogenannte Model
T wurde zu einem der erfolgreichsten Modelle überhaupt. Im Jahre
1927, als diese Produktion offiziell endete, fuhr Henry Ford mit seinem Sohn Edsel das 15millionste Exemplar vom Band. Dieses Jubi-
läumsauto ist heute im Henry Ford Museum ausgestellt.

Henry Ford beeinflußte das sozialpolitische Klima in den USA in der
ersten Hälfte des 20. Jh. entscheidend. Er machte sich für kürzere Ar-
beitszeiten und höhere Löhne stark. Am 5. 1. 1914 reduzierte er den
bisherigen Neun-Stunden-Tag auf acht Stunden und hob gleichzeitig
den Tageslohn von 2,34 Dollar auf 5 Dollar an. Gewerkschaften lehn-
te der Unternehmer aber zeitlebens ab. Das schuf Probleme mit der
Arbeiterschaft, vor allem nach 1936, als die Belegschaft des General
Motors-Konzerns sich mit einem Streik gewerkschaftliche Rechte er-
stritten hatte. Ford stemmte sich mit eigens angeheuerten Anti-Ge-
werkschaft-Trupps gegen die *Trade Unions* in seinem Werk. Als Ver-

Henry Ford mit seinem Sohn Edsel

treter der organisierten Arbeiterschaft 1937 auf das Gelände des Hauptwerks Rouge River vordrangen, wurden sie von Streikbrechern abgefangen. Bei den tätlichen Auseinandersetzungen wurde ein Gewerkschaftsmitglied beinahe zu Tode geprügelt. Der darauf folgende öffentliche Aufschrei der Empörung wurde auch in den Vorstandsetagen der Firma Ford als ein deutliches Zeichen zum Umdenken vernommen. Danach wurde der Arbeiterschaft das Recht eingeräumt, sich unter dem gewerkschaftlichen Dach der *United Auto Workers* zu organisieren.

Mit seinem Sohn Edsel gründete Ford 1936 die *Ford Foundation*, eine Stiftung, die aus den Einnahmen von Aktienverkäufen vor allem amerikanische Universitäten und andere Lehranstalten sowie soziale Einrichtungen wie etwa Krankenhäuser finanziert. Henry Ford, der geniale Erfinder und Industriekapitän, starb am 7. 4. 1947 im Alter von 83 Jahren in Detroit.

Die älteste Stadt im Mittleren Westen wurde am 24. 7. 1701 vom französischen Entdecker Antoine de la Mothe Cadillac gegründet, der mit einer kleinen Expedition dort landete, wo heute das Cobo Conference and Exhibition Center am Ufer des Detroit River steht. Cadillac baute dort eine Handelsstation auf, um Frankreich am lukrativen Pelzgeschäft mit den Indianern teilhaben zu lassen. Neben wirtschaftlichen Interessen war sein oberstes politisches Ziel, die Position seines Heimatlands in der Neuen Welt gegen den Rivalen Großbritannien auszubauen und die französischen Niederlassungen zwischen Kanada, dem Mississippi und Louisiana vor den Briten zu schützen. So wurde ein strategisch wichtiger Standort am ›Seeweg‹ Detroit River ausgewählt. De la Mothe Cadillac ließ zunächst das Fort Pontchartrain d'Etroit aufbauen, von dem schließlich auch der Name Detroit abgeleitet wurde. Die Befestigungsanlage stand dort, wo sich heute das Hotel Pontchartrain (2 Washington Blvd.) befindet.

Die Spannungen zwischen Frankreich und England rissen in den folgenden Jahrzehnten aber nicht ab, sondern erreichten im French and Indian War (1754–63), der amerikanischen Phase des sich in Europa abspielenden Siebenjährigen Krieges, einen Höhepunkt. Im Zuge der Auseinandersetzungen kam Detroit 1760 für die nächsten 40 Jahre unter britische Kontrolle, wenngleich Michigan im Frieden von Paris 1783 amerikanisches Territorium wurde. Doch die Briten rückten nur langsam ab, und die neuen Landesherren sahen kaum Möglichkeiten, diesen Abzug zu beschleunigen.

Ein verheerendes Großfeuer im Jahre 1805 ließ von der noch jungen Siedlung, die erst von etwa 2200 Menschen bewohnt war, kaum etwas übrig. Der damalige Verwalter des amerikanischen Michigan-Territoriums, Augustus Woodward, sah in der Katastrophe eine Chance, die Stadt neu anzulegen und sie als zukünftige Drehscheibe des Verkehrs und der Wirtschaft im Mittleren Westen zu planen. Urbane Rivalen existierten damals nicht. Chicago war noch nicht gegründet, Cleveland erst zehn Jahre zuvor.

Bis in die 40er Jahre des 19. Jh. hatte sich Detroit zum *Gateway to the Northwest* (Tor in den Nordwesten) entwickelt, weil der Beginn der Handelsschifffahrt auf den Großen Seen den billigen Transport von großen Mengen Holz, Stahl und anderen Waren möglich machte. Während des amerikanischen Bürgerkriegs wurde Detroits wirtschaftliche Rolle noch bedeutender, da es sich eine führende Position als Lieferant für Artikel wie Schuhe und Seife eroberte.

Den endgültigen Durchbruch als Industriemetropole schaffte die Stadt um die Jahrhundertwende mit der Automobilherstellung. Detroit verfügte damals bereits über eine

›industrielle Vergangenheit‹, wies eine gutentwickelte Infrastruktur auf, hatte Arbeitskräfte in Hülle und Fülle und wußte in seinen Mauern eine Vielzahl reicher, investitionsbereiter und visionärer Unternehmer, die nicht zögerten, ihre Stadt auf Räder zu stellen. Treibende Kraft in dieser Phase war Henry Ford, der den industriellen Herstellungsprozeß durch die Erfindung des Fließbands nachdrücklich beeinflußte.

Im Jahre 1902 besaß Detroit vier Autofirmen; 1914 waren es bereits 70. Kurz nach der Jahrhundertwende wurden jährlich etwa 200 Autos produziert; bis 1917 rollten pro Jahr 1 Mio. Fahrzeuge vom Band. So wie ein halbes Jahrhundert zuvor der kalifornische Goldrausch die Menschen nach Westen gelockt hatte, zog Detroits Automobilindustrie in den ersten beiden Dekaden des 20. Jh. wie ein Magnet Arbeitskräfte aus dem ganzen Land an, zumal vergleichsweise hohe Stundenlöhne gezahlt wurden. Im Jahre 1904 beschäftigte die junge Autoindustrie 4000 Arbeiter; 1919 bereits 995 000.

So schnell sich der Aufstieg abspielte, so rapide war der wirtschaftliche Niedergang zwischen 1920 und 1930, als die Beschäftigung in der Detroiter Automobilherstellung um 28 % zurückging. Für die Stadt hatte das verheerende Folgen, bestand doch etwa Dreiviertel der gesamten Wirtschaft aus dem Automobilsektor und dessen Zulieferbetrieben.

An der Kreuzung Woodward Avenue/Grand Boulevard ließen die Verkehrsplaner im Jahre 1915 die erste Verkehrsampel der Welt installieren (inzwischen ist die Zahl in Detroit auf etwa 85 750 angestiegen). Schon vier Jahre zuvor teilte man erstmals durch aufgemalte Markierungen eine Straße in zwei Fahrbahnen. Im Jahre 1930 war mit dem Tunnel von Detroit nach Windsor (Kanada) unter dem Detroit River der erste internationale Unterwasser-Autotunnel dem Verkehr übergeben worden. Der Rekorde nicht genug: Als erste Stadt der Welt besaß Detroit schon 1942 mit dem Davison Freeway eine Stadtautobahn.

Nach dem Zweiten Weltkrieg zeitigte die Stadt für kurze Zeit das schnellste Wirtschaftswachstum ihrer Geschichte, doch dann brachen Rassenprobleme auf, wanderten weiße Einwohner ebenso wie die Autoindustrie in die Vorstädte ab, so daß in Detroit die Arbeitslosenrate drastisch zu steigen begann und der soziale Sprengstoff immer brisanter wurde. Im Sommer 1967 gerieten weiße Polizeikräfte und schwarze Einwohner aneinander, und die aufgeladene Atmosphäre explodierte während siebentägiger gewalttätiger Unruhen mit trauriger Bilanz: 43 Tote, 7200 Verhaftungen und etwa 100 Mio. Dollar Sachschaden.

Blick über das nächtliche Detroit

Detroit hat sich seit diesen Tagen verändert, wenn auch die wirtschaftlichen Strukturprobleme noch nicht behoben sind. In den 70er Jahren setzte die Stadtverwaltung einen geradezu dramatischen Renovierungs- und Aufbauplan in Kraft – die Innenstadt sollte ein neues, attraktiveres Gesicht erhalten. Im Mittelpunkt dieser Anstrengungen stand der Bau des Renaissance Center am Detroit River, das als glänzendes Schaufenster in eine bessere Zukunft gedacht war. Trotzdem zogen immer mehr Läden in die Vororte, und die Versuche der Stadtväter, Downtown Detroit wieder etwas Leben einzuhauchen, sind bislang fehlgeschlagen. Um die Dominanz der Automobilindustrie abzubauen, setzt man heute auf High Tech für eine krisensichere Gesamtwirtschaft.

Downtown Detroit

Das Stadtzentrum grenzt im Süden an den Detroit River, wird im Westen bzw. Osten vom Lodge Freeway (U. S. 10) respektive dem Chrysler Freeway (I-375) flankiert und reicht im Norden bis zum Fisher Freeway. Die in diesem Quadrat liegenden Sehenswürdigkeiten erreicht man am einfachsten zu Fuß, da die Entfernungen nicht groß sind, der Parkraum jedoch knapp bemessen ist. Oder man benutzt das Nahverkehrssystem People Mover, das als Hochbahn eine Schleife durch Downtown zieht.

Man kann auch mit dem Trolley fahren, der zwischen dem Renaissance Center und dem Grand Circus Park verkehrt und auf dieser Strecke zahlreiche Stopps einlegt. Diese Straßenbahn erstanden Detroits Stadtväter 1976 in Portugal.

Praktischerweise beginnt man eine City-Tour unweit des Ufers des Detroit River beim **Detroit Visitor Information Center** (1, 2 East Jefferson Ave., ✆ 313-567-1170, Mo–Fr 9–17, Sa, So 10.30–16.30 Uhr). Dort kann man sich Kartenmaterial und Broschüren besorgen. Auf der Straßenkreuzung vor dem Center, wo die Woodward Avenue beginnt, steht das von Robert Graham geschaffene **Monument to Joe Louis** (2), ein freischwebender Arm mit Faust, der an den aus Detroit stammenden ehemaligen Boxweltmeister erinnert.

Das Informationszentrum liegt an der Flanke der **Philip A. Hart Plaza** (3), einem nach dem einstigen Senator benannten Platz, der bis ans Ufer des Detroit River reicht und im Sommer wie auch im Winter ein beliebter Treffpunkt der Detroiter ist. Im Mittelpunkt zeigt in der warmen Jahreszeit der Dodge Fountain computergesteuerte Wasserspiele. An der Uferpromenade steht das **Ford Auditorium** (4), das jahrelang das Detroit Symphony Orchestra beherbergte. Heute finden dort gelegentlich Konzerte statt. Westlich der Plaza befindet sich das **Veterans Memorial Building** (5), das als kleines Museum dient und an diejenigen Bürger der

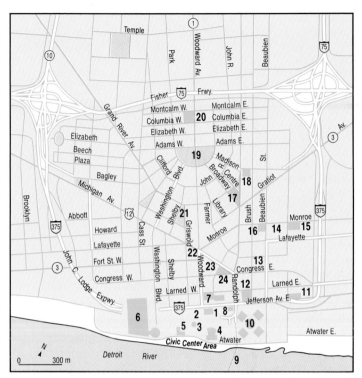

Downtown Detroit 1 Detroit Visitor Information Center 2 Monument to Joe Louis 3 Philip A. Hart Plaza 4 Ford Auditorium 5 Veterans Memorial Building 6 Cobo Conference & Exhibition Center 7 City-County Building 8 Old Mariners' Church 9 Detroit-Windsor-Tunnel 10 Renaissance Center 11 Sts. Peter and Paul Roman Catholic Church 12 Millender Center 13 Bricktown 14 Greektown 15 Old St. Mary's Church 16 Second Baptist Church 17 Detroit Artists Market 18 Music Hall Center for the Performing Arts 19 Grand Circus Park 20 Fox Theater 21 Capitol Park 22 Kennedy Square 23 Cadillac Square 24 Old Wayne County Building

Stadt erinnert, die in Kriegen ihr Leben verloren. Noch weiter westlich schließt sich das Civic Center mit dem **Cobo Conference & Exhibition Center** (6, 1 Washington Blvd., ✆ 313-224-1010, Mo–Fr 9–17 Uhr, freier Eintritt) an. Das nach dem von 1950 bis 1957 amtierenden Bürgermeister Albert E. Cobo benannte Zentrum wurde Anfang der 90er Jahre erweitert und zählt heute zu den größten Ausstellungs- und Tagungsstätten der Welt. Teil der Anlage ist die knapp 12 000 Besucher fassende Joe Louis Arena (600 Civic Center Dr., ☎ 313-567-6000), wo sportliche und kulturelle Veranstaltungen stattfinden.

Zum Civic Center gehört auch das nördlich der Jefferson Avenue an der Ecke Woodward Avenue gelegene dreizehnstöckige **City-County Building** (7) mit dem 19 Stockwerke hohen Turm (2 Woodward Ave.), in dem die Stadt- und Kreisverwaltung sowie die Justizbehörden ihre Büros haben. Vor dem Gebäude ist die Bronzeskulptur »Spirit of Detroit« aufgestellt. Auf dem Weg zum Renaissance Center kommt man an der kleinen **Old Mariners' Church** (8, 170 E. Jefferson St.) vorbei, der ältesten aus Stein gebauten Kirche von Detroit aus dem Jahre 1849. Das den Seeleuten gewidmete Gotteshaus besitzt eine Glocke, die immer dann geläutet wird, wenn auf den Großen Seen ein Seemann das Leben verloren hat.

Geht man von der Hart Plaza am Flußufer entlang nach Osten, kommt man an der Zufahrt zum **Detroit-Windsor-Tunnel** (9) vorbei, der unter dem Detroit River nach Kanada hinüberführt. Dann gelangt man zum Symbol der Wiedergeburt Detroits nach dem wirtschaftlichen und sozialen Niedergang der 60er Jahre, zum **Renaissance Center** (10, 100 Renaissance Center, ☎ 313-568-5600, Geschäftszeiten Mo–Sa 10–18, So 12

People Mover im Renaissance Center

bis 17 Uhr), das man angesichts der fünf hochaufragenden Glas- und Stahlzylinder nicht verfehlen kann.

Seit der Einweihung im Jahre 1977 ist das Renaissance Center zum unverwechselbaren Schaustück der Stadt geworden, in dessen Zentrum sich das 73 Stockwerke hohe Westin Hotel erhebt. Auf dessen oberster Etage hat man vom Summit, einem Drehrestaurant, einen wunderschönen Blick über die Innenstadt und deren Umgebung. Wer vom Restaurant nur die Aussicht genießen will und nichts verzehrt, muß für den Aufzug bezahlen. Um diesen zentralen Gebäudeteil liegen vier Bürotürme mit jeweils 39 Etagen sowie zwei seitliche Türme mit je 21 Stockwerken, in deren dreigeschossiger Basis Läden, Boutiquen, Restaurants und Bars, Imbisse, Theater sowie Dienstleistungsbetriebe untergebracht sind.

Verläßt man das Renaissance Center auf der Stadtseite an der East Jefferson Avenue und geht zwei Blocks nach rechts, kommt man an der Ecke Antoine Street zur ältesten Kirche im Zentrum von Detroit, der **Sts. Peter and Paul Roman Catholic Church** aus dem Jahre 1848 (11). Man geht dann zurück bis zur Brush Street und wendet sich dort drei Blocks nach rechts vorbei am neuen **Millender Center** (12, 340 E. Congress St.), einem Hotel-, Wohn- und Einkaufskomplex, der über Hochpassagen auch mit dem Renaissance Center

verbunden ist. Zwei Blocks weiter liegt **Bricktown** mit einigen Restaurants und Bars, die im Zuge des innerstädtischen Wiederaufbaus entstanden (13). Von dort gelangt man über die Beaubien Street in das benachbarte Viertel **Greektown** (14), einen der lebhaftesten Stadtteile in Downtown Detroit. Die schmalen Straßen besitzen ein unverkennbar griechisches Flair – dort duftet es nach Kebab und Ouzo, und aus den griechischen Lokalen tönt den ganzen Tag Sirtaki-Musik.

Historischer Kern der ›Griechenstadt‹ ist Trapper's Alley (508 Monroe St.), eine moderne, mehrgeschossige Mall mit über 80 Geschäften und Restaurants, deren Vorgängerbau im Jahre 1852 als Pelz- und Lederwarenfirma gegründet wurde. Im Umfeld dieses Unternehmens entstand um die Jahrhundertwende ein Kulturzentrum der griechischen Einwanderer, die sich nach und nach in den umliegenden Straßenblöcken niederließen und ihre Spezialitätenläden und Restaurants eröffneten. Unweit von Trapper's Alley wurde ein ehemaliges Lagerhaus in den International Marketplace umgebaut, in dem zahlreiche auf Importe spezialisierte Geschäfte ihren Platz haben. An der Ecke Monroe Avenue und Antoine Street kann man der katholischen **Old St. Mary's Church** (15) aus dem Jahre 1885 einen Besuch abstatten. Im Westen der Monroe Avenue/Ecke Beaubien Street steht eine weitere Kirche, die **Second Baptist Church**

(16), die schon vor rund 150 Jahren ein Zentrum der schwarzen Gemeinde von Detroit war.

Wendet man sich auf der Randolph Street nach Norden, stößt man an der Ecke Centre Street auf den am Rande des Harmony Parks gelegenen **Detroit Artists Market** (17), wo lokale Künstler ihre Arbeiten ausstellen und verkaufen. Weiter auf der Randolph Street bis zur Kreuzung mit der Madison Avenue liegt rechter Hand das 1928 erbaute **Music Hall Center for the Performing Arts** (18, 350 Madison Ave., ✆ 313-963-7680), in dem das ganze Jahr über unterschiedliche Veranstaltungen der darstellenden Künste stattfinden. Die Madison Avenue führt in nördlicher Richtung zum **Grand Circus Park** (19), der im Halbrund angelegt ist und von der Woodward Avenue, der Detroiter Hauptstraße, in zwei Hälften geteilt wird. Dort stehen zwei Brunnen, von denen einer zu Ehren des großen Erfinders Thomas Edison (1847–1931) gebaut wurde. Vom Park zwei Querstraßen nach Norden kommt man auf einem kleinen Abstecher zum sehenswerten **Fox Theater** (20).

Vom Grand Circus Park gelangt man über den breiten Washington Boulevard bzw. die Grand River Street zur nördlichsten Ecke des **Capitol Park** (21), wo der erste Regierungssitz von Michigan stand, ehe im Jahre 1847 Lansing die Hauptstadt des Staates wurde. Einen Block weiter östlich verläuft die Woodward Avenue, die in den

60er Jahren auf diesem Abschnitt noch das Einkaufsparadies der Stadt war. Seither zogen viele Geschäfte weiter nach Norden, so daß die Straße heute ihre ehemalige Bedeutung nur noch erahnen läßt. Auf Höhe des **Kennedy Square** (22) kann man Richtung Westen einen Abstecher in die Lafayette Boulevard machen, wo die beiden lokalen Zeitungen, die »Detroit News« und die »Detroit Free Press« ihre Zentralen haben. Parallel dazu verläuft im Süden die Fort Street, die heute als das Finanzzentrum Detroits gilt.

Geht man vom Kennedy Square schräg über die Woodward Avenue, befindet man sich auf dem **Cadillac Square** (23), dem historischen Stadtzentrum, wo heute der zentrale Busbahnhof liegt. Am östlichen Ende erkennt man das auffällige **Old Wayne County Building** (24), das um die Jahrhundertwende gebaut und mit einer reich dekorierten klassizistischen Fassade versehen wurde. Blickt man von dort nach rechts, bildet dieses Gebäude zum im Hintergrund stehenden Renaissance Center einen reizvollen Kontrast.

New Center

Detroit zählt zu den wenigen Millionenstädten der Welt, die über zwei Zentren verfügen. Zu Beginn der 20er Jahre entstand etwa 4 km nördlich von Downtown eine zweite City am damaligen Stadtrand, wo bislang nur die Reichen der Stadt ihre Residenzen besaßen. Dann ließ am Schnittpunkt des Grand Boulevard mit der Second Avenue der 1913 gegründete Automobilkonzern General Motors sein Hauptquartier bauen und leitete damit die Gründung eines zweiten Zentrums ein.

Gegenüber vom wenig ansehnlichen **General Motors Building** (1) – zur Zeit der Fertigstellung im Jahre 1921 zweitgrößtes Bürogebäude der Welt – errichtete derselbe Architekt, der deutschstämmige Albert Kahn, sieben Jahre später mit dem 134 m hohen **Fisher Building** (2, W. Grand Blvd./Second Blvd.) ein Geschäftshaus, das von einer Standesorganisation amerikanischer Architekten als schönste ›Kathedrale des Kommerzes‹ mit einem Preis ausgezeichnet wurde. Zwei 11geschossige Flügel flankieren den zentralen, 28 Stockwerke hohen Turm des Gebäudes. Im Innern zeigt sich das Fisher Building noch eleganter als von außen. Die gewölbten Decken und wunderschönen Arkaden wurden unter Verwendung von rund 40 unterschiedlichen Marmorsteinen errichtet und mit vielfältigen Motiven verziert. Im Erdgeschoß befindet sich das Fisher Theatre. Das Gebäude ist über eine unterirdische

Einkaufspassage, der ersten überhaupt in den USA, mit der Zentrale des Automobilkonzerns General Motors verbunden.

Auch der Stadtteil New Center war in den 50er und 60er Jahren mit den Problemen konfrontiert, die aus Downtown fast eine ›Geisterstadt‹ gemacht hatten. Dort wie auch an der nördlichen Woodward Avenue setzte in den 70er Jahren ein Prozeß des Umdenkens ein, weil New Center bis dahin durch steigende Kriminalität, Stadtflucht und eine allgemeine Verwahrlosung verkommen war. Ein von den dort ansässigen großen Konzernen unterstütztes Revitalisierungsprogramm veränderte Detroits zweites Zentrum seither gründlich und verwandelte es in eine Art Kleinstadt inmitten der Millionenstadt. Die Stadtverwaltung forcierte den Wohnungsbau, schuf Parkanlagen und wertete das Viertel mit zahlreichen interessanten Museen zu einer kulturellen Hochburg auf.

Beiderseits der Woodward Avenue zwischen Warren Avenue im Süden und Ferry Street im Norden erstreckt sich der Kulturdistrikt von Detroit mit einigen renommierten Einrichtungen. Das **Detroit Institute of Arts** (3, 5200 Woodward Ave., ✆ 313-833-7900, geöffnet: Di–So 9.30–17.30 Uhr, Gratiseintritt) bildet den Kern des Distrikts. Mehr als 100 Galerien stellen Kunstwerke aus rund 5000 Jahren aus, wobei die Exponate von Meisterwerken von van Gogh und Rembrandt bis zu jüngeren Arbei-

ten etwa des großen ›Wandmalers‹ Diego Rivera reichen, der mit »Detroit Industry« einen monumentalen ›Klassiker‹ schuf. Gegenüber liegt die **Detroit Public Library** (4, 5201 Woodward Ave., ✆ 313-833-1000, Di, Do–Sa 9.30–16.30 und Mi 9–21 Uhr, Gratiseintritt), die fünftgrößte Bibliothek der USA mit über 1,3 Mio. Bänden, 500 000 Kunstdrucken und mehr als 100 000 Karten. Westlich der Public Library, entlang der Cass Avenue, erstreckt sich der Campus der **Wayne State University** (5, 5050

Beim Eastern Farmer's Market

Cass Ave., ✆ 313-577-2424) mit mehr als 100 Gebäuden, in denen über 33 000 Studenten unterrichtet werden.

Im **Detroit Historical Museum** (6, 5401 Woodward Ave., ✆ 313-833-1805, Mi–So 9.30–17 Uhr, feiertags geschlossen) kann man sich anhand einer im Stil des 19. Jh. nachgebildeten Straße einen Eindruck machen, wie Detroit damals ausgesehen haben mag. Darüber hinaus geht das Museum auf die architektonische, industrielle und soziale Geschichte der Industriestadt ein.

Das **Children's Museum** (7, 76 E. Kirby St., ✆ 313-494-1210, Mo bis

Fr 13–16 Uhr, Okt.–Mai auch Sa 9–16 Uhr, Gratiseintritt) ist in einem hübschen Herrenhaus untergebracht, vor dem »Silverbolt« steht, die Skulptur eines Pferdes aus verschromten Autostoßstangen. Gleich in der Nachbarschaft kann man dem **International Institute of Metropolitan Detroit** (8, 111 E. Kirby St., ✆ 313-871-8600, Mo–Fr 8.30–17 Uhr) einen Besuch abstatten, in dem sich ein Treffpunkt für Ausländer und ein Café befinden. In einer Galerie sind Kunstwerke und handwerkliche Gegenstände aus mehr als drei Dutzend Ländern ausgestellt. **Your Heritage House** (9, 110 E. Ferry St., ✆ 313-871-1667, Mo–Fr 9–17 Uhr, Gratiseintritt) heißt vor allem jüngere Besucher willkommen, die sich dort mit dem Thema Kunst befassen können.

Das erst 1987 eröffnete **Museum of African-American History** (10, 301 Frederick Douglass St., ✆ 313-833-9800, Di–Sa 9–17 Uhr) befaßt sich mit afrikanischer Kunst und der Geschichte der Sklaverei. In diesem Kulturbezirk geht es vor allem im September bunt zu, wenn das alljährliche Detroit Festival of the Arts stattfindet und Straßen wie Plätze zur Freiluftbühne für Mimen und Komödianten, Tänzer und Artisten werden. Im **Detroit Science Center** (11, 5020 John R. St./Ecke Warren Ave., ✆ 313-577-8400, Di–Fr 9–16, Sa 10–19 und So 12–19 Uhr) lernen Besucher Naturgesetze und wissenschaftliche Prinzipien an mehr als 50 Versuchseinrichtungen kennen. Ein Erlebnis sind die Vorstellungen des Omnimax Space Theater, wo man bei den Filmprojektionen auf eine konkave Riesenleinwand den Eindruck hat, sich mitten im Geschehen zu befinden.

Östlich des Stadtzentrums liegt mit dem **Eastern Farmer's Market** (2934 Russell St./Market St.) ein farbiges Stück Detroit. Dieser 1892 eingerichtete Groß- und Einzelmarkt für Obst, Gemüse, Fleisch, Käse und Blumen ist der größte derartige Warenumschlagplatz in den Vereinigten Staaten. Während der Woche gehen dort in der Regel nur größere Posten über den Ladentisch, samstags kommt auch der Einzelhandel zum Zuge. Das Viertel ist nicht nur wegen des quirligen Marktbetriebs interessant, sondern auch angesichts der viktorianischen Bauten, der aus roten Ziegeln errichteten Hallen sowie der zahlreichen Wandmalereien. Wer den Markt besuchen will, sollte früh aufstehen. Der Hauptbetrieb spielt sich zwischen 5 und 9 Uhr ab.

Ebenfalls im Osten des Zentrums gelangt man über die East Jefferson Avenue sowie die MacArthur Bridge nach Belle Isle, einer Insel im Detroit River mit einem Golfplatz, einem Naturzentrum, Jogging- und Wanderpfaden, Stränden und zahlreichen Sportanlagen. Von der westlichen Spitze des flachen Eilands hat man einen schönen Blick auf das 3 Meilen entfernte Stadtzentrum. Das **Anna Scripps Whitcomb Conservatory** (✆ 313-267-7134, tägl. 10–16 Uhr, Gratiseintritt), ein botanischer Garten, präsentiert außer Kakteen und Palmen auch zahlreiche andere exotische Pflanzen. **Belle Isle Nature Center** (✆ 313-267-7157, Mi–So 10–16 Uhr, Gratiseintritt) beschäftigt sich mit der lokalen Pflanzenwelt und zeigt darüber hinaus wechselnde Ausstellungen. Das **Belle Isle Aquarium** (✆ 313-267-7159, tägl. 10–17 Uhr, Gratiseintritt) zeigt Fische, Reptilien und Amphibien aus unterschiedlichen Klimazonen, so etwa ›elektrische‹ Aale und Piranhas. Der **Belle Isle Zoo** (✆ 313-267-7160, Anfang Mai–Ende Okt. Mo–Sa 10–17, So und feiertags 9–16 Uhr) umfaßt eine Fläche von 10 ha, auf der sowohl exotische als auch heimische Tierarten zu sehen sind. Der Schiffahrt auf den Großen Seen ist das **Dossin Great Lakes Museum** (✆ 313-267-6440, Mi–So 10–17.30 Uhr, feiertags geschlossen) gewidmet, das viele Modelle, Zeichnungen, Photos und andere Exponate ausstellt. Sehenswert ist auf der Insel auch **Scotts Fountain**, ein 1925 aus weißem Vermont-Marmor geschaffener Brunnen mit vielen Figuren.

Im Westen von Downtown liegt am Ufer des Detroit River **Historic Fort Wayne** (6325 W. Jefferson Ave., ✆ 313-297-9360, Anfang Mai – Anfang Sept. Mi–So 9.30–17 Uhr). Das einem Kasernengelände ähnelnde Fort, in den 40er Jahren des 19. Jh. erbaut, veranschaulicht Detroits militärische Vergangenheit von der Stadtgründung bis zum letzten Jahrzehnt des 19. Jh. Innerhalb des Forts gibt es zwei Museen, das **North American Indian Museum** sowie das **Tuskegee Airman Museum**, das an die erste aus Schwarzen bestehende Luftstaffel des Zweiten Weltkriegs erinnert.

Eine der bekanntesten Sehenswürdigkeiten des Großraums Detroit liegt im westlichen Vorort Dearborn. Der einfachste Weg von der City dorthin ist die Michigan Avenue, die fast genau zum **Henry Ford Museum & Greenfield Village** (20900 Oakwood Blvd., ✆ 313-271-1620, tägl. 9–17 Uhr) führt. Hauptthema sowohl des Museums

als auch des historischen Dorfs mit rund 80 authentischen Gebäuden ist die Geschichte der industriellen Entwicklung in Amerika zwischen 1800 und 1950, als das Land den langen Weg von einer Agrargesellschaft zur hochindustrialisierten Supermacht beschritt. Das Henry Ford Museum, eine Kopie der Independence Hall in Philadelphia, stellt diese 150 Jahre anhand von Exponaten aus unterschiedlichen Bereichen wie Transport, Landwirtschaft, Kommunikation, Industrie und ländlichem wie städtischem Leben dar. Neben ›vorsintflutlichen‹ Dampfmaschinen glänzen verchromte Limousinen mit den typischen Heckflossen der 50er Jahre. Einen prominenten Platz nimmt auch Abraham Lincolns Schaukelstuhl ein, in dem der US-Präsident am 14. 4. 1865 ermordet wurde.

Oldtimer im Henry Ford Museum

Im benachbarten Greenfield Village sieht der Besucher, welche Rolle viele der im Museum ausgestellten Exponate einst im Leben der Amerikaner spielten. Unter den historischen Bauten befindet sich auch das typische Farmhaus des Mittleren Westens, in dem Henry Ford (1863–1947) seine Kindheit verbrachte. An einen weiteren Prominenten erinnert der Menlo Park Compound, das rekonstruierte Laboratorium des berühmten Erfinders Thomas Edison, der zu den großen Genies der USA zählt. Durch das Museumsdorf fährt ein historischer Dampfzug.

Informationen: Visitor Information Center, an der Jefferson Ave., ☎ 313-567-1170, Mo–Fr 9–17, Sa, So 10.30–16.30 Uhr; Greater Detroit Chamber of Commerce, 600 W. Lafayette Blvd., ☎ 313-964-4000, Fax 313-964-0531 (für Geschäftsleute); Metropolitan Detroit Convention & Visitors Bureau, 100 Renaissance Center, Suite 1950, ☎ 313-259-4333, Fax 313-259-7583. Automatische Telefoninformation über Veranstaltungen: ☎ 313-298-6262 (24-Stunden-Ansage); weitere Veranstaltungshinweise geben folgende Publikationen: »Detroit Free Press«, »The Detroit News«, »Detroit Monthly Magazine« und »Key Magazine«

Unterkunft: Detroit verfügt über Hotels und Motels aller Preiskategorien. – Westin Hotel, Renaissance Center, ☎ 313-568-8000, Fax 313-568-8146, $$$$, Luxushotel im Zentrum des Renaissance Center; River Place Inn, 1000 River Pl., ☎ 313-446-2800, Fax 313-259-1248, $$$$; Ritz Motel, 1000 S. Woodward Ave., ☎ 313-338-0404, $; Hotel Pontchartrain, 2 Washington Blvd., ☎ 313-965-0200, $$$$, das Hotel befindet sich an jener Stelle, an der das historische Fort Pontchartrain d'Etroit stand; Days Inn-Detroit, 231 Michigan Ave., ☎ 313-965-4646, und 1-800-325-2525, Fax 313-965-3163, $$$, preisgünstigere Unterkünfte findet man in den umliegenden Vorstädten: Fairfield Inn-Metro, 31119 Flynn Dr., Romulus, ☎ 313-728-2322, $; Holiday Inn Dearborn, 22900 Michigan Ave., Dearborn, ☎ 313-278-4800, Fax 313-278-5832, $$; Knights Inn-Metro Airport, 8500 Wickham Rd., Romulus, ☎ 313-722-8500 und 800-722-7220, $

Camping: KOA-Campground, 6680 Bunton Rd., Ypsilanti, ☎ 313-482-7722, Ende März – Ende Okt.

Restaurants: Carl's Chop House, 3020 Grand River, ☎ 313-831-9749, $$$, berühmt für seine Steaks; London Chop House, 155 W. Congress St., ☎ 313-962-0277, So Ruhetag, $$$$, Nobelrestaurant mit amerikanischer Küche und Live-Music; The Summit, Westin Hotel, Renaissance Center, ☎ 313-568-8654, $$$, u. a. Fischspezialitäten im Drehrestaurant des 71. Stockwerks; Xochimilco, 3409 Bagley St. (zw. 23rd und 24th St.), ☎ 313-843-0179, $, mexikanische Spezialitäten; Blue Nile, 508 Munroe Ave., ☎ 313-964-6699, Mo Ruhetag, $$, äthiopische Spezialitäten

Bars: The Rhinoceros, 265 Riopelle St., ☎ 313-259-2208, $$$, Jazz und Piano-Bar, Lunch und Dinner; Soup Kitchen Saloon, 1585 Franklin/Ecke Orleans St., ☎ 313-259-1374, $$, nennt sich selbst ›Home of the Blues‹; Woodbridge Tavern, 289 St Aubin St.,

✆ 313-289-0578, $$, stimmungsvoll mit gutem Essen und unterschiedlichen Musikrichtungen; Taboo, 1940 Woodbridge St., ✆ 313-567-6140, $$$, populärster Detroiter Tanzklub; Old Shillelagh, 349 Monroe Ave., ✆ 313-964-0007, $$, irische Bierbar

❗ Touren: Rundfahrten in Detroit bzw. dem Großraum Detroit bieten an: Action Tours, 5563 Haverhill Rd., W. Bloomfield, ✆ 313-851-7893; Grayline Tours, 1301 E. Warren Ave., ✆ 313-833-7692; Tagestouren nach Windsor/Kanada: Kirby Tours, 1 Kennedy Sq., ✆ 313-963-8585; Töpfereibesichtigungen: Pewabic Pottery, ✆ 313-822-0954, von Mo–Fr

Einkaufen: Trapper's Alley, 508 Monroe Ave., Greektown, ✆ 313-963-5445, beliebte Mall auf fünf

Im mexikanischen Viertel von Detroit

Etagen; Millender Center, 340 E. Congress St., ✆ 313-222-1300, Einkaufszentrum mit vielen Spezialitätengeschäften; Fairlane Town Center, Dearborn, ✆ 313-593-1370, mehr als 200 Geschäfte, Restaurants und Dienstleistungsbetriebe

Verkehrsverbindungen: In Downtown verkehrt die computergesteuerte Hochbahn People Mover auf einer rund 4,5 km langen Strecke mit 13 teils kunstvoll ausgestalteten Haltestellen (Mo–Do 7–23, Fr 7–24, Sa 9–24 und So 12–20 Uhr). Der Detroit Trolley, eine Straßenbahn, pendelt zwischen Renaissance Center und Grand Circus Park. **Busse:** Zum Flughafen: Metro Area Transit, ✆ 313-459-9334; Detroit Metropolitan Airport, ✆ 313-941-3252; von Detroit nach Windsor durch den Tunnel: Tunnel Bus, ✆ 519-944-4111. Von der Innenstadt in die Vorstädte bzw. umgekehrt kann man mit den SMART-Bussen – Suburban Mobility Authority – fahren, ✆ 313-962-5515

Ausflug nach Windsor in Kanada

Eine Stippvisite in der kanadischen Nachbarstadt Windsor ist von Detroit ein einfaches Unternehmen. Der kürzeste Weg führt durch den gebührenpflichtigen Detroit-Windsor-Tunnel, dessen Zugang in Downtown westlich des Renaissance Center liegt. Man kann auch den Detroit River etwa 5 Meilen flußabwärts auf der ebenfalls maudpflichtigen Ambassador Bridge überqueren. Auf beiden Zufahrtswegen passiert man den kanadischen und auf dem Rückweg den amerikanischen Zoll.

Meistbesuchter Ort im 194 000 Einwohner zählenden Windsor ist der **Dieppe Park** (Quellette Ave. beim Riverside Dr.) am Ufer des Detroit River, von wo man den besten Blick auf die Skyline von Detroit hat. Die Gartenanlagen sind nach der französischen Stadt am Ärmelkanal benannt, wo das kanadische Essex Kent Scottish Regiment im Jahre 1942 schwere Verluste erlitt. Bis in die 30er Jahre legten dort die Fähren an, welche die Verbindung zwischen Windsor und Detroit aufrechterhielten. Ein zweiter lohnender Aussichtspunkt ist der **Ambassador Park** (Riverside Dr.) unterhalb der Ambassador Bridge, von wo man sowohl die knapp 3 km lange Hängebrücke als auch das entfernte Detroit gut sieht.

In der Stadt kann man einige schöne Baudenkmäler besichtigen wie etwa das von 1904 bis 1906 errichtete **Willistead Manor** (1899 Niagara St., ✆ 519-255-6545, Jan. bis Juni erster und dritter So des Monats 13–16 Uhr, Juli/Aug. So – Mi 13–16 Uhr, Sept. – Nov. erster und dritter So des Monats 13–16 Uhr, Dez. So 13–16 und Mi 19–21 Uhr). Dieses prächtige Gebäude im englischen Tudor-Stil inmitten einer Parkanlage ist mit Mobiliar aus der elisabethanischen Ära ausgestattet. Das **Hiram Walker Historical Museum** (254 Pitt St. W., ✆ 519-253-1812, Di–Sa 10–17, So 14–17 Uhr, Gratiseintritt) nimmt sich dagegen bescheidener aus. Der im Jahre 1812 errichtete Bau brannte ab, wurde dann jedoch schließlich renoviert und mehrfach verändert. Die Exponate beschäftigen sich mit der Besiedlung der umliegenden Gegend.

Wer sich weniger für die Geschichte als vielmehr für die Gegenwart interessiert, wird sich auf dem jeweils Samstag vormittags stattfindenden **Windsor City Market** (Dougall St./Pitt St. E.) wohlfühlen, auf dem sich die Einwohner der Stadt gern mit den Produkten versorgen, die von Bauern, Fleischern und Bäckern angeboten werden.

🛈 **Information:** Ontario Travel Information Centres, 110 Park St. E. (in Tunnelnähe), ✆ 519-252-8368 sowie 1235 Huron Church Rd. (südlich der Ambassador-Brücke), ✆ 519-254-6444; Convention and Visitors Bureau, 80 Chatham St. E., ✆ 519-255-6530

Unterkunft: Best Western Continental Inn, 3345 Huron Church Rd., ✆ 519-966-5541, $$; Compri Hotel, 333 Riverside Dr. W., ✆ 519-977-9777, $$$; Devonshire Motel, 2763 Howard Ave., ✆ 519-966-1930, $; **Bed & Breakfast:** Woodmont Guest House, 1580 Quellette Ave., ✆ 519-252-0492, $; Patrick-Robertsons, 908 Parent Ave., ✆ 519-258-2194, $

Blick vom kanadischen Windsor auf Detroit

Restaurants: Casa Bianca, 345 Victoria Ave., ✆ 519-253-5218, $$, in einem viktorianischen Gebäude des 19. Jh., italienische Spezialitäten; L'Auberge de la Bastille, 149 Chatham St. W., ✆ 519-256-2555, $$$, französisch-kanadische Küche; Old Fish Market, 156 Chatam St. W., ✆ 519-253-7417, $, Fischspezialitäten

Bars: Jason's, 25 Chatham St. E., ✆ 519-253-1194, $$, Unterhaltung für Erwachsene

Das Südufer des Lake Erie

Von Detroit nach Ohio

Cleveland

Von Cleveland
nach Buffalo

Die Niagara-Fälle

Auf der amerikanischen Seite der Niagara-Fälle

Am Ufer des Lake Erie entlang, Streifzug durch Cleveland, über Erie und Buffalo zu den weltberühmten Niagara-Fällen, Besichtigung der amerikanischen und der kanadischen Wasserfälle

Von Detroit nach Ohio

Ist von der Region um die Großen Seen als ›Amerikas Kernland‹ die Rede, so trifft dieser Beiname ganz besonders auf die vier Bundesstaaten Michigan, Ohio, Pennsylvania und New York zu, die an das Südufer des Lake Erie angrenzen. Michigan ist mit seiner längsten Große-Seen-›Küste‹ **der** Zentralstaat dieser Region; Ohio, das 1803 Bundesstaat wurde, spielte bei der Besiedlung der Region eine Schlüsselrolle; Pennsylvania trägt angesichts seiner historischen Bedeutung im Unabhängigkeitskampf nicht zu Unrecht den Beinamen ›Wiege der Nation‹, und der Staat New York mit der Weltstadt New York City war schon zum Zeitpunkt der amerikanischen Unabhängigkeit 1776 ein wirtschaftliches ›Schwergewicht‹.

Auf der Fahrt von Detroit nach Buffalo lernen Reisende zwar nur kleine Uferzonen der betreffenden Staaten kennen, doch können sie sich einen Eindruck von dieser urtypischen Region der USA am Lake Erie machen. Der zwölftgrößte See der Welt ist 388 km lang und 92 km breit, im großen ›Fünfer-

klub‹ seiner Nachbarn gilt er mit einer durchschnittlichen Tiefe von nur 19 m als der flachste. Deshalb erwärmt er sich auch viel schneller als die anderen und mißt im Juli durchschnittlich 21° Celsius, während die übrigen geringere Temperaturen aufweisen. Aus diesem Grunde dauert die Urlaubssaison um den Lake Erie länger, der Fischreichtum ist dort größer und die Zeit der Vereisung (Mitte Dezember bis Mitte Februar), welche die Schiffahrt behindert, ist kürzer als anderswo in der Region.

Wer es eilig hat, nach Ohio zu kommen, kann Detroit über die I-75 in südlicher Richtung verlassen. Reizvoller ist die nahe am Detroit River entlangführende Bidell Road, die ab und zu den Blick auf den für die Schiffahrt so bedeutenden Grenzfluß zwischen USA und Kanada freigibt. Auf Höhe des Vororts Trenton, wo ein großes Stahlwerk an der Straße steht, teilt Grosse Isle den Detroit River auf einer Länge von 13 km in zwei Ströme.

Einen ersten Halt auf dieser Tour kann man in **Monroe** einlegen. Die heute etwa 23 500 Einwohner zählende Stadt, 1784 von französischen Siedlern gegründet, trug zunächst den Namen Frenchtown, ehe sie nach dem fünften Präsidenten der USA, James Monroe (1817–25), benannt wurde. Der River Raisin, der durch den Ort fließt, spielte im Krieg zwischen den USA und Großbritannien von 1812 bis 1814 eine Rolle. Bei der Einnahme von Frenchtown durch die Briten ergaben sich rund 500 Verteidiger am Flußufer, die jedoch anschließend von den mit Großbritannien verbündeten Indianern massakriert wurden. ›Remember River Raisin‹ wurde ein bekannter nationaler Kriegsruf beim Einsatz amerikanischer Truppen gegen die Briten.

Bekannt wurde Monroe aber vor allem durch seinen prominentesten Bürger, General George Armstrong Custer (1839–76), dessen Familie 1842 von New Rumley hierher zog. Custer lebte in Monroe, bis er 16 Jahre alt war. Im Stadtzentrum an der Kreuzung von Elm und Monroe Street steht sein Denkmal. Am 25. 6. 1876 fand die Schlacht am Little Big Horn (Montana) statt, bei der Custer und 266 Mann seines Kavallerieregiments von Sioux-Indianern unter Häuptling Sitting Bull eingekreist und niedergemacht wurden. Im *Monroe County Historical Museum* (126 S. Monroe St., ✆ 313-243-7137, Di–So 10–17 Uhr) sind einige Erinnerungsstücke an den General ausgestellt.

Von Monroe setzt man die Fahrt auf der I-75 fort und verläßt die Schnellstraße beim Exit 280, um nach **Toledo** in Ohio zu gelangen.

Die 355 000 Einwohner zählende Stadt, an der Mündung des Maumee River in den Lake Erie gelegen, verfügt über einen günstigen natürlichen Hafen, der mit den Eisenbahnlinien aus Toledo einen Güterumschlagplatz (vor allem für Kohle und Getreide) und Industriestandort machte. Im renommierten *Toledo Museum of Art* (2445 Monroe St., ✆ 419-255-8000, Di–Fr 9–17, Sa 10–16 Uhr) reichen die Exponate von der Zeit der ägyptischen Pharaonen bis in die Gegenwart. Sehenswert ist der Stadtteil *Old West End* (begrenzt durch Detroit Ave., Monroe St., Collingwood Blvd. und Central Ave.), wo zahlreiche schöne Häuser vor allem der viktorianischen Ära stehen. Um dorthin zu kommen, fährt man vom Convention Center auf der Monroe Street etwa zwei Meilen Richtung Nordwesten.

Sandusky Bay ist heute das zentrale Feriengebiet des Staates Ohio am Lake Erie. Der tiefeingeschnittenen Bucht ist die **Catawba Island Peninsula** vorgelagert, eine landschaftlich schöne Halbinsel, die von einem ganzen Inselmeer umgeben ist. Im März und April beginnen dort die Apfel- und Pfirsichbäume zu blühen. Hauptort am Fuße der Halbinsel ist **Port Clinton** mit 7300 Einwohnern, das malerisch an der Mündung des Portage River in den Lake Erie liegt. Der Ort wird wegen des Fischreichtums um die Halbinsel auch ›Walleye Capital of the World‹ genannt. Fünf State Parks in der Umgebung bieten vielfältige Möglichkeiten zur Freizeitgestaltung.

Den östlichen Teil der Halbinsel, Marblehead Peninsula, kann man auf der Straße 163 und der Bay Shore Road umrunden. Am Ende des Landzipfels liegt **Marblehead Lighthouse** hinter der St. Mary Byzantine Catholic Church an der Straße 163. Der Leuchtturm, wegen der gefährlichen Felsen vor dem Ufer 1821 gebaut, ist die zweitälteste Küstenwache am Lake Erie, jedoch die älteste noch im Betrieb befindliche Station an den Großen Seen. Von Marble Head gibt es Fährverbindungen nach **Kelley's Island,** wo man auf dem Inscription Rock indianische Petroglyphen aus dem Jahre 1625 sowie einige Gebäude aus der Zeit des amerikanischen Bürgerkriegs besichtigen kann. Interessant ist die Insel auch aufgrund ihrer vor etwa 25 000 Jahren von Gletschern in den Fels geschrammten, fast 2 m tiefen Furchen.

Von Port Clinton oder der Nordspitze von Catawba Island Peninsula kann man nach **South Bass Island** übersetzen. Auf der südlichsten von mehreren Bass-Inseln liegt die Ortschaft **Put-in-Bay,** die sich zu einem ganzjährigen Ferienzentrum entwickelte und vor allem von Sportanglern frequentiert wird. In der Nähe fand 1813 im amerikanisch-britischen Krieg eine Seeschlacht statt, in der die US-Truppen die Oberhand behielten. Dem damaligen US-Kommandanten Oliver Hazard Perry ist das

Das Südufer des Erie-Sees

Perry's Victory and International Peace Memorial (Mai–Okt. tägl. ab 9 Uhr) gewidmet, von dessen Aussichtsplattform man an klaren Tagen nach Kanada hinüberblicken kann.

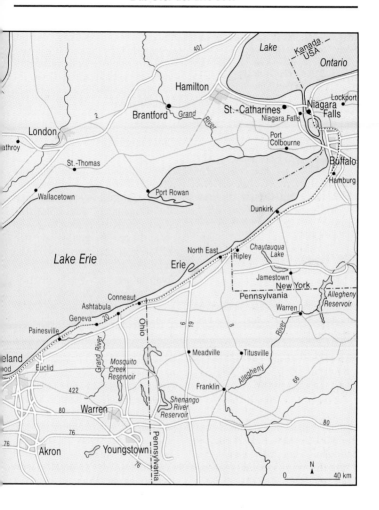

Am Ufer der Sandusky Bay liegt die malerische Ortschaft **Sandusky,** die mit Cedar Point einen der größten Amüsierparks Amerikas zu bieten hat (US 6, Exit 7, ✆ 419-626-0830).

Information in Sandusky: Erie County Visitors & Convention Bureau, 231 W. Washington Row, ✆ 1-800-255-3743; **in Port Clinton:** Ottawa County Visitors Bureau, 127 W. Perry St., ✆ 1-800-441-1271

🛏 **Unterkunft in Sandusky:** Sheraton Sandusky, 1119 Sandusky Mall Blvd., ✆ 419-625-6280, $$$$; LK Motel, 3309 Milan Rd., ✆ 419-626-8720, $–$$; **in Port Clinton:** Phil's Inn, 1704 E. Perry St., ✆ 419-734-4446, $$; Beach Cliff Lodge, 4189 NW Catawba Rd., ✆ 419-797-4553, $$

🍴 **Restaurants in Sandusky:** Damon's, 701 E. Water St., ✆ 419-627-2424, $$, Spezialität dicke Rippen; Ponderosa, 2916 Milan Rd., ✆ 419-626-9733; **in Port Clinton:** Garden at the Lighthouse, 226 E. Perry St., ✆ 419-732-2151, $$, Fisch- und Meeresfrüchte-Spezialitäten

❗ **Touren:** Goodtime Island Cruises, 1006 E. Strub Rd., Sandusky, ✆ 419-625-9692, Tagesfahrten mit Ausflugsbooten nach Kelley's Island und Put-in-Bay, Mai–Okt. tägl. Abfahrt 9.30 Uhr ab Jackson Street Pier; Miller Boat Line, ✆ 419-285-2421, tägl. Autofährenverbindung von Catawba Point nach Put-in-Bay; Put-in-Bay Inseltouren kann man buchen bei Put-in-Bay Transportations, P.O. Box 190, Put-in-Bay, ✆ 419-285-4855

Östlich von Sandusky erreicht man auf der Uferstraße 6 das Städtchen **Vermilion,** wo man dem *Great Lakes Historical Society Museum* (480 Main St., ✆ 216-967-3467, April – Dez. tägl. 10–17 Uhr, sonst Sa, So 10–17 Uhr) einen Besuch abstatten kann. Gezeigt werden Modelle, Gemälde, Dokumente und Artefakten zum Thema ›Große Seen‹. Auf der Weiterfahrt nach Cleveland passiert man zunächst die Ortschaft Lorain und östlich

des Landvorsprungs Avon Point die Gemeinde Lakewood, wo 1989 etwa 1 km vom Ufer entfernt künstliche Riffe gebaut wurden, die inzwischen die Fischpopulation stark erhöht haben.

Cleveland

Ohios ›Küstenmetropole‹, die rund 574 000 Einwohner zählende Industriestadt Cleveland, sammelt die Sympathien ihrer Besucher rechtzeitig. Gleichgültig aus welcher Himmelsrichtung man sich der Wolkenkratzerburg nähert: Die Autobahn führt fast bis ins Stadtzentrum und macht den Zugang zur Metropole am Ufer des Erie-Sees zumindest räumlich einfach. Argwöhnische könnten allerdings vermuten, daß man die Schnellverbindungen bis in die City durchgezogen hat, um weniger Zeit für einen Blick auf das kohlenschwarze, dampfende Industrierevier im Süden der Stadt zu haben.

Fast automatisch leitet der Verkehrsstrom Neuankömmlinge zum Stadtkern, der auch an sonnigen Tagen im Schatten der Beton- und Glaspaläste liegt. In unmittelbarer Umgebung des Wahrzeichens der Stadt, des Terminal Tower (Public Square, ✆ 216-621-7981), der an ein kleineres Exemplar des New Yorker Empire State Building erinnert, schrauben sich neue Konkurrenten respektlos in die Höhe: knapp 300 Mio. Dollar wurden in das Tower City Center hinter dem

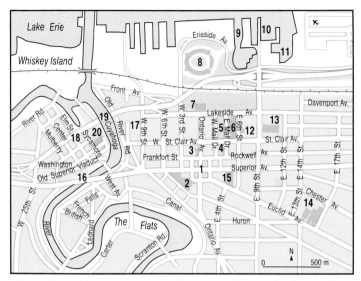

Cleveland 1 Public Square 2 Terminal Tower 3 Old Stone Church 4 War Memorial Fountain 5 Mall 6 Cleveland Convention Center 7 County Court House 8 Cleveland Municipal Stadium 9 Hafen 10 Municipal Pier und Rock'n' Roll Hall of Fame and Museum 11 U-Boot »USS Cod« 12 Greater Cleveland Convention & Visitor's Bureau 13 The Galleria 14 Playhouse Square 15 Cleveland Arcade 16 Detroit-Superior Bridge 17 Warehouse District 18 The Flats 19 Main Avenue Bridge (Shoreway Bridge) 20 Powerhouse

Terminal Tower investiert, wo ein Zentrum mit über 100 Läden, Snack Bars, Restaurants und kulturellen Einrichtungen entstand. Seit Ende 1992 ist das am Public Square stehende Society Center das die Skyline der Stadt dominierende Bauwerk. Mit einer Höhe von 289 m gehört der markante Riese zu den höchsten Wolkenkratzern Amerikas. Millionen sind in anspruchsvolle Hotelneubauten bzw. -renovierungen, in Geschäftsanla-

gen und in Musentempel geflossen. Denn Cleveland renommierte schon immer gern mit seinen bedeutendsten kulturellen ›Aushängeschildern‹ wie etwa dem Cleveland Orchestra, dem Kunstmuseum und dem Ballett.

Auf dem zentralen Public Square mitten in der City steht eine Statue, die an den Stadtgründer Moses Cleaveland erinnert. Am 22. 7. 1796 landete Moses Cleaveland von der Connecticut Land Company am Ufer des Cuyahoga River, um die Voraussetzungen für die Gründung einer neuen Siedlung zu schaffen. Die Gegend zählte als ›Western Reserve‹ zum Territorium des Staates Connecticut, der verarmten Bürgern nach dem Unabhängigkeitskrieg dort eine neue Heimat schaffen wollte. Aus dieser Anfangszeit stammt noch das unter der Detroit-Superior Bridge stehende Blockhaus von Lorenzo Carter, der in den Flats einen Handelsposten nebst Kneipe betrieb, nachdem Moses Cleaveland wieder nach Connecticut zurückgekehrt war.

Nach der Gründung war Cleveland – das ›a‹ im Namen des Gründers ging im 19. Jh. verloren – rund drei Jahrzehnte lang eine unbedeutende Siedlung, die 1827 einen gewaltigen Entwicklungsschub erlebte. Damals wurde der Ohio and Erie Canal in Betrieb genommen, der den Erie-See mit dem Ohio River verbindet und Cleveland in eine verkehrsmäßig günstige Lage brachte. Nachdem in den 50er Jahren des 19. Jh. die Stadt an die Eisenbahnlinie angeschlossen war, stand dem wirtschaftlichen Höhenflug, verbunden mit einem vollkommen unkontrollierten Wachstum, nichts mehr im Wege.

Cleveland entwickelte sich zu einem der größten Zentren der Stahlproduktion in den USA. Der Energieträger Kohle wurde aus dem Ohio Valley angefahren, der Rohstoff Eisenerz aus Minnesota. Hinzu kamen der Schiffbau und

Frachter bei der Fahrt durch den Cuyahoga River

die Aufarbeitung von Erdöl, das 1859 in Pennsylvania entdeckt worden war. Im Jahre 1890 platzte die Stadt mit rund 260 000 Einwohnern aus allen Nähten. Etwa 37 % der Bevölkerung waren Einwanderer, vor allem aus der Tschechoslowakei, aber auch aus Polen, Italien, Deutschland, Jugoslawien, Irland und Ungarn. Noch in den 20er Jahren galt Cleveland als großer Rivale von Chicago als Finanzzentrum des Mittleren Westens.

Im Jahre 1950 nahm es mit 900 000 Einwohnern den zehnten Platz unter den größten Städten der USA ein, verlor aber seit damals

421-7340, Di, Do, Fr 10–17.45, Mi 10–21.45, Sa 9–16.45, So 13 bis 17.45 Uhr, Gratiseintritt), das 1916 seine Pforten öffnete und neben amerikanischen und europäischen Kunstwerken auch Sammlungen aus Asien besitzt. Im neoklassizistischen Hauptbau finden häufig musikalische Veranstaltungen internationaler Interpreten statt.

Älteste Kulturorganisation der Stadt ist die Western Reserve Historical Society, die, 1867 gegründet, in einem Museum (10825 E. Boulevard, University Circle, ✆ 216-721-5722, Di–Sa 10–17, So 12–17 Uhr) Einblicke in die Geschichte der Region und der Stadt gibt. Kern des Museums sind 20 Räume, die in Mobiliar und dekorativer Kunst unterschiedliche Zeitabschnitte zwischen 1770 und 1920 widerspiegeln. Im gleichen Komplex sind weitere Ausstellungen untergebracht wie das Crawford Auto-Aviation Museum (Oldtimer und Flugzeuge), eine Bücherei sowie der Chisholm Halle Costume Wing (mehr als 20 000 Stücke historischer Damenmode).

Eine weitere interessante Kultureinrichtung ist das Cleveland Museum of Natural History (Wade Oval, University Circle, ✆ 216-231-4600, Mo–Sa 10–17, So 13 bis 17.30 Uhr, Planetarium Mi 20.30 bis 22 Uhr), das sich in Anbetracht der vielfältigen naturgeschichtlichen Exponate nationale Reputation erworben hat. Unter den bedeutendsten Museen der Stadt ist

rund 350 000 seiner Einwohner, wenngleich der Großraum Cleveland mit knapp 3 Mio. Menschen noch den zwölften Rang unter den urbanen Ballungsräumen der USA belegt. Das deutet daraufhin, daß Clevelands Bürger lieber in den Vorstädten als im Zentrum wohnen, eine Entwicklung, die auch auf andere US-amerikanische Metropolen zutrifft.

Da die Stadt ein ›Kohlenpott-Image‹ besitzt und mit touristischen Glanzpunkten wie New York, San Francisco oder New Orleans nicht konkurrieren kann, versucht Cleveland, sich auf kulturellem Gebiet zu profilieren. Einen hervorragenden Ruf hat das Cleveland Museum of Art (11150 E. Boulevard, University Circle, ✆ 216-

schließlich auch das Cleveland Health Education Museum (8911 Euclid Ave., University Circle, ☎ 216-231-5010, Mo–Fr 9–16.30, Sa 10–17, So 12–17 Uhr) erwähnenswert, in dem sich alles um die Funktionen des menschlichen Körpers dreht.

Im Playhouse Square Center (Euclid Ave. zwischen E. 13th und E. 17th St., ☎ 216-771-4444), der Ende der 80er Jahre neugestaltet wurde, konzentrieren sich mit dem Palace, State und Ohio Theater drei renommierte Zentren der darstellenden Künste. Vor allem das Cleveland Ballet, das im State Theater beheimatet ist, wurde weit über die Grenzen von Ohio hinaus bekannt. Um den Platz findet alljährlich zwischen Mai und Oktober das Great Lake Theater Festival statt. Von den großen Theatern abgesehen, gibt es in Cleveland mehr als 20 kleinere Häuser, in denen das ganze Jahr über gespielt wird.

Im Stadtzentrum von Cleveland befindet sich der **Public Square** (1, an der Kreuzung von Ontario St. und Superior Ave.), der angesichts des 52 Stock hohen **Terminal Tower** (2) leicht zu finden ist. Der 1927 gebaute Komplex spiegelte den trotz der heraufdämmernden Weltwirtschaftskrise bestehenden Optimismus der Stadt wider, der sich auf Erdölressourcen und Industriekapazitäten des Staates Ohio gründete. Ein Fahrstuhl führt zum Aussichtsdeck im 42. Stockwerk,ß von wo man die Innenstadt überblickt (täglich 8.45–16.45

Uhr). Auf dem Platz vor dem Gebäude erinnert das im viktorianischen Stil errichtete Cuyahoga County Soldiers and Sailors Monument aus dem Jahre 1894 an die Beteiligung Einheimischer am amerikanischen Bürgerkrieg. Auf der zentralen Säule steht über dem Denkmal eine 5 m hohe Freiheitsstatue. Die **Old Stone Church** (3, 91 Public Square), wurde 1855 im neoromanischen Stil errichtet.

Geht man auf der Rockwell Avenue nach Osten, kommt man zum **War Memorial Fountain** (4), einem 1964 gebauten Brunnen am Beginn der **Mall** (5), die sich über zwei Straßenblocks nach Norden erstreckt. Rechts befindet sich das **Cleveland Convention Center** (6). Am Nordende der Mall angekommen, blickt man am **County Court House** (7) vorbei zum **Cleveland Municipal Stadium** (8), dem Heimstadion der Baseball-Mannschaft Cleveland Indians sowie des Football-Teams Cleveland Browns. Hinter der Sportanlage erstreckt sich der betriebsame **Hafen** (9), auf dessen östlicher Seite die **Municipal Pier** (10) als Verlängerung der 9th Street in den Lake Erie hineinreicht. Hier wird im September 1995 die Rock'n Roll Hall of Fame u. a. den einheimischen Discjockey Alan Freed würdigen, der den Begriff Rock'n' Roll 1952 geprägt haben soll. Neben dem Gelände der Küstenwache ist das **U-Boot »USS Cod«** (11, N. Marginal Dr. zwischen E. 9th St. und Burke Lakefront Airport, Mai bis Sept. tägl.

10–17 Uhr) vertäut, das während des Zweiten Weltkriegs im westlichen Pazifik Dienst tat.

Geht man wieder stadteinwärts, kommt man an der Rückseite des Convention Center zum **Greater Cleveland Convention & Visitor's Bureau** (12), das als Informationsbüro für Kongresse und andere Veranstaltungen dient. Biegt man auf der St. Clair Avenue nach Osten ab, erreicht man nach Überqueren der East 9th Street das architektonisch sehenswerte Einkaufszentrum **The Galleria** (13, E. 9th St./Ecke St. Clair Ave., ✆ 216-861-4343, Mo–Sa 10–20, So 11–18 Uhr) mit hohen, lichten Innenräumen. Südöstlich dieses Konsumtempels konzentriert der in den vergangenen Jahren mit einem Kostenaufwand von 40 Mio. Dollar renovierte **Playhouse Square** (14) die drei bekanntesten Theater der Stadt Palace, Ohio und State, die zusammen eine Kapazität von mehr als 7000 Plätzen haben.

Kehrt man über die Euclid Avenue zum Public Square zurück, kann man, kurz bevor man den Platz erreicht, einen Blick in Clevelands bemerkenswertestes Gebäude werfen, die **Cleveland Arcade** (15, 401 Euclid Ave.). Die Anlage aus zwei neunstöckigen und einem fünfstöckigen Trakt stammt aus dem Jahre 1890, als sich eine wirtschaftliche Flaute bemerkbar machte, das reiche Industrierevier Cleveland aber trotzdem mit glanzvoller Architektur aufzuwarten in der Lage war. Auf fünf Ebenen befinden sich Büros, Läden, Spezialitätengeschäfte und kleine Restaurants. Zu diesem Zentrum gibt es einen zweiten Eingang von der Superior Avenue. Ein noch wesentlich älteres Gebäude ist das **Dunham Tavern Museum** (6709 Euclid Ave., ✆ 216-431-1060, Mi und So 10–16 Uhr, im University Circle Area außerhalb des Zentrums). Der 1842 errichtete Bau diente eine Zeitlang als Haltestelle der Pferdekutschenlinie von Buffalo nach Detroit. In der Regel werden dort wechselnde Ausstellungen gezeigt.

Vom Public Square führt die Superior Avenue in westlicher Richtung zur **Detroit-Superior Bridge** (16). Biegt man vor der Brücke auf die Old River Road ab, kommt man in den historischen **Warehouse District** (17), wo sich früher das Stadtzentrum befand. In den vergangenen Jahren haben die alten Häuser aus der Zeit um die Jahrhundertwende einen bemerkenswerten Wandel durchgemacht, weil sie nach langen Jahren des Verfalls zu einem Kneipen- und Restaurantviertel umgestaltet wurden. Im Sommer findet hier samstags ein Markt statt (8–13 Uhr), auf dem die Farmer der Umgebung ihre Produkte verkaufen.

Setzt man die Stadtrunde über die Detroit-Superior Bridge fort, so findet man auf der Brücke den besten Aussichtspunkt über das um die Mündung des Cuyahoga River liegende alte Industriegebiet **The Flats** (18), das eine ähnliche Entwicklung wie der Warehouse

District durchmachte. Im Norden überquert eine zweite Brücke, die **Main Avenue Bridge** (19), den gekrümmten Fluß auf stählernen Beinen, wie überhaupt Brücken und Eisenstege das prägende Kennzeichen der Flats sind. Wenn man sich auf dem Gang durch die engen Gassen Zeit läßt, hat man gute Chancen, ein Schauspiel ganz besonderer Art verfolgen zu können. Mehrmals täglich schieben sich große Frachtschiffe im Zeitlupentempo durch die schmalen Windungen des Cuyahoga River. An den beweglichen Brücken blinken die Ampeln und bimmeln die Glocken, wenn das Schiffshorn einen nahenden Erzfrachter ankündigt, der auf dem Weg zum qualmenden Industrierevier bei den Cuyahoga Heights ist.

Die Flats haben sich inzwischen vom schäbigen Schwerindustriestandort zum Renommierviertel gemausert. Voraussetzung dafür war zunächst, den Cuyahoga River sauberer zu machen. In den 60er Jahren tauchte in Umweltdiskussionen gelegentlich die Bezeichnung ›Mistake on the Lake‹ (Fehler am See) als Spottname für Cleveland auf, den die Städter gar nicht gern hörten. Für die Verantwortlichen war die Cuyahoga-Kloake Anlaß, sich endlich um Industrieabwässer zu kümmern. In der Folge erfuhren die Flats einige kosmetische Operationen, so daß die Gegend heute mit zahlreichen Restaurants, Bars und Klubs zum beliebtesten Amüsierviertel der Stadt wur-

de. Mitten drin steht das hübsche Ziegelgebäude **Powerhouse** (20, 2000 Sycamore St., ✆ 216-696-7664) mit zwei Schloten. Früher wurde dort der Strom produziert, der die Straßenbahnen der Stadt in Bewegung hielt. Seit 1989 dient das Gebäude als Ladenkomplex mit einem Restaurant, in dem nur noch historische Benzinzapfsäulen an die frühere Funktion erinnern.

Information: Convention & Visitors Bureau of Greater Cleveland, 3100 Tower City Center, ✆ 216-621-4110, Fax 216-621-5967

Unterkunft: Radisson, 1701 E. 12th St., ✆ 216-523-8000, $$$$; Stouffer's Tower City Plaza Hotel, 24 Public Sq., ✆ 216-696-5600, $$$$; Quality Inn, 16161 Brookpark Rd., ✆ 216-267-5100, in Flughafennähe, $–$$; Clinic Inn, 2065 E. 96th St., ✆ 216-791-1900, $$–$$$

Restaurants: Sammy's, 1400 W. 10th St., ✆ 216-523-5560, So Ruhetag, $$$, Clevelands Vorzeigerestaurant mit Fischgerichten und edlen Weinen; Pearl of the Orient, 20121 Van Aken Blvd., ✆ 216-751-8181, $$, erlesene fernöstliche Gerichte; Pier W., 12700 Lake Rd., ✆ 216-228-2250, $$, mit Seeblick; Captain John's, 321 Erieside Ave., ✆ 216-348-0022, Schiffsrestaurant, Meeresfrüchte-Spezialitäten; Top of the Town, 100 Erieview Plaza, ✆ 216-771-1600, $$$, vornehmes Restaurant im 38. Stock mit Panoramablick

Bars: Ein Paradies für Nachtschwärmer sind die Flats entlang des Cuyahoga River, wo viele alte Lagerhallen nun Musikclubs und Restaurants beherbergen. Fagan's, 996 Old River Rd., ℃ 216-241-6116, Rockbands; Rumrunners, 1124 Old River Rd., ℃ 216-696-6070, Do–So Life-Musik

Einkaufen: The Arcade, 401 Euclid Ave., ℃ 216-621-8500, Einkaufskomplex in einem historischen Gebäude im Zentrum der Stadt, Mo–Fr 6–19, Sa 6–18 Uhr; Galleria at Erieview, Ecke E. 9th und St. Clair Ave., ℃ 216-861-4343 und 216-621-9999, 1987 eröffnetes Zentrum mit Läden für Mode, Accessoires und Spezialitäten sowie einem Food Fair und einigen ›gehobenen‹ Restaurants, die länger geöffnet haben als die Geschäfte, tägl. 10–20, Sa und feiertags 11–18 Uhr

Freizeit: Cleveland Metroparks, Grüngürtel um die Stadt, mit Wander- und Radwegen, Jogging-Pfaden sowie Gelegenheiten zum Reiten, Angeln, Picknicken und Wintersport, zugänglich tägl. 6–23 Uhr; Rockefeller Park Greenhouse, Rockefeller Park, 750 E. 88th St., ℃ 216-664-3103, tägl. 9.30–16 Uhr, Gratiseintritt, Botanischer Garten; Garden Center of Greater Cleveland, 11030 East Blvd. University Circle, ℃ 216-721-1600, Mo–Fr 9–17, So 14–17 Uhr, Gratiseintritt, botanische Ausstellungen

Von Cleveland nach Buffalo

Östlich des Großraums Cleveland ziehen sich die Vorstädte weit das Ufer des Lake Erie entlang, so daß man, ohne auf Sehenswertes verzichten zu müssen, bis nach **Geneva-on-the-Lake** die Schnellverbindung 90 oder die Straße 84 nehmen kann, um dort wieder Richtung See auf die Straße 534

Weinanbau unweit des Lake Erie

abzubiegen. Der 1700 Einwohner große Ort war im letzten Jahrzehnt des 19. Jh. Ohios erstes Sommerferiengebiet. Heute strömen Urlauber auch Ende September dorthin, wenn zur Traubenernte das Geneva Grave Jamboree veranstaltet wird. Der *Geneva State Park* westlich der Stadt ist ein ruhiger Flecken, um direkt am Ufer eine Rast einzulegen.

Ashtabula ist ein großer Umschlaghafen für Kohle, die per Eisenbahn aus Virginia und Pennsylvania am Ufer des Lake Erie ankommt und dort auf Schiffe verladen wird, größtenteils nach Kanada. Über dem Hafen liegt das *Great Lakes Marine & US Coast Guard Memorial Museum* (1071-73 Walnut Blvd., ✆ 216-964-6847, Mai–Okt. Fr–So 12–18 Uhr) mit vielen interessanten Exponaten zur Geschichte der Schiffahrt auf den Großen Seen. Vom Museum überblickt man das Hafengelände.

Von der Staatsgrenze zwischen Ohio und Pennsylvania bis in die Stadt Erie legt man 25 Meilen am insgesamt nur etwa 45 Meilen langen Streifen des Staats Pennsylvania am Lake Erie zurück. Am besten wählt man die Straße 5 (Purple Heart Highway), die über weite Strecken durch Maisfelder und Weinanbaugebiete führt. **Erie** ist Pennsylvanias unumstrittene Hafenmetropole und mit rund 108 000 Einwohnern die drittgrößte Stadt des Staats. Ihren Namen verdankt sie den Eriez-Indianern, die zu Beginn des 17. Jh. noch am Seeufer lebten. Die sogenannten Indianerkriege des Jahres 1653 wie auch die damals unter den Stämmen grassierende Pestepidemie leitete deren Niedergang ein. Erste Europäer am Uferstreifen von Pennsylvania waren um 1753 Franzosen, ehe gegen Ende des 18. Jh. die amerikanische Besiedlung begann. Bis Mitte des 19. Jh. hatte sich Erie zu einem stattlichen Gemeinwesen entwickelt, und auch heute noch hält das Wachstum der Hafenstadt an.

Das renommierteste Ferien- und Freizeitparadies der Stadt ist *Presque Isle,* eine etwa 11 km lange Halbinsel, die wie ein schützender Arm um die Stadt greift. Auf diesem Landvorsprung wurde der *Presque Isle State Park* eingerichtet (dort gibt es in der Nähe des Barracks Beach ein Nature Center, ✆ 814-871-4251, tägl. 8–17 Uhr), den man auf einer Schleife mit dem Auto befahren kann. Viel mehr von der schönen Landschaft hat man jedoch, wenn man sich auf einen der Wanderpfade begibt, die durch den Park führen. Insgesamt ein Dutzend Strände gibt es im Park, eine Marina für fast 500 Boote, Picknick-Pavillons, Angelplätze und sogar Gelegenheit zum winterlichen Eisfischen. Davon abgesehen ist der State Park ein Naturschutzgebiet, in dem man viele gefiederte Spezies beobachten kann. Vor allem an der Nordwestseite der Halbinsel, die aus einem flachen Sandstrand besteht, kann man bei entsprechender Witterung

Die Skyline von Buffalo

die berühmten Presque-Isle-Sonnenuntergänge erleben.

Doch auch Erie hat seine Reize. Viele Straßen werden von Bäumen gesäumt, und zahlreiche historische Gebäude aus vergangener Zeit konnten gerettet werden, z. B. das 1839 errichtete *Cashier House* (417 State St., ☎ 814-454-1813, Führungen Di–Sa 13–16, Juli/Aug. auch So 14–17 Uhr), das mit dem originalen Mobiliar ausgestattet ist. Die ›Museumskneipe‹ *Dickson Tavern* (201 French St., Sa, So 13–17 Uhr) ist nicht genau datiert, soll aber das älteste Haus der Stadt sein. Das *Old Custom House & Erie Art Museum* (411 State St., ☎ 814-459-5477, Di–Sa 11–17, So 13–17 Uhr) ist ein schönes Beispiel klassizistischer Architektur aus dem Jahre 1839 mit einem säulenflankierten Eingang.

Fährt man in Erie die Holland Street Richtung See, kommt man am Litton Pier zum *»Flagship Niagara«* (☎ 814-452-2744, Mo–Sa 9–17, So 12–17 Uhr), dessen Besatzung bei der Battle of Lake Erie am 10. 9. 1813 unter Führung von Kommandant Perry entscheidenden Anteil am Sieg über die Briten hatte.

Information: Erie Tourist & Convention Bureau, 1006 State St., ☎ 814-454-7191

Unterkunft: Glass House Inn, 3202 W. 26th St, ☎ 814-866-5544, $$; Downtowers Inn, 205 W. 10th St., ☎ 814-456-6251, $$; Ramada Inn, 6101 Wattsburg Rd., ☎ 814-825-3100; $$; Holiday Inn Downtown, 18

W. 18th St., ✆ 814-456-2961, $$, die beiden letzten mit dem üblichen Komfort

☒ **Restaurants:** House of Wellington, 4th und Cherry St., ✆ 814-455-6993, $$, Cajun- und kreolische Gerichte; Back Bay Lights, 100 State St., ✆ 814-454-6335, $$$, stilvoll, gute amerikanische Küche, Blick auf die Bayfront; Pufferbell, 414 French St., ✆ 814-454-1557, $$, Spezialität: belegte Croissants

Sobald man die Staatsgrenze nach New York überquert hat, heißt der Highway 5 Seaway Trail, eine Panorama- und Touristenstraße, die am Lake Erie entlang nach Buffalo führt. Von Erie nach Buffalo legt man auf dieser Route rund 90 Meilen zurück. Dabei ist vor allem die Strecke bis Silver Creek, die durch das Chautauqua County führt, landschaftlich lohnend. Den Rest kann man auf der I-90 zurücklegen.

Ab Ripley kann man auch den etwa weiter landeinwärts gelegenen **Chautauqua Wine Trail** (Hwy 20) fahren, an dem einige Weinkellereien liegen, wie etwa Schloss Doepken Winery (✆ 716-326-3636, 1.6. – 31.10. tägl. 12–17, 1.11. – 1.6. Do–So 12–17 Uhr), Johnson Estate Winery (✆ 716-326-2191, tägl. 10–18 Uhr), Vetters Vineyard (✆ 716-326-3100, Juni–Aug. 10–19, Sept. – Mai 10 bis 18 Uhr) und Roberian Vineyards (✆ 716-679-1620, Mai bis Dez. Sa, So 10–17 Uhr). Denn ebenso wie in Pennsylvania fährt man auch auf dem Staatsgebiet von New York durch eine landwirtschaftlich intensiv genutzte Region mit ausgedehnten Rebkulturen.

Wählt man den Seaway Trail am Ufer, kommt man in **Barcelona** auf der Durchgangsstraße am *Barcelona Lighthouse* aus dem Jahre 1828 vorbei, das aufgrund seines Alters und seiner Architektur einen Halt wert ist. Der Leuchtturm war nur bis 1859 in Betrieb. Das angebaute ehemalige Haus des Leuchtturmwächters ist heute privat bewohnt. Sehenswert ist auch das 1875 gebaute **Dunkirk Lighthouse** beim gleichnamigen Ort am Point Gratiot (Lighthouse Point Drive), einem Landvorsprung, der in den Lake Erie hineinreicht. Das Anwesen wird heute als Militär- und Schiffahrtsmuseum genutzt.

Die Industrie- und Hafenstadt **Buffalo,** mit ungefähr 360 000 Einwohnern die zweitgrößte Stadt des Staats New York, liegt im Kern eines urbanen Ballungsraumes mit etwa 1,3 Mio. Menschen. Mittelpunkt bildete bei der Stadtplanung der *Niagara Square* mit dem Denkmal des republikanischen US-Präsidenten William McKinley, der in Buffalo am 14. 9. 1901 einem Attentat zum Opfer fiel. Die Stadt wurde 1797 von Holländern gegründet, doch dauerte es danach bis zur Fertigstellung des Erie-Kanals 1825, ehe sich die New Amsterdam genannte Siedlung zu entwickeln begann und zu einem wichtigen Industriestandort unter dem Namen Buffalo wurde, der im Volksmund gebräuchlich war und sich deshalb auch durchsetzte. Der wirtschaftliche Aufschwung basierte zunächst auf Getreidemühlen. An diese Ära erinnern heute noch zwei riesige Kornspeicher. In jüngerer Zeit hat sich die Stadt in erster Linie einen Namen als ›Tor zu den Niagara-Fällen‹ gemacht.

Buffalo ist als Bischofssitz ein religiöses Zentrum, aber auch eine kulturelle Hochburg. In der *Albright-Knox Art Gallery* (1285 Elmswood Ave., ☎ 716-882-8700, Di–Sa 11–17, So 12–17 Uhr, Mo geschlossen) sind neben einer sehenswerten Skulpturensammlung auch Werke von Picasso und Degas ausgestellt. Einen Blick in die Geschichte der Region erlaubt das *Buffalo & Erie County Historical Society Museum* (25 Nottingham Court an der Elmsood Ave., ☎ 716-873-9644, Di–Sa 10–17, So 12–17 Uhr). Der 1901 aus weißem Marmor errichtete Bau stand damals auf der Pan-American Exposition und ist das einzige Gebäude dieser Ausstellung, das übrigblieb. Wer sich einen Überblick verschaffen will, kann im Aufzug bis zur Aussichtsplattform im 28. Stock des *Buffalo City Hall Observation Towers* (65 Niagara Square, ☎ 716-851-5991, Mo–Fr 9–14 Uhr, Gratiseintritt) hinauffahren. Auch der Bau ist angesichts seiner Art déco-Architektur einen Besuch wert.

ℹ Information: Buffalo Area Chamber of Commerce, Convention and Tourism Division, 107 Delaware St., ☎ 716-852-0511

🛏 Unterkunft: Best Western Inn-Downtown, 510 Delaware Ave., ☎ 716-886-8333, $$; Buffalo Hilton at the Waterfront, 120 Church St., ☎ 716-845-5100, $$$$; Hyatt Regency Buffalo, Two Fountain Plaza, ☎ 716-856-1234, $$$$; Red Carpet Inn, 1159 Main St., ☎ 716-882-3490, $–$$

✗ Restaurants: Im Broadway Market (999 Broadway) gibt es eine Reihe ethnischer Restaurants in typischer Marktumgebung. Eine Spezialität sind gewürzte Hähnchenflügel, Buffalo Wings genannt. Crawdaddy's, 2 Tempelton Terrace, ☎ 716-856-9191, $$, Steakhouse am Hafen; The 38th Floor Restaurant, Marine Midland Center, Marriott, ☎ 716-841-4005, $$$, am Lake-Erie-Ufer mit Blick auf die Stadt

Die Niagara-Fälle

Weitgereiste wissen es: An dramaturgischer Begabung ist Mutter Natur nicht zu überbieten. In Nordamerika gibt es viele Beispiele, welche die Korrektheit dieser Behauptung unter Beweis stellen. Eines davon sind die berühmten Niagara-Fälle, die sich die Vereinigten Staaten und Kanada teilen, weil der dort über Katarakte stürzende Niagara River auf einer Länge von knapp 60 km die Grenze zwischen den beiden Nachbarstaaten bildet. Schon dieses internationale Flair trägt zur Reputation der Wasserfälle bei.

Was im Fachjargon rückschreitende Erosion heißt, wurde am Niagara River längst in die Kategorie eines Weltwunders eingestuft.

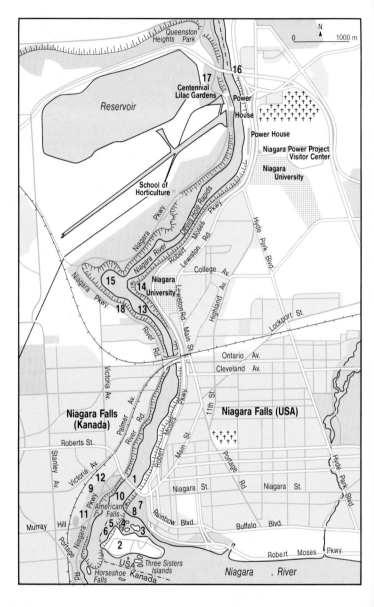

Seit vor etwa 12 000 Jahren die letzte Eiszeit im Gebiet der Großen Seen zu Ende ging, grub sich der die Seen Erie und Ontario verbindende Niagara River rückschreitend eine tiefe Schlucht, in der die Fälle rund 50 m in die Tiefe donnern. Bevor der Fluß zum ›Absturz‹ ansetzt, wird er durch Goat Island und Luna Island dreigeteilt und bildet drei Fälle. Auf der US-amerikanischen Seite liegen an einer recht geraden Abbruchkante die rund 300 m langen und 51 m hohen American Falls, an denen etwa 10 % der gesamten Wassermenge über die Klippen stürzen, sowie die ebenfalls 51 m hohen Bridal Veil Falls. Auf kanadischem Territorium befinden sich die hufeisenförmigen Horseshoe Falls, die mit den restlichen 90 % des Wassers einen mit dröhnenden Kaskaden und manchmal hochaufsteigenden Nebelfahnen dekorierten Höllenkessel geformt haben, der schon in den vergangenen Jahrhunderten Entdecker und Missionare, Poeten und Schriftsteller zu geradezu mythischen Verklärungen des Naturschauspiels verleitete.

Die Fälle, die durch Erzählungen der Indianer schon den ersten Europäern in der Neuen Welt bekannt waren, hatten bereits im Jahre 1656 ihren ungefähren Platz auf den Landkarten gefunden. Als erster Weißer sah im Dezember 1678 der Jesuitenmissionar Louis Hennepin das Naturschauspiel. Ein Jahrhundert später kursierten schon zahlreiche Reisebeschreibungen, die es mit der Genauigkeit allerdings häufig nicht allzu ernst nahmen. Galten die Wasserfälle in der Zeit bis zum amerikanischen Bürgerkrieg noch als Symbol unverfälschter Natur, so änderte sich die Haltung der Menschen vor allem gegen Ende des Jahrhunderts drastisch. Im Zuge einer durch die fortschreitende Industrialisierung veränderten Weltsicht rückten die Niagara-Fälle ins Zentrum von utopischen Entwürfen zum Aufbau von gigantischen Industriestandorten, die hydroelektrisch durch die Wasserkraft des Niagara River hätten versorgt werden sollen. Ein Rasierklingenfabrikant schlug sogar vor, die Fälle zu einem gigantischen Wasserkraftwerk zu bündeln, die Flußschlucht zu überdecken und in einer Zukunftstadt namens Metropolis Gartenanlagen lieber künstlich anzulegen.

Glücklicherweise blieben diese Vorstellungen Entwürfe auf Papier.

Niagara Falls   1 Rainbow Bridge   2 Goat Island   3 Green Island   4 Luna Island   5 Bridal Veil Falls   6 Cave of the Winds   7 Prospect Park   8 Observation Tower   9 Queen Victoria Park   10 »Maid of the Mist«-Anlegestelle   11 Sklyon Tower   12 Clifton Hill   13 Whirlpool Rapids Bridge   14 Whirlpool State Park   15 Whirlpool   16 Queenston-Lewiston Bridge   17 Niagara Parks Botanical Gardens   18 Spanish Aero Car

Auf der amerikanischen Seite der Niagara-Fälle

Was allerdings in die Tat umgesetzt
wurde, war ein Tunnel, den die
Niagara Falls Power Company in
den 90er Jahren des vergangenen
Jahrhunderts von der Basis der
American Falls 4 km weit zum
Flußlauf über den Fällen graben
ließ, um dort Wasser für den Turbi-
nenbetrieb abzuzweigen. Danach
dauerte es bis in die 60er Jahre, ehe
zu beiden Seiten des Niagara River
neue Wasserkraftwerke gebaut
wurden, die aus rund 85 % der
Wassermenge Strom erzeugen. Pläne für die Errichtung eines Kern-
kraftwerks verschwanden wieder
in den Schubladen.

Die Niagara-Fälle sind touristisch besser erschlossen als jedes
andere Naturwunder in den USA.
Der Niagara River wird sowohl auf
der US-amerikanischen wie auf der
kanadischen Seite von der Stadt
Niagara Falls flankiert, wobei die
Rainbow Bridge (1) die Verbindung
zwischen den durch die internationale Grenze getrennten Städten herstellt. Auf beiden Seiten führen
Spazierwege direkt an die Ab-
bruchkanten. Die beste Aussicht
am US-Ufer hat man von **Goat Island** (2, erreichbar über die Fortsetzung der First Street), wo man bis
auf wenige Meter an die Horseshoe-Fälle herankommt. Über eine
Brücke gelangt man zu Fuß auch
auf das kleine **Green Island** (3) direkt oberhalb der American Falls.

Noch näher an der Abbruchkante der Fälle befindet man sich auf
Luna Island (4). Diese Insel teilt die
Bridal Veil Falls (5, Brautschleier-
fälle) von den American Falls ab.
Wer Wasser nicht scheut, kann
sich, in einen gelben ›Ostfriesen-

nerz‹ gewandet, auf dem **Cave of the Winds** Trip (6, Mitte Mai bis Mitte Oktober) vom Goat Island Park an die Basis der Bridal Veil Falls hinunterführen lassen, wo man auf Stegen bis in unmittelbare Nähe des herunterstürzenden Wassers gelangt. Ein schöner Park an der Nordkante der American Falls ist der **Prospect Park** (7) mit einigen Aussichtsstellen. Eine Bootsfahrt bis zu den Horseshoe-Fällen bietet sich von der Basis des dortigen **Observation Tower** an (8, Mitte Mai bis Mitte Oktober).

Noch spektakulärer als vom amerikanischen ist die Sicht vom kanadischen Ufer. Dort verläuft der Niagara Parkway direkt an der Schlucht entlang u. a. durch den von der Brücke flußaufwärts gelegenen **Queen Victoria Park** (9). Da die Parkplätze sowohl rar als auch teuer sind, sollte man zu Fuß gehen, um das Schauspiel genießen zu können. Schräg gegenüber von den American Falls legen **Maid of the Mist-Boote** ab (10, Mitte Mai bis Mitte Oktober), auf denen man mitten in den tosenden Kessel der Horseshoe Falls fahren kann. Am Parkway liegt in der Nachbarschaft der Horseshoe-Fälle ein Besucherzentrum (✆ 416-354-6266, Mitte Mai – Mitte Okt. 10–20 Uhr) von wo ein Shuttle Bus die wichtigsten Sehenswürdigkeiten auf der kanadischen Seite anfährt.

Seit Jahren werden die Fälle nach Einbruch der Dunkelheit mehrere Stunden lang von der kanadischen Seite mit weißem und farbigem Licht angestrahlt, was dem Naturschauspiel eher den Charakter eines Bühnenbilds für eine Unterhaltungsshow verleiht. Um die Fälle herum wurden einige Aussichtstürme errichtet, unter denen der kanadische **Skylon Tower** (11, 5200 Robinson St., ✆ 416-356-2651, tägl. 8.30–1 Uhr, im Winter bis 22 Uhr) der lohnendste ist, nicht nur weil er mit 160 m der höchste ist, sondern auch weil er am günstigsten steht.

Während sich Niagara Falls (USA) den Charakter einer ›normalen‹ US-amerikanischen Stadt erhalten hat, vollzog Niagara Falls (Kanada) seit einigen Jahren die Wende zum touristischen Rummelplatz. Um **Clifton Hill** (12) in der Nähe der Rainbow Bridge scharen sich Gruselkabinette, Eisdielen, ein Wachsfigurenmuseum und ähnliche Einrichtungen, ganz abgesehen von Souvenir-Shops. Um die im Sommer gigantischen Besuchermassen bewältigen zu können, wurde eine unglaubliche Anzahl von Motels und Hotels aus dem Boden gestampft.

Wer von Niagara Falls (USA) eine kleine internationale Besichtigungstour unternehmen will, fährt auf dem Robert Moses Parkway in nördlicher Richtung am Niagara River flußabwärts vorbei an der **Whirlpool Rapids Bridge** (13, von der Brücke hat man einen guten Blick auf die Schlucht und die dortigen Stromschnellen) bis zum **Whirlpool State Park** (14). Dort befindet man sich auf einem Geländevorsprung, der den Niagara River zu einer 90-Grad-Biegung veranlaßt hat. Dadurch wurde am kanadischen Ufer der **Whirlpool** (15) ausgewaschen, wo das Wasser gefährliche Strudel bildet.

An der Niagara-Schlucht entlang fährt man weiter bis zur **Queenston-Lewiston Bridge** (16), um auf die kanadische Seite überzuwechseln und den Weg zurück am dortigen Ufer entlang zu nehmen. Ein weiterer Halt lohnt sich bei den **Niagara Parks Botanical Gardens** (17, Mai–Okt. tägl. 9–18 Uhr) mit einem Arboretum für unterschiedliche Baumarten aus aller Welt und einer großen ›Blumenuhr‹, ehe man sich beim Whirlpool zu einem prächtigen Aussichtspunkt begibt. Dort pendelt **Spanish Aero Car** (18, ✆ 416-354-6266, Mitte Mai – Mitte Okt. tägl. 10–20 Uhr) über dem Whirlpool; eine von einer spanischen Firma 1916 gebaute Gondelbahn. Ein Stück des Wegs weiter darf man gegen Bezahlung auf einem Pfad die Niagara-Schlucht hinuntersteigen. Auf dem Niagara Parkway geht es zur Rainbow Bridge, über die man zurück in die USA gelangt.

🛈 **Information auf US-amerikanischer Seite:** Niagara Falls Convention & Visitor's Bureau, Suite 101, Carborumdum Center, 345 Third St., ✆ 716-285-2400; New York State Parks Visitor Center, Prospect Park, ✆ 716-278-1792: 3-D-Film über die Fälle; **auf kanadischer Seite:** Niagara Falls Visitor & Convention Bureau, 5433 Victoria Ave., ✆ 905-356-6061

🛏 **Unterkunft in Niagara Falls (USA):** Comfort Inn – The Pointe, One Prospect Pointe, ✆ 716-284-6835, $$, in der Nähe der American Falls; Radisson Hotel, Third und Old Falls Sts, ✆ 716-285-3361 und 1-800-333-3333, $$$, zentrale Lage; Red Coach Inn, 2 Buffalo Ave., ✆ 716-282-1459, $$, unweit der Straße nach Goat Island; **in Niagara Falls (Kanada):** Die preisgünstigsten Motels liegen an der Lundy's Lane, wo sich auch zahlreiche Supermärkte und andere Läden befinden; Caravan Motel, 8511 Lundy's Lane, ✆ 905-357-1104, $–$$; Travelodge, 5234 Ferry St., ✆ 905-374-7771 und 1-800-255-3050, $$

🏕 **Camping in Niagara Falls (USA):** Beacon Motel & RV Campground, 9900 Niagara Falls Blvd., ✆ 716-297-3647; **in Niagara Falls (Kanada):** Glen View Tent & Trailer Park, 3950 Victoria Ave. ✆ 800-263-2570

🍴 **Restaurants in Niagara Falls (USA):** Como, 2220 Pine Ave., ✆ 716-285-9341, $$, Italiener; Burgundy's, 7001 Buffalo Ave., ✆ 716-283-7612, $$, amerikanische Gerichte; **in Niagara Falls (Kanada):** Table Rock Restaurant, direkt an den Horseshoe Falls, ✆ 905-354-3631, $$, schöner Blick auf die Fälle; Rainbow Room, Skyline Brock Hotel, 5685 Falls Ave., ✆ 905-374-4444, $$, mit Blick auf die Wasserf243älle

❗ **Touren:** Helikopterflüge über die Fälle: Niagara Helicopters Ltd., Victoria Ave., Niagara Falls, Ontario/Kanada, ✆ 416-357-5672; auf beiden Seiten der Fälle bieten zahlreiche Organisationen Rundfahrten an (Information in den kanadischen und US-amerikanischen Besucherzentren)

Nützliche Tips und Adressen

Informationsstellen

Amerika-Häuser mit Bibliotheken gibt es in Berlin, Frankfurt, Hamburg, Hannover, Köln, München, Stuttgart und Leipzig. Im Kieler Kennedy-Haus kann man ebenso wie in Freiburg, Heidelberg, Nürnberg, Saarbrücken und Tübingen bei den Deutsch-Amerikanischen Instituten Auskünfte einholen. Informationen bekommt man auch unter folgender Adresse:

Fremdenverkehrsamt der Vereinigten Staaten, Platenstr. 1, 60320 Frankfurt, ✆ 069-95 67 90-0, Fax 069-56 11 30 (kein Prospektversand)

Über die einzelnen Bundesstaaten in der Region der Großen Seen kann man Informationsmaterial auch unter folgenden Adressen anfordern:

Illinois
Office of Tourism, 100 W. Randolph St., Suite 3–400, Chicago, IL 60601, ✆ 312-917-4732, Fax 312-917-6732

Indiana
Tourism Development Division, One North Capitol Ave., Suite 700, Indianapolis, IN 46204, ✆ 317-232-8859, Fax 317-232-4146

Michigan
Travel Bureau, Michigan Department of Commerce, P.O. Box 30226, 333 S. Capitol Ave., Lansing, MI 48909, ✆ 517-335-1876, Fax 517-373-7873

Minnesota
Office of Tourism, 100 Metro Square, 121 7th Place East, St. Paul, MN 55101, ✆ 612-296-5029

New York
New York State Department of Economic Development, Division of Tourism, 1 Commerce Plaza, Albany, NY 12245, ✆ 5 18-474-4116

Ohio
Division of Travel & Tourism, P.O. Box 1001, Columbus, OH 43266, ✆ 614-466-8844, Fax 614-463-1540

Pennsylvania
Pennsylvania Bureau of Travel Marketing, 453 Forum Building, Harrisburg, PA 17120, ✆ 1-800-VISIT-PA

Wisconsin
Division of Tourism Development, P.O. Box 7606, Madison, WI 53707, ✆ 608-266-2161, Fax 608-267-2829

Diplomatische Vertretungen der USA

... in der Bundesrepublik Deutschland
Botschaft der USA, Deichmanns Aue 29, 53179 Bonn, ✆ 0228-33 93, Fax 3 39 26 63

... in der Schweiz
Botschaft der USA, Jubiläumsstr. 93, 3005 Bern, ✆ 031-43 70 11

. . . in Österreich
Botschaft der USA, Boltzmanngasse 16, 1091 Wien, ✆ 01-31 55 11

Reisezeit

Die Region der Großen Seen ist vor allem in den Sommer- und Herbstmonaten ein beliebtes Reiseziel, wenn die warmen Temperaturen sowohl Stadtbesichtigungen als auch den Aufenthalt auf dem Land zu einem Erlebnis machen. Je weiter man nach Norden fährt, desto früher begegnet man im September/Oktober den bunten Laubverfärbungen des *Indian Summer,* damit aber gleichzeitig kühleren Temperaturen, die sich vor allem nachts bemerkbar machen. Wer sich durch eventuell eisigen Wind und Schneetreiben nicht schrecken läßt, kann die Großen Seen im Winter als zugefrorene Eisflächen erleben und sich nicht nur zum Aufwärmen in die dann weniger besuchten Museen zurückziehen. Die großen Städte bilden mit ihrem Kulturangebot das ganze Jahr über attraktive Reiseziele. Wer sich auf Chicago konzentriert, findet dort im Frühjahr und Herbst das angenehmste Klima vor, da die Hochsommer sehr heiß und die Winter mit Schneestürmen sehr ungemütlich werden können.

Reisekleidung

In der Hauptreisezeit (Juni bis Oktober) nimmt man in diese Region am besten leichte Freizeitkleidung sowie für kürzere Wanderungen festes Schuhwerk mit. Sehr gute Stadtrestaurants verlangen von Herren häufig Jackett und Schlips; Damen sollten sich ebenfalls eleganter kleiden. Im Herbst sorgt man gegen kalte Abende und Morgen mit warmer Wollkleidung vor. Niederschläge können zu jeder Jahreszeit fallen, so daß man einen Regenschutz mitnehmen sollte.

Reisen mit Kindern

In vielen Hotels und Motels können Eltern in ihrem Zimmer Kinder unter 18 Jahren ohne Mehrkosten oder zu geringen Aufschlägen übernachten lassen. Kinder-Menüs gibt es in den meisten Restaurants. Teurere Hotels in den Großstädten bieten teilweise spezielle Räume, in denen Kinder spielen oder Sport treiben können, sowie Möglichkeiten für Babysitting.

Im allgemeinen ist man in den USA mit Kindern (von Rentnersiedlungen und Bierkneipen einmal abgesehen) überall willkommen. Zu den für junge Besucher interessanten Attraktionen von Chicago zählen: Brookfield Zoo (8400 W. 31st St., Brookfield, ✆ 708-485-0263, Mai bis Sept. tägl. 9.30–17, sonst 10–16 Uhr); Lincoln Park Zoo (2200 N. Cannon Dr., ✆ 312-294-4660, tägl. 9–17 Uhr, Gratiseintritt), FAO Schwarz, 840 N. Michigan Ave., ✆ 587-5000, Mo–Sa 10–16 So 12–18 Uhr), riesiger Spielzeugladen mit vielen Attraktionen für groß und klein; Chigago Children's Museum, New Navy Pier; Kohl Children's Museum (165 Green Bay Rd., Wilmette, ✆ 798-256-3000 Di–So 10–17 Uhr); Sky Shows im Adler

Planetarium (1300 S. Lake Shore Dr., Sa ab 9 Uhr, ✆ 312-322-STAR) für Kinder.

Reisen für Behinderte

Unterkünfte und öffentliche Einrichtungen in den USA sind im allgemeinen besser auf Behinderte eingestellt als in europäischen Ländern. Große Hotels sowie manche Motelketten halten spezielle Räume bereit, die behindertengerecht ausgestattet sind. Gegen eine geringe Gebühr können Behinderte Informationen über Reiseziele, Transportmöglichkeiten und Unterkünfte bestellen bei: Moss Rehabilitation Hospital Travel Information Service, 1200 W. Tabor Rd., Philadelphia, PA 19141, ✆ 215-456-9600. Informationen über Reiseveranstalter, die sich auf Behinderte spezialisiert haben, bekommt man bei: Society for the Advancement of Travel for the Handicapped, 26 Court St., Brooklyn, NY 1124. Die Busgesellschaften Greyhound/Trailways transportieren Behinderte mit einer Begleitperson zum Fahrpreis für eine Person.

Gesundheitsvorsorge

Arztbesuche in den USA sind teurer als in Deutschland und müssen in der Regel vorab bezahlt werden. Da Behandlungskosten von Krankenkassen meist nicht übernommen werden, bietet sich eine Zusatzversicherung für die Dauer des Urlaubs an, die man schon für wenig Geld abschließen kann. Ist man regelmäßig auf

Medikamente angewiesen, sollte man diese von zu Hause mitnehmen. In Deutschland ausgestellte Rezepte werden in den USA nicht anerkannt, können einem Arzt jedoch notfalls als Anhaltspunkt für eine Medikation dienen.

Reiseversicherung

Wer haftpflicht- und unfallversichert ist, genießt den entsprechenden Schutz normalerweise auch im Ausland. Vor dem Abschluß einer Zusatzversicherung sollte man auch prüfen, ob sich dies nicht wegen einer in der Kreditkarte enthaltenen Versicherung erübrigt. Gepäckversicherungen beinhalten in der Regel zahlreiche Ausschlußklauseln, was z. B. bedeuten kann, daß teure Kamera- und Videoausrüstungen nicht mitversichert sind.

Reisekasse

Nach dem Motto ›Plastik macht's einfach‹ sollte man sich vor einer USA-Reise eine Kreditkarte einer international vertretenen Gesellschaft besorgen (Visa oder Mastercard), die man nach einer Probezeit von drei Monaten zurückgeben kann. Dieses ›Plastikgeld‹ macht das Bezahlen sehr einfach. Ohne Kreditkarte ist das Anmieten eines Fahrzeuges umständlich, weil man eine größere Summe als Kaution hinterlegen muß. Über die Kreditkarte kann man sich auf amerikanischen Banken gegen eine Gebühr auch Bargeld auszahlen lassen *(cash advance).* Reisechecks in

Dollar lassen sich wie Bargeld verwenden, das heißt man muß sie nicht auf der Bank umtauschen. Man nimmt die Schecks am besten in kleinen Stückelungen mit, da in den USA 100-Dollar-Noten bzw. -schecks gegenüber großes Mißtrauen besteht.

Literarische Reisevorbereitung

Ernest Hemingway gehört zu den berühmtesten Schriftstellern, deren Werke das Gebiet der Großen Seen zum Gegenstand hatten. In seinen »Stories« schrieb er über seine Ferien an der Horton Bay sowie über Angel- und Trappererlebnisse auf der Upper Peninsula in Michigan, während in den »49 Depeschen« u. a. von Chicagos Gangsterszene die Rede ist. Zu Chicagos ›klassischer‹ Literatur zählen die »Chicago Poems« von Carl Sandburg sowie der Roman »Der Dschungel« von Upton Sinclair, in dem Arbeiterschicksale und Arbeitsbedingungen in den Schlachthöfen der Stadt eine Rolle spielen. Saul Bellows Roman »Die Abenteuer des Augie March« beschreibt das Schicksal des Sohnes eines russischen Juden in Chicago, während James T. Farrell in seiner Trilogie »Studs Lonigan« über die Eigenart der irisch-katholischen Bevölkerung der Stadt berichtet. Richard Wright hingegen stellt in »Native Son« den schwarzen Bigger Thomas aus dem Ghetto von Chicago in den Mittelpunkt seiner Geschichte. »Die Hauptstraße« von Sinclair Lewis berichtet über das Leben in einer typischen Kleinstadt des Mittleren Westens, so wie Sherwood

Anderson in seinem Kurzgeschichtenzyklus »Winesburg, Ohio« über das Schicksal einzelner Kleinstadteinwohner erzählt bzw. in »Poor White« die Industrialisierung einer Kleinstadt des Mittleren Westens zum Thema wählt. Arthur Haileys Roman »Räder« beschäftigt sich mit der in Detroit konzentrierten Autoindustrie. In den Erzählungen von James Fennimore Cooper geht es auch um die Kämpfe an der amerikanischen Westgrenze im 18. Jh.

Mietwagen

In der Region der Großen Seen sind alle großen Mietfirmen, daneben aber auch zahlreiche kleinere Unternehmen vertreten. Am preisgünstigsten bucht man einen Wagen schon zuhause inklusive unbegrenzter Meilenzahl und Versicherung. Bei der Anmiete braucht man eine Kreditkarte, weil sonst eine hohe Kaution hinterlegt werden muß. Die Versicherung CDW *(Collison Damage Weaver)* gegen selbstverschuldete Schäden am Auto oder Diebstahl ist zwar freiwillig, sollte aber in jedem Falle abgeschlossen werden. Adressen und Rufnummern von Verleihfirmen findet man in den *Yellow Pages* (Branchenverzeichnis) der Telefonbücher. Am einfachsten ist die Anmiete auf einem der großen Flughäfen.

Einreise- und Zollbestimmungen

Die Einreise in die USA ist seit Wegfall der Visumspflicht für Besucher und Geschäftsleute aus Deutschland, Österreich und der Schweiz einfacher geworden. Bedingung ist allerdings, daß man auf dem Luftweg in den USA ankommt und nicht länger als 90 Tage bleibt. Der Reisepaß muß noch mindestens sechs Monate gültig sein. Bereits auf dem Flug füllt man ein Einreise- und ein Zollformular aus. Ein Abschnitt des Einreiseformulars wird in den Paß geheftet und muß bei der Ausreise vorgelegt werden. Teilweise wird bei der Einreise von Einzelreisenden die Vorlage des Rückflugtickets oder der Nachweis ausreichender Mittel zur Finanzierung der Reise verlangt. Obst, Gemüse und Fleischwaren dürfen auf keinen Fall eingeführt werden. Für Haustiere benötigt man ein amtsärztliches Zeugnis. Die Einfuhr von 200 Zigaretten, 1 l Alkohol sowie Geschenken, deren Wert 100 Dollar nicht übersteigt, ist zollfrei.

Anreise

Größter Flughafen der Region ist der O'Hare International Airport nordwestlich von Chicago. Er wird von zahlreichen internationalen Fluggesellschaften von Frankfurt direkt oder über Städte an der Ostküste angeflogen. Die 16 Meilen entfernte City erreicht man am leichtesten über den Kennedy Expressway. Unter den öffentlichen Verkehrsmitteln sind für die Fahrt in die Innenstadt die Züge der CTA (Chicago Transit Authority) die billigste Möglichkeit (1,50 $). Die Fahrt dauert rund 40 Minuten. Etwas teurer sind öffentliche Busse. Zahlreiche größere Hotels werden von Hotel-eigenen Bussen angefahren. Die Taxifahrt ins Zentrum kostet etwa 30 Dollar. Nur die Hälfte kostet es mit den durch ein gelbes Fähnchen gekennzeichneten Sammeltaxis die man mit anderen Fahrgästen teilt.

Die Region besitzt zwei weitere internationale Flughäfen. Minneapolis/St. Paul in Minnesota bietet sich für Reisende an, die sich im Nordwesten der Großen Seen aufhalten wollen, während der Detroit Metropolitan Airport als Zielflughafen für jene geeignet ist, die sich für Michigan bzw. den östlichen Teil der Großen Seen interessieren.

Unterwegs in der Region der Großen Seen

Verkehrsmittel

Wer seinen Urlaub in der Region möglichst ungebunden verbringen und viel von der Landschaft und den Städten sehen will, ist auf ein **Auto** angewiesen. Ein Fahrzeug zu mieten, lohnt sich. Die Große-Seen-Region verfügt über ein gut ausgebautes Straßennetz auch mit Schnellverbindungen (Interstate-Autobahnen und sogenannten Turnpikes, das heißt gebührenpflichtige Schnellstraßen).

Chicago liegt nicht nur im Schnittpunkt wichtiger Straßenverbindungen, sondern ist auch ein zentraler Knotenpunkt der **Eisenbahn.** Der Zug Empire Builder fährt via Minneapolis/St. Paul nach Seattle bzw. Portland, der Desert Wind stellt die Verbindung via Denver und Salt Lake City nach Los Angeles her, während der Pioneer in Denver nach Norden Richtung Portland/Seattle abbiegt. California Zephyr heißt der Zug von Chicago über Denver und Salt Lake City nach Oakland/San Francisco, während die Bahn via Kansas City und Albuquerque den klingenden Namen Southwest Chief trägt. In Nord-Süd-Richtung verkehren zwischen Chicago und New Orleans City of New Orleans und zwischen Chicago und Houston bzw. San Antonio der Texas Eagle. Mit New York ist Chicago via Pittsburgh durch den Broadway Limited, mit Boston via Buffalo durch den ›Lake Shore Limited‹ verbunden.

Was **Flugverbindungen** anbelangt, ist der O'Hare International Airport am Passagieraufkommen gemessen der größte Flughafen der Welt, der vom Flugbetrieb abgesehen auch durch seine moderne Architektur Schlagzeilen machte. Jede amerikanische Fluglinie fliegt Chicago an, und viele internationale Gesellschaften starten und landen dort regelmäßig.

Viele Ziele in der Region sind auch per **Bus** erreichbar, wobei die beiden Gesellschaften Greyhound (✆ 800-528-0447) und Trailways (✆ 800-242-2935) über die dichtesten Streckennetze verfügen und Haltestellen zumindest in den größeren Städten anfahren. In ländlichen Gegenden halten häufig kleinere, lokale Busunternehmen den Personenverkehr aufrecht.

Unterkunft

Von der luxuriösen Nobelherberge bis zum bescheidenen, aber funktionellen Motel bietet die Große-Seen-Region jede Art von Unterkunft (vgl. auch die Hinweise bei den Routenbeschreibungen). Während man im Zentrum der Großstädte vor allem gut ausgestattete, aber auch teurere Hotels vorfindet (ab 100 Dollar), wird man sich auf dem Land in kleinen Orten in der Regel mit einfacheren Motelzimmern zufriedengeben müssen (ab etwa 30 Dollar). Doch selbst dort sind Dusche und Fernsehapparat eine Selbstverständlichkeit.

Während der Hauptreisezeit zwischen Memorial Day (Ende Mai) und Labor Day (Anfang September) sollte man vor allem in touristisch stark frequentierten Städten und Gegenden und speziell an Feiertagen Zimmer vorher reservieren. Wer allerdings nach 18 Uhr ankommt, muß damit rechnen, daß das Zimmer schon vergeben ist. Will man dies vermeiden, kann man unter Angabe der Kreditkartennummer eine Unterkunft fest buchen, muß dann aber auch bezahlen, wenn man dort gar nicht übernachtet hat. Wer amerikanisches Familienleben kennenlernen will, hat bei Bed & Breakfast-Übernachtungen dazu Gelegenheit. Informationen über Unterkünfte kann man sich vor Ort bei den Tourismusbüros bzw. bei den lokalen Chambers of Commerce besorgen, die es in fast allen größeren Orten gibt (vgl. auch S. 251).

Essen und Trinken

Wer kennt schon Buffalo Chicken Wings? Das Rezept für die Hühnerflügel wurde in der Stadt am Lake Erie ›erfunden‹. Das Geheimnis liegt im besonderen Geschmack, der durch die Beigabe von Sellerie, Möhren und einem Dip aus Schimmelkäse entsteht. Eine andere Spezialität der Region ist Door County Fishboil, ein Gaumenschmaus von der speerförmigen Wisconsin-Halbinsel. Dazu dün-

stet man frische Forellen in einem Topf über offenem Feuer mit neuen Kartoffeln und kleingeschnittenen Zwiebeln. Ansonsten besteht die Küche um die Großen Seen aus typisch amerikanischer Kost mit Steaks, Prime Rib, Salat und Beilagen wie Ofenkartoffeln mit Sour Cream.

Auch das Angebot aus dem Weinkeller läßt keinen auffallenden regionalen Charakter erkennen, abgesehen davon, daß es in Ohio, Pennsylvania und New York einige große Weingüter gibt, die lokale Sorten produzieren. Das, was bei Kostproben teilweise angeboten wird, kann aber auch aus importiertem kalifornischen Rebsaft bestehen, der mit Fruchtsäften zu geradezu abenteuerlichen Mixturen gemischt wird.

Kultur und Unterhaltung

Klassische Musik

Vor allem in **Chicago** gibt es zahlreiche Spielstätten für klassische Musik. In der Orchestra Hall (220 S. Michigan Ave., ✆ 312-435-6666) finden die Konzerte des international renommierten Chicago Symphony Orchestra statt. Die Veranstaltungen sind normalerweise durch Abonnenten ausgebucht. Das Orchester veranstaltet alljährlich zwischen Ende Juni und August das Ravinia Festival im Highland Park (1575 Oakwood Ave.). In der Orchestra Hall finden auch die Veranstaltungen des Civic

Orchestra und des Margaret Hillis Chicago Symphony Chorus statt. Auch die Lyric Opera (20 N. Wacker Dr., ✆ 312-332-2244) hat sich im In- und Ausland mit »Rigoletto«, »Carmen« oder »Die Zauberflöte« einen wohlklingenden Namen verschafft. Die Konzerte der Chicago Sinfonietta (Orchestra Hall, ✆ 312-857-1062), die bei Musikkritikern hoch im Kurs steht, finden zwischen Oktober und Mai statt. Zu einer ›Institution‹ sind inzwischen die Gratisveranstaltungen der Grant Park Symphony während des Sommers im Grant Park geworden.

Die nördliche ›Nachbarstadt‹ **Milwaukee** versucht, mit Chicago mitzuhalten. Im Performing Arts Center (929 N. Water St., ✆ 414-273-7206) sind die Florentine Opera Company (735 N. Water St., ✆ 414-291-5700), das Milwaukee Symphony Orchestra (330 E. Kilbourn Ave., ✆ 414-291-6010), die Milwaukee Ballett Company (504 W. National Ave., ✆ 414-643-7677) sowie das Kindertheater First Stage Milwaukee (929 N. Water St., ✆ 414-273-7206) untergebracht. Das Skylight Opera Theatre (158 N. Broadway, ✆ 414-291-7800) hat klassische wie auch moderne Musik in seinem Programm. Der 150 Stimmen starke Bel Canto Chorus (144 E. Wells St., ✆ 414-226-8800) wurde auch durch seine Auftritte im europäischen Ausland bekannt. Weitere Adressen für Liebhaber klassischer Musik sind das Milwaukee Conservatory of Music (1584 N. Prospect Ave., ✆ 414-276-5760), University of Wisconsin-Milwaukee Symphony Orchestra (✆ 414-229-4308), Milwaukee Chamber Music Society (929 N. Water St., ✆ 414-347-1564) sowie die Classical Guitar Society of America (1220 W. Green Tree Rd., ✆ 414-351-9017).

Das bekannteste Theater in **St. Paul** ist das Ordway Music Theater (345 S. Washington St., ✆ 612-224-4222), wo sowohl das St. Paul Chamber Orchestra als auch die Minnesota Opera zuhause ist. In **Cleveland** (Ohio) hat sich vor allem das Cleveland Orchestra einen weit über die Stadt- und Staatsgrenzen hinausreichenden Namen gemacht. Heute gehört das Ensemble zu den fünf herausragenden Orchestern der USA,

was nicht zuletzt dem langjährigen Dirigenten Christoph von Dohnanyi zu verdanken ist. Die Konzerte finden von Okt. bis Mai in der Severance Hall (11001 Euclid Ave., ✆ 216-231-7300) und von Juni bis Sept. im Blossom Music Center (1145 W. Steels Corner Rd., Cuyahoga Falls, ✆ 216-920-8040) statt.

Moderne Musik

Chicagos Bedeutung in der Jazz- und Bluesgeschichte wird nur noch von New Orleans übertroffen (vgl. S. 55). Liegen die stilprägenden 20er Jahre auch schon weit zurück, so ist die Stadt doch über die Jahrzehnte eine renommierte Jazz- und Blues-Bühne geblieben. Im folgenden einige bekannte Adressen für einschlägige Lokale in **Chicago:** Dick's Last Resort (North Pier, 435 E. Illiniois St., ✆ 836-7870), Jazz Club; Blue Chicago (937 N. State St., ✆ 312-642-6261), hier treten berühmte Blues-Sänger auf; Buddy Guy's Legends (754 S. Wabash Ave., ✆ 312-427-0333), Blues-Club; B.L.U.E.S. (2519 N. Halsted St., ✆ 312-528-1012), eine der herausragenden Blues Bars der Stadt; Kingston Mines (2548 N. Halsted St., ✆ 312-477-4646), eine Hochburg für Blues-Freunde.

Ein Highlight moderner Musik ist das Alpine Valley Music Theater in **Milwaukee** (✆ 414-271-2000), wo schon Größen wie Eric Clapton, Rod Stewart, Tina Turner, Madonna und Grateful Dead die Massen begeisterten. Jazz-Freunde kommen auf ihre Kosten bei Eddie Jackson's (2400 S. Logan St., ✆ 414-481-2550), The

Estate (2423 N. Murray St., ✆ 414-964-9923) und Jazz Oasis (2379 N. Holton St., ✆ 414-562-2040).

Darstellende Kunst

Die bedeutendsten Theater in **Chicago** sind das 4000 Plätze große Auditorium Theater (50 E. Congress Parkway, ✆ 312-922-4046) mit ausgezeichneter Akustik, das Shubert Theater (22 W. Monroe St., ✆ 312-902-1500), das Apollo Theater Center (2540 N. Lincoln St., ✆ 312-935-6100), das Blackstone Theater (60 E. Balboa St., ✆ 312-362-8455) sowie das Goodman Theater (200 S. Columbus Dr., ✆ 312-443-3800). Darüber hinaus besteht die Theaterlandschaft der Stadt aus einer Vielzahl kleinerer Bühnen, die teils erst in den letzten Jahren auf der Nordseite des Chicago River in leeren Lagerhallen und ehemaligen Garagen eingerichtet wurden. Die jeweiligen Spielpläne kann man den Wochenendausgaben der Tageszeitungen entnehmen. Für Ballettfreunde sind auch die zahlreichen Ensembles interessant wie das neuere Ballet Chicago (222 S. Riverside Plaza, ✆ 312-993-7575) und die Hubbard Street Dance Company (218 S. Wabash Ave., ✆ 312-663-0853).

Cleveland besitzt ebenfalls eine überaus reiche Theaterlandschaft. Im Playhouse Square Center (Euclid Ave. zwischen E. 13th und E. 17th St., ✆ 216-795-7000), das Ende der 80er Jahre neugestaltet wurde, konzentrieren sich mit dem Palace, State und Ohio Theater drei renommierte Zentren der darstellenden Künste. Vor allem das Cleveland Ballet, das im State Theater beheimatet ist, wurde weit über die Grenzen von Ohio hinaus bekannt. Um den Platz findet alljährlich zwischen Mai und Oktober das Great Lake Theater Festival statt.

In **Minneapolis** hat das Guthrie Theater (725 Vineland Pl., ✆ 612-347-1111) einen guten Ruf. Jeweils am Samstag morgen kann man dort auf geführten Touren auch das kennenlernen, was sich hinter den Kulissen tut.

Nachtleben

Heißester Flecken für Nachtschwärmer in der Region ist ohne Zweifel **Chicago,** wo sich in den letzten Jahren vor allem der Stadtteil Lakeview zum Trendsetter in Sachen Nachtklubs sowie Musik- und Tanzbars entwickelt hat. Zu den bekanntesten Tanzböden der Stadt zählen das mehrgeschossige Excalibur (632 N. Dearborn St., ✆ 312-266-1944) sowie das traditionelle Mother's (26 W. Division St., ✆ 312-642-7251). Eine intime Pianobar im englischen Stil ist der Limehouse Pub (163 E. Walton St., ✆ 3 12-7 51-81 00). Wer eine schöne Aussicht mit einem Cocktail verbinden will, ist im Bridge Nightclub & Marina (1177 N. Elston Ave., ✆ 312-235-6674) gut aufgehoben.

Alkohol

Die Alkoholgesetze in den USA verbieten in den meisten Bundesstaaten den Ausschank bzw. den Verkauf von Alkoholika an Personen unter 21 Jahren. Wer sich in einem Restaurant ein Glas Bier oder einen Wein bestellt, muß auf Ausweiskontrollen gefaßt sein. Im Fahrgastraum des Autos darf man nicht einmal eine geöffnete Flasche eines alkoholischen Getränks mit sich führen – die Zeit der Prohibition läßt grüßen. Für Personen mit Alkoholproblemen gibt es in Chicago Hilfe unter ✆ 312-577-1919.

Apotheken

Für Europäer fast unglaublich: Viele nicht rezeptpflichtige Arzneien bekommt man im Supermarkt, wo in der Regel ein großes Angebot bereitsteht. Teilweise sind in diese Supermärkte auch *Pharmacies* integriert, in denen man rezeptpflichtige Medikamente bekommt. Läßt man sich in einer Klinik behandeln, kann man notwendige Mittel häufig auch dort besorgen. Im Notfall erkundigt man sich nach der Telefonnummer der nächstgelegenen Apotheke beim Telefon-Operator (✆ 0).

Ärztliche Versorgung

Die Dichte von Arztpraxen und Krankenhäusern um die Großen Seen entspricht etwa der in Mitteleuropa. Wer für alle Fälle gewappnet sein will, sollte einen Ausweis mit seiner Blutgruppe und anderen wichtigen Angaben bei sich haben. Benötigt man schnell Hilfe, wendet man sich am besten an das hilfsbereite Hotel- oder Motelpersonal (vgl. auch Reiseversicherung S. 244)

Auskunft und Information

Die Tourismusorganisationen um die Großen Seen messen der Besucherinformation große Bedeutung zu und halten deshalb für Interessenten stets umfangreiches und nützliches Material bereit. In den größeren Städten gibt es meist eine Touristeninformation (Tourist Office, Visitor Center), in der man Informationsbroschüren über die lokalen Sehenswürdigkeiten, Stadtpläne sowie spezielle Auskünfte bekommen kann. Diese Informationsstellen sind teils auch an Wochenenden geöffnet. In kleineren Orten übernehmen diese Funktion in der Regel die Büros der Chamber of Commerce (Handelskammer), die im allgemeinen zu normalen Bürozeiten geöffnet sind (Mo–Fr 8–17 Uhr). Im Bedarfsfall kann man sich in den Touristeninformationen, die fast immer von sehr hilfsbereiten Angestellten besetzt sind, auch bei der Vermittlung von Unterkünften oder Touren helfen lassen. Hier erhält man neben informativen Broschüren nicht selten auch Couponhefte.

Autofahren

In den USA besteht Rechtsverkehr wie in Mitteleuropa. Maximal darf man auf Schnellstraßen 65 Stunden- meilen fahren, auf normalen Land- straßen nur 55 Stundenmeilen (etwa 88 km/h). Temposündern macht die Polizei mit mobilen Radargeräten das Leben recht schwer. Wer erwischt wird, zahlt niemals sofort, sondern muß seine Strafgebühr überweisen. In Städten oder Ortschaften sind Ge- schwindigkeitsbegrenzungen ausge- schildert. Wenn die gelben Schulbus- se zum Ein- und Aussteigen der Schulkinder halten, darf nicht über- holt werden. Bei Unfällen mit Ver- letzten sollte man die Polizei be- nachrichtigen.

Diplomatische Vertretungen Deutschlands

... in Chicago
Generalkonsulat der Bundesrepublik Deutschland, 104 S. Michigan Ave., Chicago, IL 60603, ✆ 312-263-0850

... in Detroit
Generalkonsulat der Bundesrepublik Deutschland, Edison Plaza, Suite 2100, 660 Plaza Dr., Detroit, MI 48226, ✆ 313-962-6526

... in Buffalo
Honorarkonsulat der Bundesrepublik Deutschland, 135 Delaware Ave., Buffalo, NY 14202, ✆ 716-854-4010

... in Minneapolis
Honorarkonsulat der Bundesrepublik Deutschland, 2000 First Bank Plaza

West, 120 S. 6th St., Minneapolis, MI 55402, ✆ 612-338-6559

Diplomatische Vertretungen der Schweiz

Generalkonsulat, 737 N. Michigan Ave., Chicago, IL, ✆ 312-915-0061; Honorarkonsulat, 600 S. County Rd., Minneapolis, MN, ✆ 612-546-0148; Honorarkonsulat 3421 N. Benzing Rd., Orchard Park, Buffalo, NY, ✆ 716-825-3814; Honorarkonsulat, 6000 S. Marginal Rd., Cleveland, OH, ✆ 216-881-2772; Honorarkon- sulat, 8647 Lyndon Ave., Detroit, MI, ✆ 313-933-2810.

Diplomatische Vertretungen von Österreich

Generalkonsulat, Wrigley Building, 400 N. Michigan Ave., Suite 707, Chicago, IL, ✆ 312-222-1515; Ho- norarkonsulat, 107 Delaware Ave., Suite 828, Buffalo, NY, ✆ 716-852- 7000; Honorarkonsulat, 1830 55 Public Square, Cleveland, OH, ✆ 216-621-5588; Honorarkonsulat, 300 E. Long Lake Road, Suite 375, Detroit, MI, ✆ 313-645-1444; Ho- norarkonsulat, 2400 Kasota Ave., St. Paul, MN, ✆ 612-647-3614.

Einkaufen

Übliche Ladenöffnungszeiten sind von 9 bis 18 Uhr von Montag bis Samstag. Daran halten sich aber nicht alle Geschäfte. In größeren Städten gibt es fast immer einen Supermarkt, der bis 22 Uhr, bisweilen sogar 24 Stunden am Tag geöffnet ist. Buchläden haben abends meist länger als 18 Uhr geöffnet. Sonntags sind Lebensmittelgeschäfte häufig zumindest halbtags offen. Große Einkaufszentren schließen am Abend erst um 20 oder 21 Uhr. Auf sämtliche Einkäufe schlägt der Staat Verkaufssteuer auf, in Chicago bzw. Illinois z. B. 8 % (auch auf Hotel- und Restaurantrechnungen).

Elektrizität

Überall in den USA beträgt die Netzspannung 110 Volt. Da europäische Stecker nicht in amerikanische Steckdosen passen, braucht man einen Adapter, den man am besten von zuhause mitbringt. Batterien sind in den USA im allgemeinen billiger als in Deutschland.

Feiertage

An den folgenden Feiertagen sind alle Geschäfte, Büros und Museen geschlossen: New Year's Day (1. 1.), Martin Luther King Jr. Day (dritter Montag im Januar), Presidents Day (dritter Montag im Februar), Memorial Day (letzter Montag im Mai), Independence Day (4. 7.), Labor Day (erster Montag im September), Columbus Day (zweiter Montag im Oktober), Veterans' Day (11. 11.), Thanksgiving Day (vierter Donnerstag im November), Christmas (25. 12.). In Wahljahren kommt der Election Day (Dienstag nach dem ersten Montag im November) dazu.

Fernsehen und Rundfunk

Öffentlich-rechtliche Rundfunk- oder Fernsehanstalten wie in Deutschland gibt es in den USA nicht, wo sich sowohl Radiosender als auch die ›Mattscheibe‹ in Privathand befinden und über Werbung finanziert werden. Das merkt man deutlich an den permanenten Werbeblocks, die jede Sendung ›zerhackstückeln‹. Wer im Hotel/Motel fernsieht, sollte beachten, daß bestimmte Programme bezahlt werden müssen. Hat man einen solchen Sender eingestellt, wird man nach einer ›Lockphase‹ von einigen Sekunden aufgefordert, das spezielle Programm über einen bestimmten Kanal einzuzuschalten. Tut man dies nicht, schaltet sich die Sendung automatisch ab. In die meisten US-Fernsehempfänger ist auch ein Radio integriert.

Festivals

Januar Zu Jahresbeginn macht Detroit seinem Ruf alle Ehre, Internationale Autoschau; Winter Flower Show auf Belle Isle in Detroit
Februar Detroit Boat Show
März Ahornsirup-Festival in Detroit
April Civil War Days in Detroit – Reminiszensen an den Bürgerkrieg
Mai ›Party-in-the-Park‹ – zahlreiche Feste und Veranstaltungen im Freien in Cleveland; May Show im Cleveland Museum of Art; Mardi Gras, Warehouse District in Cleveland; National Rib Cook-off in Cleveland; International Festival sowie International Strawberry Festival (Erdbeerfest) in Detroit

Juni International Festival Week in Lorain; Blessing of the Fleet (Bootsfestival mit Shows und Feuerwerk) in Ashtabula; Detroit/Windsor International Freedom Festival; Detroit Grand Prix (Autorennen); Bay Fest in Escanaba

Juli Autorennen Cleveland Grand Prix am Burke Lakefront Airport; Cleveland Hunter/Jumper Classic (Reitsportveranstaltung); Stadtjubiläum von Cleveland; Riverfest in den ›Flats‹ in Cleveland; French Festival of Detroit (Franzosenfest); Wyandotte Street Art Fair (Kunstmesse) in Detroit; Musikkapellen-Wettbewerb in Kenosha; National Cherry Festival bei Traverse City; National Blueberry Festival in South Haven

August Erie County Fair in Sandusky; Boat Regatta (Bootsrennen von Put-in-Bay nach Vermilion; Cuyahoga County Fair in Cleveland; Seifenkistenrennen in Akron; Michigan State Fair (staatliche Messe) in Detroit; Heißluftballon-Festival in Detroit; Bratwurst Days Festival in Sheboygan; Upper Peninsula State Fair in Escanaba

September Cleveland National Air Show am Burke Lakefront Airport; Geneva Grape Jamboree (Traubenfest) in Geneva-on-the-Lake; Herbsterntefest in Detroit; Detroit Festival of the Arts; Jazz-Festival und Pfirsichfest in Detroit

Oktober Fall Folk Festival (erste Oktoberwoche) in Toledo in den Crosby Gardens

November Festival of Trees (Baumfest) in Detroit; Michigan Thanksgiving Parade (Erntedank) in Detroit

Dezember Christmas Flower Show (Blumenausstellung) in Detroit

Geld

Ein Dollar hat 100 Cents. Münzen gibt es in 1 Cent, 5 Cents *(Nickel)*, 10 Cents *(Dime)*, 25 Cents *(Quarter)* und 50 Cents *(Half Dollar;* die Münze ist selten geworden). Dollar-Noten sind in sämtlichen Stückelungen von 1 bis 100 Dollar gleich groß und gleich grüngrau, so daß man beim Einkaufen Vorsicht walten lassen muß, bis man sich an die Scheine gewöhnt hat. 100-Dollar-Noten begegnet so ziemlich jeder Amerikaner mit Reserviertheit, wenn nicht sogar mit offenem Mißtrauen. Bei Überlandfahrten sollte man für kleinere Rechnungen und zum Tanken kleinere Scheine bei sich haben. Am einfachsten ist der Geldverkehr mit Kreditkarten. Mit Visa und Mastercard kann man an automatischen Schaltern Bargeld abheben, sofern man über eine private Geheimnummer für die Karte verfügt. Europäische Währungen kann man nur in den großen Banken der Metropolen umtauschen sowie auf dem O'Hare Flughafen in Chicago.

Klimaanlagen

In großen Hotels kann man Fenster meist nicht öffnen, weil die Frischluftzufuhr von der *Air Condition* (AC) bewerkstelligt wird. Auch die meisten Autos sind mit AC ausgestattet.

Maße, Gewichte und Temperaturen

Angaben nach dem metrischen System oder in Celsius-Graden sind noch selten. Im folgenden sind die wichtigsten Maße und Gewichte des amerikanischen Systems aufgelistet.

Längenmaße

1 inch – 2,54 cm
1 foot – 30,48 cm
1 yard – 91,44 cm
1 mile – 1,609 km

Flächenmaße

1 square inch – 6,45 cm²
1 square yard – 0,836 m²
1 square mile – 2,589 km²
1 acre – 0,405 ha

Hohlmaße

1 pint – 0,473 l
1 quart – 0,946 l
1 gallon – 3,785 l

Gewichte

1 ounce – 28,35 g
1 pound – 453,59 g
1 central – 45,36 kg
1 short ton – 0,907 t

Temperaturangaben erfolgen meist in Fahrenheit, die sich folgendermaßen in Celsius umrechnen lassen: Fahrenheit minus 32 mal 5, geteilt durch 9. 32 Grad Fahrenheit sind 0 Grad Celsius.

Museen

Die Öffnungszeiten von Museen und Galerien sind nicht einheitlich geregelt, so daß es auch keine generell ›museumsfreien‹ Tage im Land der Großen Seen gibt. Die bekanntesten Ausstellungen in den großen Städten sind täglich geöffnet, sonntags in der Regel erst am Nachmittag. Zahlreiche Museen kann man an einem bestimmten Tag in der Woche oder im Monat gratis besuchen. Genauere Informationen bekommt man bei den lokalen Tourismusbüros oder bei den Chambers of Commerce (vgl. das Stichwort Museen bei den praktischen Hinweisen der Routenbeschreibungen).

Notruf

Der allgemeine telefonische Notruf ist ✆ 911. Gegebenenfalls hilft mit Vermittlung auch der Telefon-Operator weiter, den man unter ✆ 0 erreicht. Im Falle von Drogenproblemen kann man in Chicago über ✆ 312-278-5015 und 312-722-2273 Hilfe bekommen.

Sport und Freizeit

Die USA gehören zu jenen Nationen, die sportlicher Betätigung einen hohen Stellenwert beimessen. Überall gibt es Sportanlagen, Fitness Center, Body Building Studios und andere Einrichtungen, die man auch als Urlauber nutzen kann. Auch größere Hotels stellen ihren Gästen Krafträume, Schwimmbecken und Ähnliches zur Verfügung. Rollschuhlaufen, Joggen, Aerobic, Mountain Biking usw. sind etablierter als in der Alten Welt. Dafür sorgt in den USA schon die einschlägige Industrie.

Ob Baseball, Basketball, American Football, Hockey oder andere Sportarten: Wer sich beim Zuschauen vergnügen will, hat vor allem in den

Großstädten bei einer Vielzahl von Sportveranstaltungen Gelegenheit.

In Anbetracht der großen Popularität, die in den USA Freizeitaktivitäten an der frischen Luft genießen, gibt es überall Parks, die zum Wandern, Spielen, Radfahren usw. einladen und häufig mit Picknickstellen, Toiletten und anderen Einrichtungen ausgestattet sind, die das *outdoor living* bequem machen. Beispielhaft für ein stadtnahes Erholungsgebiet ist das wie ein grüner Gürtel um Cleveland liegende Metropark System: ein 7700 ha großes Natur- und Freizeitgebiet, das in zwölf sogenannte Reservations aufgeteilt ist. Es gibt dort Ententeiche und Fischweiher, Spielplätze und Wanderwege, Jogging-Routen und im Winter Langlaufloipen. Durch Zufahrtsstraßen sind die unterschiedlichen Reservationen gut zu erreichen. Zwischen 23 und 6 Uhr sind die Parks geschlossen.

Telefonieren

Nicht die Post, sondern private Telefongesellschaften sind in den USA für die Telefonkommunikation zuständig. Rufnummern bestehen aus dem dreistelligen *Area Code,* welcher der Ortsvorwahl entspricht, und dem siebenstelligen Anschluß. Telefonnummern, die mit 1-8 00 beginnen, kann man gebührenfrei anwählen. Für internationale Gespräche wählt man vor dem *Area Code* die internationale Kennzahl des betreffenden Landes (BRD: 0 11 49, Schweiz: 0 11 41, Österreich: 0 11 43). R-Gespräche nach Deutschland kann man über eine deutschsprachige Vermittlung in

Frankfurt führen (✆ 1-800-292-0049), sofern das Gespräch zulasten der angerufenen Telefonnummer abgerechnet werden kann.

Trinkgeld

Im Restaurant und im Taxi gibt man 15 % des Rechnungsbetrags. Einem Gepäckträger im Hotel steht 1 Dollar pro Gepäckstück zu. Je nach Dauer eines Hotelaufenthaltes sollte man dem Zimmerservice ebenfalls ein Trinkgeld zukommen lassen. Die Löhne im Dienstleistungssektor sind sehr gering, so daß Trinkgelder einen Teil des Verdienstes ausmachen.

Zeit

Zwischen Deutschland und Chicago bestehen sieben Stunden Zeitdifferenz. 12 Uhr mittags in Chicago entspricht 19 Uhr abends in Frankfurt.

Zeitungen

Überall um die Großen Seen bekommt man lokale, regionale oder landesweit verbreitete Zeitungen. Ausländische Publikationen liegen nur in speziellen Großstadtgeschäften, in großen Hotels und an den Verkaufsstellen in internationalen Flughäfen aus. Die beiden wichtigsten Tageszeitungen in Chicago sind die »Chicago Tribune« sowie die »Chicago Sun-Times«, während der »Chicago Reader« ein Wochenblatt mit interessanten Artikeln über das ist, was sich jeweils in der Stadt tut.

Abbildungsnachweis

Archiv für Kunst und Geschichte, Berlin   S. 43

Manfred Braunger, Freiburg   Umschlaginnenklappe vorne, Umschlagrückseite oben   S. 1, 10/11, 14, 16/17, 22, 29, 33, 35, 48, 60/61, 71 (beide), 75, 79, 98/99, 108, 121, 122/123, 124, 126, 128, 131, 132/133, 138/139, 142, 147, 149, 158/159, 164/165, 169, 171, 175, 177, 179, 181, 183, 185, 188, 190, 193, 195, 196/197, 202/203, 210/211, 213, 215, 217, 218/219, 226/227, 231, 233, 238

Reiner Elsen/Transglobe Agency, Hamburg   S. 2/3

Michael Garff/LOOK, München   S. 77, 88

Bernd F. Gruschwitz, Bremen   S. 8, 37, 82

Christian Heeb/LOOK, München   Titelbild, Umschlaginnenklappe hinten, Umschlagrückseite unten   S. 31, 38/39, 56, 84, 86, 96/97, 110, 116, 118/119, 120, 135, 206

Thomas Mayer/Das Fotoarchiv., Essen   S. 67, 114

ULLSTEIN, Berlin   S. 13, 41, 44, 51, 52/53, 92, 101, 155, 200

Klaus Zinser, Freiburg   S. 64, 109

Karten und Pläne: DuMont Buchverlag, Köln

Ortsregister

Personenregister